£2.97RS

13

COLLECTION

ANALYSE
ET RAISONS

ANALYSE ET RAISONS

PIERRE-JEAN LABARRIÈRE

STRUCTURES
ET
MOUVEMENT
DIALECTIQUE
DANS LA
PHÉNOMÉNOLOGIE
DE L'ESPRIT
DE HEGEL

AUBIER - MONTAIGNE
13, quai de Conti, Paris

Cette étude a été présentée comme thèse de doctorat en philosophie à l'Université Grégorienne (Rome).

Qu'il soit permis de remercier le P. Pierre Henrici (Rome), qui a bien voulu en accepter la responsabilité et en diriger la rédaction, ainsi que le P. Joseph Gauvin (Paris), qui l'inspira à l'origine et encouragea sa réalisation.

Les schémas ont été réalisés par Paul Brutsche.

INTRODUCTION

« Hegel est à l'origine de tout ce qui s'est fait de grand en philosophie depuis un siècle [...]. On pourrait dire sans paradoxe que donner une interprétation de Hegel, c'est prendre position sur tous les problèmes philosophiques, politiques et religieux de notre siècle[1]. »

Jugement catégorique, bien propre à faire trembler quiconque a l'audace de s'engager en voie si périlleuse, d'autant que sa force s'accroît d'avoir été prononcé par un philosophe dont la pensée, pour avoir été marquée par celle de Hegel, ne se situe pourtant pas sous son influence directe et immédiate. Mais, au vrai, n'est-ce point le sort de tout grand philosophe, interprète de son temps, que de contribuer pour sa part à enrichir l'humus commun où germeront, en d'imprévisibles résurgences, les pensées de ses successeurs ?

Pourtant, en ce processus universel, qui est celui même de la *culture*, il est des temps, il est des lieux où l'histoire de la pensée semble se recueillir tout entière, avec une particulière plénitude, avant de resurgir dans une lumière neuve ; le paysage est bien le même, et l'historien de la philosophie pourra tout à loisir souligner les emprunts et les filiations, — mais nul ne s'y trompe : l'éclairage nouveau, pour reprendre une image de Hegel lui-même, provient de la nouveauté du « soleil » qui s'est levé[2].

Nul doute que la fin du XVIIIe et le début du XIXe siècles ne constituent, en notre tradition occidentale, l'une de ces périodes privilégiées. Comme il en va toujours en de pareils cas, la rénovation en cause ne s'y est pas fait sentir uniquement au plan des théories ou des idées philosophiques, mais elle a bouleversé de fond en comble tout l'homme, en ses profondeurs personnelles et

---

1. Merleau-Ponty, *Sens et Non-sens*, l'Existentialisme chez Hegel, p. 110.
2. *Ph. G.* (Phénoménologie de l'Esprit), 13/4 (I 12/31). — La double référence renverra toujours à la page et à la ligne de l'édition allemande de Hoffmeister (Félix Meiner, 6e édition, 1952) et de la traduction française de J. Hyppolite (Aubier, 1939-1941), éventuellement modifiée. Pour la détermination de la ligne, on a tenu compte des titres éventuels, ainsi que des lettres ou des divisions numériques, qui ont été inclus et comptés à leur place.

sociales. C'est Hegel, précisément, qui développa le premier cette analyse fameuse, devenue par après le bien commun de tous : il fallait que survienne cette transformation profonde des structures de la vie politique et sociale que représenta la Révolution de 1789, pour que puisse s'imposer une intelligence nouvelle de l'homme entendu comme liberté radicale.

Au vrai, avant même que n'éclate cette Révolution française, Kant avait déjà posé les principes d'une autre révolution, qui n'a point cessé de se faire sentir jusqu'à nos jours, et qui exprimait déjà le statut philosophique de la revendication de liberté en train de se faire un jour au plan de la vie sociale ; de sorte qu'une définition nouvelle de l'homme accompagna le bouleversement des institutions et des lois, et se nourrit en retour des forces nouvelles dégagées par l'expérience vécue. La Philosophie, comme on l'a dit, « se réfugia » alors en Allemagne, s'y donnant à connaître à travers une lignée de penseurs qui s'efforcèrent de fournir à l'homme des temps nouveaux l'instrument nécessaire pour assumer l'expérience qu'il venait de faire, et pour inventer une nouvelle manière de penser et de vivre.

Hegel fut l'un de ces penseurs. A coup sûr, il ne fut pas le seul. Et lui-même, qui combat si âprement le formalisme de ses prédécesseurs immédiats, sait par exemple, en plus d'un passage de son œuvre, rendre à Kant un hommage qui n'est pas feint. Il est vrai, en ce sens, que le jugement de Merleau-Ponty rappelé au début de ces pages pourrait avec une justesse semblable s'appliquer à Kant lui-même : de sa pensée aussi il est vrai de dire que en tenter une interprétation « c'est prendre position sur tous les problèmes philosophiques, politiques et religieux de notre siècle ». Pourtant, il reste vrai que l'influence immédiate et lointaine de Hegel fut à tout le moins plus sensible, et qu'elle apparaît plus éclatante aux yeux de l'historien, qu'il s'intéresse au déploiement des idées ou au domaine de l'action concrète.

A l'intérieur de cette époque privilégiée, l'œuvre de Hegel apparaît donc à son tour comme privilégiée. Nul plus que lui ne s'imposa à son temps, lui dont le renom portait ombrage à ses collègues de l'université de Berlin. Qu'on le comprenne ou non, qu'on l'accepte ou le rejette, on était contraint de se situer par rapport à lui, et de se dévoiler soi-même en s'efforçant de le juger. Quant à son héritage, recueilli au sein des divisions que l'on sait, il n'a cessé de fructifier jusqu'à nous, suscitant des options diverses et même antagonistes : il n'est nul mouvement de quelque importance qui ne se soit un jour, directement ou indirectement, situé, jugé, défini par rapport à cette entreprise majeure que représente, dans l'histoire de la pensée, l'hégélianisme.

Toute la première partie de l'étude qui suit s'efforcera de manifester ce qui fit en son temps la nouveauté de cette vision du monde. Mais cette recherche de la *problématique* hégélienne, si elle justifie par elle-même l'intérêt porté à cette œuvre, présuppose que soit répondu à une question préjudicielle qui ne peut manquer de surgir : s'il est vrai que Hegel, dans une large mesure, représente bien le « passage obligé » vers l'intelligence du siècle qui le suivit, n'est-il pas vrai que les vingt années que nous venons de vivre constituent une rupture à tout le moins semblable à celle qu'il connut au temps de sa jeunesse, — de sorte que *notre* problème, qui est de déchiffrer le visage nouveau de l'homme en train de naître, exigerait de nous la découverte d'une *nouvelle* vision du monde, qui soit, comme celle de Hegel en son temps, tout à la fois d'accomplissement et de dépassement ?

Voilà qui n'est pas douteux : notre monde n'est plus celui du siècle dernier. L'air que nous respirons n'est plus le même. Et les questions, en changeant si profondément d'échelle, ont aussi changé de nature. Par exemple, si la philosophie, pour Hegel, est systématique par essence, rien de plus étranger à nombre de nos contemporains, pour qui la cohérence et le sens unitaire ne sont que des leurres, et qui sont plus sensibles aux ruptures présentes soulignées pour elles-mêmes. Nos problèmes, qui sont immédiatement question de vie ou de mort, paraissent à beaucoup requérir une autre approche que celle-là, de sorte qu'une étude de Hegel, loin de nous amener à « prendre position » de façon concrète, semble nous éloigner du lieu actuel de l'humaine décision.

Voilà qui serait vrai si, inattentifs à tout ce qui le suivit, nous nous contentions de répéter, comme des oracles intemporels, les positions qu'il élabora en d'autres époques, face à d'autres questions. Mais, nous le savons bien, la philosophie se perdrait totalement en ce nouveau dogmatisme, puisque son rôle est moins d'apporter des réponses que de fournir les éléments nécessaires à l'analyse des situations dans lesquelles l'homme se trouve engagé. En ce sens, toute étude d'un philosophe, si elle veut elle-même avoir valeur philosophique, se doit de réaliser une confrontation et comme un dialogue entre son temps et le nôtre ; autrement dit, et pour reprendre la seconde partie du jugement que nous développons ici, elle doit se présenter comme une *interprétation* de la pensée dont elle traite.

Il est bon, avant d'entrer dans le mouvement de cette étude et pour mieux saisir les perspectives dans lesquelles elle se déploiera, de déterminer sommairement ce que signifie ce terme. Interpréter signifie avant tout : traduire en termes clairs et accessibles ce qui demeure, en soi-même, affecté de quelque obscurité ; en ce sens premier, fondamental, toute lecture, tout déchiffrement, si élémentaires soient-ils, sont des interprétations ; et, dans le cas d'un déchiffrement philosophique, la lecture en question visera à la découverte du code, de la règle, qui constituent la clef donnant accès au sens unitaire d'une pensée ou d'une œuvre. Tâche prédéterminée, toute d'humble soumission, qui ne connote point d'abord, contrairement à l'usage trop courant, la faculté d'opter entre des significations divergentes : interpréter une œuvre, c'est la faire sienne et l'exprimer comme telle, non en la tirant à soi, non en l'arrachant à sa terre natale, mais en la comprenant d'abord et en la respectant pour ce qu'elle est, fût-ce dans son ambiguïté.

Puisque la philosophie est analyse et compréhension de la réalité, interpréter signifie en second lieu actualiser une vision du monde en manifestant les implications qu'elle est susceptible de déployer dans l'ici et le maintenant. Tâche qui, pas plus que la première, ne peut être livrée à l'arbitraire, et qui exige au contraire une intelligence exacte des véritables structures de la pensée interprétée.

Ces deux acceptions ne vont point l'une sans l'autre. En leur unité développée résident cet « accomplissement » et ce « dépassement » dont nous éprouvons le besoin lorsque nous abordons la lecture d'un philosophe. Mais il apparaît maintenant combien cette exigence, loin de nous autoriser à quelque retraduction immédiate et hasardeuse, nous fait un impérieux devoir de *séjourner* longuement auprès de ceux que nous avons dessein d'interpréter pour notre temps [3]. Peut-être faut-il ajouter que cette exigence se fait plus urgente encore lorsqu'il s'agit d'un penseur de l'envergure de Hegel, qui eut de surcroît la mauvaise fortune de voir sa doctrine, trop souvent incomprise, sollicitée en tous sens, sans respect effectif de la *lettre* dans laquelle elle s'exprime.

Cette singulière ignorance où nous sommes encore d'une œuvre pourtant livrée aux réflexions des philosophes depuis un siècle et demi, jointe à la transmission de jugements tout faits et pour le moins sommaires, explique l'impuissance ressentie de nos jours par nombre de spécialistes hégéliens face à la tâche essentielle qu'ont rappelée les pages précédentes : beaucoup d'entre eux sont désormais enclins à reconnaître que nous ne

---

3. Il s'agit là de la transposition d'un terme que Hegel affectionne : la conscience, nous dit-il, doit *séjourner* « dans la présence de ce monde » (*Ph. G.*, 14/11, I 10/25), *séjourner* « dans chaque figure individuelle totale » (*Ph. G.*, 27/34, I 27/7), *séjourner* « près du négatif » jusqu'à le « convertir en être » (*Ph. G.*, 30/7, I 29/29).

sommes pas encore capables, pour l'heure, de procéder à une *interprétation* véritable de cette œuvre, et qu'il nous faut auparavant revenir longuement sur les opérations élémentaires de déchiffrement, reprenant à la base une lecture trop hâtivement faite par ceux qui nous ont précédés.

C'est dans cette perspective qu'a été menée l'étude ici présentée, et c'est ainsi qu'il faut l'aborder et la lire. Au lieu d'ajouter une interprétation nouvelle à toutes celles qui se disputent déjà l'assentiment du lecteur de Hegel, elle tente de se situer en deçà, et de faire un retour décidé au *texte* lui-même, accepté dans sa force native, et dans cette cohérence que l'on doit toujours reconnaître, à moins d'évidence contraire, à qui prétend faire œuvre de raison. Et s'il nous est possible, en conclusion, de jeter quelque clarté sur un certain nombre de points controversés, ce ne sera là qu'œuvre partielle, strictement limitée par les résultats, avec leurs clartés et leurs ombres, de l'enquête menée sur les structures véritables de la pensée dans cette première grande œuvre systématique de Hegel qu'est la *Phénoménologie de l'Esprit*.

Dans un passage fameux de la dialectique de *L'Esprit,* Hegel, faisant sien un jugement de Diderot, exprime en termes musicaux l'extrême confusion dans laquelle se perdit finalement, au XVIIIᵉ siècle, le monde de la Culture, — avant d'évoquer l'espoir de voir surgir une note fondamentale, « qui domine tout et qui restitue l'esprit à soi-même [4] ». Nul doute que pareille espérance ne soutienne l'obscur travail de tous ceux qui entreprennent à nouveau de déchiffrer la pensée de Hegel ; mais, en pareil domaine, une certitude s'impose : il faudra que ce déchiffrement soit longtemps poursuivi avant que l'on en puisse tenter une interprétation véritable, qui nous livre à la fois la raison de son influence et la possibilité de son dépassement.

4. *Ph. G.*, 373/13 (II 81/9).

PREMIÈRE PARTIE

PROBLÉMATIQUE

CHAPITRE PREMIER

L'ŒUVRE ET SON UNITÉ

La *Phénoménologie de l'Esprit* fut publiée pour la première fois en 1807. « Mon écrit est enfin achevé », écrivit Hegel à Schelling le 1ᵉʳ mai de cette année-là ; le livre, dont l'imprimeur avait composé les premiers feuillets dès février 1806, devait primitivement venir au jour à Pâques de cette même année [1] : mais une composition laborieuse, qui valut à Hegel de multiples démêlés avec son éditeur, en retarda la parution jusqu'au mois d'avril de l'année suivante.

L'auteur sembla dès l'abord peu satisfait de son œuvre. Il écrivit à ses amis pour s'excuser du caractère « informe » qu'elle revêtait à ses yeux, et pour promettre une large remise en chantier à l'occasion d'une seconde édition. Mais cette seconde édition ne parut jamais de son vivant, et lorsque Hegel, quelques mois avant sa mort, se décida à revenir sur cette première de ses grandes œuvres, il n'eut le temps d'en reprendre que les premières pages de la préface [2].

Il est malaisé de tirer vraiment au clair l'attitude de Hegel vis-à-vis de cet ouvrage. Et l'embarras du commentateur, qui ne sait où la situer dans l'ensemble de l'œuvre, répond aux hésitations que l'auteur connut lui-même. Ainsi, les dernières pages du *Savoir absolu* parlent d'un retour à l'immédiateté : ce qui se trouve ici visé, c'est la position nouvelle de la phénoménalité par l'Esprit, qui se trouve ramené de la sorte jusqu'à son extériorité première (c'est-à-dire jusqu'à la Certitude sensible) ; mais, au plan du savoir accompli, cette immédiateté devenue s'exprime

---

1. Cf. Otto Pöggeler, *Zur Deutung der Phänomenologie des Geistes*, Hegel-Studien, I, p. 284. Traduction française : *Qu'est-ce que la « Phénoménologie de l'Esprit »*, Archives de Philosophie, avril-juin 1966, p. 223.
Voir aussi la lettre de Hegel à Niethammer du 6 août 1806, *Hegel Briefe* (Hoffmeister, 1952), I, p. 113 ; et lettre de Hegel à Schelling du 3 janvier 1807, *ibid.*, p. 132. Traduction française : Hegel, *Correspondance*, I, pp. 108 et 125.
2. Les corrections portent jusqu'à la page xxxvii de l'édition originale : elles intéressent donc les trente-deux premiers paragraphes de l'œuvre (Hoffmeister, 29/11). Cf. les indications données par Hoffmeister, pp. 577-578. L'édition actuelle inclut les corrections introduites par Hegel en ce qui concerne ces premières pages ; pour le reste de l'ouvrage, c'est évidemment le texte de 1807 (A) qui fait autorité. Hoffmeister, pp. 575-581, et variantes pp. 582 sq.

dans l'affirmation de l'Etre, point de départ du Système [3]. Celui-ci
se présente alors comme un cercle de cercles, dans lequel la
Totalité fondamentale, celle de la Logique, manifeste sa richesse
immanente en se donnant à connaître comme Nature et comme
Esprit ; et c'est ce déploiement du pur concept comme tel, dans
la liberté de son auto-manifestation, qui fonde la possibilité effective et la signification concrète du retour phénoménologique à
l'immédiateté sensible. Faut-il donc en conclure que le Système,
(c'est-à-dire la *Science de la Logique* et l'*Encyclopédie*) abolit
l'intérêt qu'offrait la *Phénoménologie,* comme devient inutile
l'échelle qui servit à s'élever jusqu'au niveau que l'on méditait
d'atteindre [4] ? Voici pourtant qu'en 1812, lorsque paraît la
« Logique objective », c'est-à-dire les deux premières parties de
la *Science de la Logique,* Hegel, dans une réflexion sur le « point
de départ » de la Science qui sert d'introduction à la « Doctrine
de l'Etre », renvoie à la *Phénoménologie* comme à une « présupposition » nécessaire à l'intelligence de son Système [5]. Mais
à nouveau, cinq ans plus tard, en 1817, lorsqu'il publie *L'Encyclopédie des Sciences philosophiques,* la perspective semble changer : cette fois, l'introduction à la Logique n'est plus constituée
par la *Phénoménologie,* mais par le texte fameux sur « les trois
positions de la pensée à l'égard de l'objectivité » ; c'est là, nous
dit-il alors, l' « introduction prochaine (*nähere Einleitung*) pouvant expliquer et fournir la signification et le point de vue qui
sont ici présentés [6] » ; reste que ce texte n'abolit pas la *Phénoménologie,* puisque Hegel précise immédiatement après le sens
qu'il reconnaît encore à celle-ci, ajoutant même que par rapport
à elle la considération qu'il développe alors est encore plus inadéquate à réaliser vraiment une introduction à la Science [7].
Plus loin, dans la troisième partie de l'ouvrage, nous rencontrons
explicitement une « Phénoménologie de l'Esprit », qui intervient,
entre l' « Anthropologie » et la « Psychologie », à l'intérieur du
développement ayant trait à l'Esprit subjectif. Et, par rapport à
l'ouvrage de 1807, ce texte ne présente qu'un résumé des deux
premières sections (Conscience et Conscience de soi) et de l'introduction à la troisième (Raison). On a voulu inférer de là que

3. Hegel dira, au début de la Préface (écrite après le Savoir absolu) qu'il
a voulu montrer dans cet ouvrage comment la « Philosophie » doit s'accomplir comme « Science » — 12/11 (I 8/15) : cet accomplissement est en même
temps disparition de la Philosophie comme telle, entendue simplement comme
« amour du savoir ».
4. L'image est de Hegel lui-même : 25/10 (I 24/6). C'est là un développement ajouté dans les corrections de 1831.
5. *Logik* (Lasson, 1951), I 53.
6. *Enc.,* § 25. Hoffmeister, 1949, p. 57.
7. *Enc., ibid.,* Zusatz, p. 58.

Hegel renonçait à tous les développements suivants de l'œuvre primitive, et qu'il ramenait enfin la *Phénoménologie* à ses justes proportions, celles qu'il avait médité d'abord de lui donner, sans pouvoir s'y tenir lui-même dans la première de ses rédactions. Nous aurons à revenir sur cette interprétation extrêmement partielle et contestable ; notons seulement, pour l'heure, que Hegel n'entendait pas par là condamner le premier de ses ouvrages, dans la forme où il nous est parvenu, puisque, rééditant en 1831 la *Science de la Logique,* il y maintient la référence à la *Phénoménologie* à laquelle il a été fait allusion plus haut, et qu'il se préparait lui-même à lui donner une nouvelle caution en la présentant à nouveau au public.

Force est donc de revenir au texte, pour le considérer dans sa teneur actuelle. Si sa référence aux œuvres postérieures est évidemment d'une importance extrême pour tenter de le saisir en sa signification plénière, cette démarche ne peut être que seconde ; car il est nécessaire d'avoir déjà pénétré quelque peu dans sa cohérence interne avant de décider, s'il est possible, de sa place dans l'économie totale du système hégélien. Comment donc se présente cet ouvrage, tel qu'il parut en 1807, et à quel dessein répond-il ?

I. INTRODUCTION A LA SCIENCE
OU PREMIÈRE PARTIE DU SYSTÈME ?

Deux textes déjà évoqués, que Hegel écrivit à dix ans de distance, vont nous permettre d'apporter une première réponse. Dans la lettre à Schelling qu'il écrivit depuis Bamberg le 1ᵉʳ mai 1807, nous lisons : « Je suis curieux de ce que tu diras sur l'idée de cette première partie, qui est à proprement parler l'introduction — puisque je ne me suis pas encore avancé au-delà de cet « introduire », *in mediam rem*[8]. » En 1817, au début de la première partie de l'*Encyclopédie,* Hegel, comparant la démarche de sa *Phénoménologie* avec celle qu'il met en œuvre dans le texte sur « les trois positions de la pensée à l'égard de l'objectivité », parle encore à son propos d' « introduction » et de « première partie du Système[9] ». Or ces deux expressions semblent bien recouvrir des projets assez radicalement divers, de sorte que

8. *Hegel Briefe,* I, p. 161. (*Correspondance,* I, pp. 150-151.)
9. *Enc.,* § 25, pp. 57-58.

nombreux furent les commentateurs qui ne craignirent pas de parler d'ambiguïté, voire de contradiction.

Que représente chacune d'entre elles ? Il faut ici les entendre l'une et l'autre selon leur signification la plus immédiate : une « introduction » est un développement préalable, extérieur au sujet, qui, en soulignant certaines particularités du point de vue adopté, en prévenant de fausses interprétations, en dessinant à grands traits les lignes de l'exposé à venir, dispose le lecteur à la juste intelligence de ce qu'on veut lui proposer ; au contraire, une « première partie » se situe évidemment *in mediam rem,* et expose un premier aspect du déploiement de l'objet du discours. La *Phénoménologie* répondrait au premier de ces concepts si elle était une simple préparation à la Science, laquelle commencerait seulement avec la dialectique de l'Etre, au début de la *Logique* ; par contre, elle appartiendrait déjà au corpus philosophique hégélien proprement dit si l'Esprit s'y donnait à connaître réellement, sous une première forme déjà « scientifique », avec toute la richesse de son contenu.

En somme, voici, exprimé en termes simples, le dilemme devant lequel on se trouve : la *Phénoménologie* est-elle une simple propédeutique, ou déploie-t-elle déjà l'essentiel de la philosophie de Hegel ? Est-elle une préparation au Savoir ou une manifestation de l'Esprit absolu ? Il est deux voies possibles pour tenter de répondre à cette question : l'une s'attache à l'étude des structures de l'œuvre et à la détermination du mouvement qui les anime, en s'efforçant d'éprouver (au double sens de ce terme) sa cohérence intérieure ; l'autre cherche à l'aborder en retraçant sa genèse, l'histoire de son surgissement et de son élaboration, pour sonder la concordance ou la non-concordance du terme achevé avec le dessein primitif. Pour reprendre les termes mêmes de Hegel (car le problème de l'interprétation ne fait que redoubler ici celui de la composition première), l'une de ces méthodes nous situe *in mediam rem,* tandis que l'autre se présente encore comme une « introduction » à l'ouvrage.

On l'a déjà dit, l'étude présente se situe résolument dans la première de ces optiques. De sorte qu'il serait légitime, renonçant à toute discussion d'un préalable, de déployer simplement cette méthode, renvoyant au terme de ces pages sa justification *ex concreto.* Au vrai, seul ce parcours effectif du contenu de l'œuvre peut nous éclairer sur sa signification, et même sur sa nature. Pourtant, il semble impossible de se dérober totalement à une première approche *historique* ; car s'il s'avérait, à ce plan encore extérieur, qu'il faille réellement mettre en cause l'unité de l'ouvrage, cela ruinerait évidemment jusqu'à la simple possibilité d'une recherche de ses structures unitaires. Voici donc précisés le but et les limites de la discussion que nous allons entreprendre maintenant de façon sommaire : il ne s'agit pas de démontrer l'unité de l'œuvre, mais plutôt, demeurant encore à l'extérieur, de nous assurer que cette unité, *grosso modo,* est suffisamment attestée pour que nous soyons en droit de la mettre plus radicalement à l'épreuve.

II. APPROCHE HISTORIQUE :
LA THÈSE DE HAERING

Comment se pose le problème à ce plan historique ? Depuis que Th. Haering, au congrès hégélien de 1933, a le premier posé cette question, c'est par rapport à lui que se situent les prises de position des divers auteurs [10]. Sans doute, il n'avait point fallu attendre cette époque pour voir des commentateurs souligner une division (celle qui survient avec la section « Raison »), qui partageait l'œuvre, à leurs yeux, en deux « parties inégales » ; ainsi Kuno Fischer au siècle dernier, ou H. Hadlich au début de celui-ci. Mais les « travaux de Jeunesse » de Hegel ne furent publiés qu'en 1907, et il fallut attendre quelque temps encore pour que leur étude permît d'asseoir sur des arguments historiques cette dualité prétendue, voire cette contradiction interne de la *Phénoménologie de l'Esprit* : ce fut Theodor Haering qui tenta cette explication génétique de l'œuvre.

A la question : sommes-nous en présence d'une introduction au Savoir ou bien avons-nous là un premier déploiement de l'univers philosophique proprement dit ? l'originalité de Haering fut de répondre en niant l'alternative, pour affirmer qu'il s'agit tout à la fois d'une préparation au Système et d'un exposé de la Philosophie de l'Esprit. Hegel aurait eu dessein d'écrire une simple introduction, de dimensions modestes, mais son projet se serait démesurément enflé au cours de la composition, en même temps qu'il aurait changé de nature, au point de le contraindre, pressé qu'il était par son éditeur, à publier finalement comme une œuvre autonome ce qui n'aurait dû être que des considérations

---

10. Th. Haering, *Entstehungsgeschichte der Phänomenologie des Geistes,* communication au Congrès hégélien de Rome, publiée dans *Verhandlungen des III. Intern. H. Kongresses 1933,* Haarlem et Tübingen, 1934, pp. 118-138.
Haering a repris cette thèse, de façon plus succincte, dans son *Hegel, sein Wollen und sein Werk,* II, p. 479 sq.

relativement succinctes permettant d'entrer avec plus de facilité dans le « Système de la Science » qu'il avait annoncé [11]. Telle qu'elle surgit alors des hésitations de son auteur, la *Phénoménologie* n'offre donc pas d'unité réelle, — ce qui explique l'insatisfaction de Hegel comme aussi l'embarras qu'il éprouve à situer ce premier livre dans l'ensemble de son œuvre.

Cette thèse, présentée ici de façon trop abrupte (Haering lui-même la nuance, ainsi que nous le verrons), s'appuie sur un certain nombre d'arguments historiques, qu'il peut être bon de rappeler à grands traits. On sait que Hegel, dans sa volonté affirmée de retour au concret, a dès longtemps dénoncé comme une fuite, comme une peur, tout formalisme dans la détermination des catégories de la pensée. Et il voyait un effet de ce formalisme dans la tendance, kantienne et post-kantienne, à définir les instruments du savoir *avant* que de les mettre en œuvre. C'est dire qu'il refusait catégoriquement l'idée d'un préalable au savoir philosophique, et par conséquent l'idée même d'une « introduction » à ce savoir. L'Introduction qui ouvre la rédaction première de la *Phénoménologie,* et qui, en tout état de cause, représente l'exposé de son dessein originel, est ici d'une fermeté parfaite : nous y voyons qualifiée de « représentations inutiles », de « subterfuges » imaginés « pour se libérer de la fatigue qu'exige la Science », l'opinion de ceux qui veulent dissoudre la Philosophie dans ces questions préjudicielles, la détournant de sa tâche véritable, qui est de se mesurer à la « Chose même, c'est-à-dire au connaître effectif de ce qui est en vérité [12] ».

Comment expliquer alors que Hegel, probablement au cours de l'année 1805, se soit décidé à écrire une « Introduction » au Système qu'il entendait publier, et qu'il annonçait par intermittences au moins depuis l'été de 1802 ? C'est encore le texte introductif à la *Phénoménologie* qui nous éclaire sur ce point. Aussitôt après avoir stigmatisé durement le formalisme inavoué de toute considération préalable (semblant ainsi, en accord avec son attitude de tout temps, dénier toute valeur philosophique à une préparation au Savoir), Hegel, faisant volte-face, se dresse contre ceux qui, au nom d'une science « meilleure » qu'ils prétendent posséder, tentent de l'imposer d'entrée de jeu, sans prêter aucune attention au savoir immédiat de la conscience naïve : dogmatisme insoutenable, car « une assurance sèche a autant de valeur qu'une autre [13] », — de sorte que le savoir véritable ne peut prétendre

11. Cf. Hoffmeister, *Ph. G., Einleitung des Herausgebers,* XXXIII.
12. *Ph. G.,* 65/24 et 63/2 (I 67/18 et 65/2).
13. *Ph. G.,* 66/28 (I 68/22).

l'emporter sur l'autre que s'il manifeste comme sienne la part
de vérité que celui-ci recèle. Après Kant et Fichte, c'est donc
Schelling et son absolu immédiat qui se voient ici écartés.

Ainsi s'impose, en cette seconde perspective, une « présentation » du savoir phénoménal qui soit « comme le chemin de la
conscience naturelle pénétrant jusqu'au vrai savoir [14] ». Autrement dit, il est non seulement légitime mais nécessaire de former
la conscience naïve, de l'élever jusqu'au niveau où elle devient
capable d'entrer dans l'évidence simple du Savoir absolu, c'est-à-
dire dans cet « éther » où l'affirmation nue de l'Etre est saisie
en vérité comme le point de départ et le principe de la Science [15].
La *Phénoménologie* répond à ce besoin : elle retrace les « stations [16] » que doit parcourir l'esprit individuel dans la recherche
de sa propre vérité, et rend compte de l'expérience qu'il fait de
leur enchaînement nécessaire. On voit qu'il s'agit là d'une introduction d'un type bien spécial (qui ne marque, contrairement à
ce que pensait Kroner, aucun retour à Kant et à Fichte), puisque
ce chemin de la conscience vers la Science, n'étant que la face
visible de l'affrontement de celle-ci au savoir phénoménal, ne
peut être considéré comme un simple préalable au déploiement
du Système : « C'est par cette nécessité que ce chemin vers la
Science est déjà lui-même *Science,* et par là, selon son contenu
[= le contenu de la Science], Science de l'*expérience de la
conscience* [17]. »

Nous voici en possession du concept qui commande manifestement la perspective de Hegel au moment où il entreprend la
rédaction de la *Phénoménologie*. C'est lui qu'il retient comme
titre de son ouvrage, composant de la sorte la première page,
qu'il envoie à l'impression en février 1806 : « Première partie —
Science de l'expérience de la conscience [18]. » Or ce concept,
dit-on, s'il suffit à rendre compte des premiers développements
de l'ouvrage, est parfaitement inadéquat à son contenu total, —
lequel le déborde de toutes parts, jusqu'à donner une première

---

14. *Ph. G.*, 67/3 (I 69/4).
15. L'unité de ces deux points de vue, déjà présente dans l'Introduction
(notion d'expérience, et nécessité de son dynamisme intérieur) sera exprimée
plus tard, avec une parfaite netteté, dans la Préface : « La Science demande,
de son côté, à la conscience de soi qu'elle se soit élevée à cet éther, pour
pouvoir vivre avec elle (= avec la Science) et en elle, et pour vivre. Inversement, l'individu a le droit d'exiger que la Science lui déploie l'échelle au
moins jusqu'à ce point de vue, et le lui indique en lui-même. » *Ph, G.*, 25/6
(I 24/2).
16. *Ph. G.*, 67/6 (I 69/7).
17. *Ph. G.*, 74/34 (I 77/11).
18. Cf. édition de Hoffmeister : fac-similé, p. 61, et explication p. 577. —
Otto Pöggeler, *op. cit.*, pp. 271-272 (trad. franç., *loc. cit.*, pp. 208-209), évoque
lui aussi ce premier titre retenu par Hegel.

expression de la richesse du Système lui-même [19]. La conclusion de Haering est nette : selon son plan primitif, l'œuvre devait s'achever lorsque la conscience, dans la section « Raison », atteint au terme de son « expérience », dans la réconciliation éprouvée de l'objet et du sujet, de la conscience et de la conscience de soi. Alors devait se conclure le périple de cette conscience individuelle, puisque, ayant atteint l'éther du pur savoir, elle était apte désormais à comprendre la nécessité du point de départ de la Logique, — et Hegel, ajoute Haering, méditait effectivement, après cette courte « introduction scientifique », de passer sans plus tarder à l'exposé du premier moment de son Système.

Cette dernière affirmation repose sur une série de considérations historiques (en particulier sur l'examen des cours que Hegel professa ces années-là) ; il importe peu de les rappeler ici [20]. Notre propos se limite à cette constatation : s'il est vrai que la « Science de l'expérience de la conscience » devait s'achever avec les premières pages de la Raison, il faut alors affirmer que le reste de l'œuvre, écrit dans une autre optique, n'est plus cohérent avec la perspective des premières sections ; voilà qui suffirait à ôter tout fondement à l'étude que nous nous proposons de mener, puisqu'il serait manifestement absurde de rechercher les structures unitaires d'un ouvrage si évidemment brisé en son milieu, écartelé entre deux considérations si diverses.

Que s'est-il passé, selon Haering ? Dans la « Raison observante », Hegel a perdu le contrôle de son propre développement : « ... la pensée originelle était celle d'une simple élévation de la conscience ordinaire, par-delà une pluralité de degrés successifs, jusqu'à la Raison (I-V), et c'est seulement au cours de l'impression qu'elle se changea peu à peu, se rapprochant des divisions antérieures des manuscrits relatifs à la Philosophie de l'Esprit, et avant tout de cette trichotomie en Esprit subjectif, objectif et absolu, qui s'introduisait précisément alors dans la seconde Philosophie de l'Esprit [21]. » Hegel aurait alors jeté dans son cadre primitif, jusqu'à le faire éclater, toute une série de développements qui formaient le matériau de la Philosophie de Iéna ; de la considération de la conscience individuelle et de son élévation à la Science, il passe à l'examen de la conscience « supra-individuelle » et de son chemin de culture au travers de l'histoire ;

---

19. Cf. les remarques de O. Pöggeler (*op. cit.*, p. 267, trad., p. 203), qui démontrent l'insuffisance de l'interprétation de Heidegger, voulant comprendre toute la *Phénoménologie* à partir de la seule Introduction.
20. O. Pöggeler (*op. cit.*, pp. 272 sq., trad. pp. 210-216) démontre la fragilité des arguments de Haering sur ce point.
21. Haering, *Hegel, sein Wollen und sein Werk*, II, p. 485.

les figures de la conscience deviennent figures du monde, et dans
ce cadre déployé l'objet n'est plus l'individu mais l'Esprit qui se
révèle [22]. Il ne reste plus qu'à changer le titre, qui ne répond plus
au contenu : la *Science de l'expérience de la conscience* est
devenue la *Phénoménologie de l'Esprit* [23].

Tel quel, le livre se présente alors comme la « Première partie
de la Science ». Et il faudra attendre cinq ans pour que paraisse
cette *Logique* que Hegel avait dessein de publier dès 1806, aussitôt après une courte réflexion sur la conscience, et qu'il visait
alors comme le premier moment de son *Système de la Science*.
A vrai dire, ce *Système de la Science* ne sera complet qu'en
1817, avec l'*Encyclopédie des Sciences philosophiques*. Mais ces
œuvres postérieures ne sont pas connumérées avec la *Phénoménologie,* de sorte que la « première partie » de 1807 demeure
sans correspondant dans la suite des publications. On ne peut
donc arguer de ce titre très général (*Système de la Science*) pour
la faire basculer du côté du Système. En fait, la *Phénoménologie*
fait partie du Système et n'en fait pas partie : elle est bien la
révélation de l'Esprit absolu, mais *dans une conscience* ; elle
retrace l'*expérience* concrète de l'homme (et de l'humanité) dans
sa marche vers la vérité. En ce sens, son intérêt demeure, intact,
même après la publication de l'*Encyclopédie*.

Il n'est donc pas exact de prétendre, sans plus de nuances, que
l'ouvrage est devenu, purement et simplement, une « première
partie » du Système. Trois textes de Hegel, écrits en 1807, 1817
et 1831, le montrent à l'évidence. Le premier, extrait de sa lettre
à Schelling du 1er mai 1807, a déjà été évoqué : « ... cette première partie, qui est à proprement parler l'introduction — puisque je ne me suis pas encore avancé au-delà de cet " introduire ",
in medium rem. » Le second se trouve dans le paragraphe 25
de l'*Encyclopédie,* cité plus haut : Hegel y parle de « ma *Phénoménologie de l'Esprit,* qui, pour cette raison [24], lors de sa parution, a été désignée comme la première partie du Système de la
Science » ; mais c'est pour souligner aussitôt que, partant de la
conscience sensible immédiate, et déployant la totalité de ses
figures concrètes, « elle ne pouvait à cause de cela séjourner dans
l'élément formel de la conscience simple » ; elle ne répond donc
pas à cette exigence de la Science, laquelle ne se déploie que dans

22. *Ibid.,* p. 483.
23. Hoffmeister, édition de la *Ph. G.,* p. 577. O. Pöggeler, *loc. cit.,* pp. 271-
272 (trad., pp. 208-209). Ce titre nouveau apparaît, au milieu de l'année 1806,
dans l'annonce faite par Hegel des leçons qu'il prévoit pour l'hiver 1806-
1807 : cf. Hoffmeister, *Ph. G., Einleitung des Herausgebers,* XXXIII.
24. Ce *deswegen* a un sens explicatif par rapport à ce qui va suivre : si
Hegel a pu parler de « Première partie du Système », c'est en effet parce
qu'il s'agissait de la manifestation *de l'Esprit*.

ce « formalisme », et elle n'est donc en vérité qu'une Introduction [25]. Enfin, en 1831, commençant de revoir le début de la Préface en vue de la réédition de l'ouvrage, Hegel supprime purement et simplement les mots que nous mettons ici entre parenthèses : « Ce devenir de la *Science en général* ou du *Savoir* est ce que cette *Phénoménologie de l'Esprit* présente (comme la première partie du Système de cette Science) [26]. »

Ces jugements de Hegel portent sur l'ensemble du livre ; et voilà qui relativise l'opinion de Haering, pour qui seules les deux premières sections et le début de la troisième répondent au dessein primitif d'une introduction. Il est vrai que celui-ci nuance ses affirmations, concluant ainsi son exposé : « Tout cela, naturellement, ne doit en aucune manière faire dire que Hegel aurait à un moment donné changé fondamentalement son ancien point de vue [...]. Il me paraît seulement incontestable que, dans la Préface (comme aussi plus tard), il a cherché en quelque manière à justifier, en lui donnant sa juste place, la forme qu'avait prise, presque contre sa volonté, cette publication, qui ne devait avoir que le caractère d'une introduction, mais qui, sortant de ce qui lui avait été assigné comme fondements, s'était grossie sous sa main jusqu'à devenir pratiquement un Système de Philosophie de l'Esprit [27]. » Qu'il se soit « passé quelque chose » pendant la rédaction de la « Raison observante », que Hegel, au cours de cet été 1806, ait comme « perdu le contrôle de son travail [28] », qu'il ait dû, bon gré mal gré, se laisser mener par le dynamisme propre de son objet, nul ne songe à le nier. Mais, paradoxalement, cet échappement imprévisible à l'intention initiale, loin de dessiner une rupture qui rendrait l'œuvre contradictoire en la dressant contre elle-même, nous assure de la très intime connexion entre les « deux parties » que l'on distingue en elle, — puisque c'est la logique propre du développement lui-même qui contraignit Hegel à outrepasser (s'il en fut bien ainsi) les limites qu'il s'était peut-être assignées tout d'abord.

Notre dessein, rappelons-le, n'était pas de discuter pour elle-même la thèse de Haering [29], mais de nous assurer que l'œuvre,

25. *Enc.*, § 25, pp. 57-58.
26. *Ph. G.*, 26/8 (I 25/8). Cf. apparat critique, p. 584.
27. Haering, *op. cit.*, p. 486.
28. O. Pöggeler, *op. cit.*, p. 285. (Trad. franç., p. 224.)
29. O. Pöggeler répond avec vigueur à son argumentation ; et il emporte l'assentiment lorsqu'il conclut : « Il n'y a aucune preuve qui permette d'affirmer que la Phénoménologie ne devait se développer originairement que jusqu'au chapitre de la Raison » (*op. cit.*, p. 278 ; trad. franç., p. 216). — Mais à son tour, dans les pages suivantes, il souligne que l'intention de Hegel n'embrassait pas dès l'abord la totalité de l'œuvre actuelle ; selon lui, la mention du « Savoir absolu », que la dernière page de l'Introduction assigne comme terme au développement, ne vise pas l'ultime chapitre que nous pouvons lire mainte-

selon une première approche encore extérieure, possède une unité suffisante pour porter le poids d'une étude systématique de ses structures unitaires. Cette étude, d'ailleurs, nous permettra finalement, par une autre voie que celle de la critique historique, de jeter aussi sur cette question une lumière intéressante. Pour l'heure, il suffit à notre justification de recueillir les deux affirmations suivantes, émanant de partisans de la théorie de Haering. Hoffmeister écrit, en effet, dans son Introduction [30] : « Avec la section " L'actualisation de la conscience de soi rationnelle par elle-même ", qui appartient encore aux vingt et un premiers cahiers déjà imprimés, la tendance vers l'Esprit objectif, c'est-à-dire vers ce que Hegel alors nommait simplement " L'Esprit ", était déjà si forte que, pour ainsi dire, il n'y avait plus de halte possible, dans le cours de la présentation, avant les " figures du monde ", dans lesquelles seulement la conscience de soi peut atteindre à sa vérité. De la sorte, on ne peut parler ici d'une rupture directe [31]. » Et M. Hyppolite affirme de même : « Il est bien possible que l'intention de Hegel se soit modifiée au cours même de la rédaction de son travail, mais l'importance qu'il avait donnée à certains chapitres de la première partie, à l'observation de l'organique, à la physiognomonie et à la phrénologie, ne lui laissait plus le loisir de revenir en arrière ; il était conduit presque malgré lui à écrire non seulement une *Phénoménologie de la Conscience*, mais une *Phénoménologie de l'Esprit* où tous les phénomènes spirituels devaient être étudiés sous l'aspect phénoménologique [...]. C'est comme une exigence interne qui pousse la raison individuelle à devenir un monde pour soi-même comme Esprit, et l'Esprit à se découvrir comme Esprit pour soi dans la religion [32]. »

nant (en quoi Pöggeler s'accorde avec Haering), non plus que la section Raison (en quoi il se sépare de lui), mais le point où, « dans la Conscience de soi, vérité et certitude, concept et objet deviennent mutuellement égaux » (p. 283, trad., p. 222). Cf. *Ph. G.*, 140 (I, 154). Alors, en effet, peut s'opérer l'entrée dans la « Science proprement dite », — laquelle ne serait pas la Logique, mais la Philosophie de l'Esprit (ou plus exactement l'Esprit objectif, c'est-à-dire « le point *dans* la Philosophie de l'Esprit où apparence et essence s'identifient », comme elles le font, dans la *Phénoménologie de l'Esprit*, au début de la section « Conscience de Soi »). — De toute façon, il reste, pour Pöggeler, que le dessein primitif comportait (sous une forme autre, peut-être, que celle qu'elle reçut en fait dans les Sections Esprit et Religion) une réalisation concrète, en leur universalité, des dialectiques de la Raison.

30. Introduction qui, précise Haering, « a repris simplement ma démonstration, et, lui ayant ajouté des précisions de dates, a achevé de l'élever jusqu'à une évidence absolue » (*op. cit.*, p. 479).

31. *Ph. G.*, XXXV.

32. J. Hyppolite, *Genèse et Structure de la Phénoménologie de l'Esprit de Hegel*, p. 58. — Notons que l'expression « Phénoménologie de la Conscience », que Haering emploie également (*op. cit.*, p. 484) semble bien n'avoir pas de fondement hégélien. Il vaut mieux sans doute, quitte à renoncer au parallèle

III. APPROCHE LOGIQUE, LE MOUVEMENT
INTERNE DE LA *PHÉNOMÉNOLOGIE*

Cette « exigence interne » qui s'est affirmée au niveau du contenu et de son déploiement rend donc plus évidente encore l'existence d'une cohérence totale, — cohérence qui n'est pas celle d'une construction statique, mais celle d'un mouvement, d'un devenir, d'une évolution. Cette marche de l'homme vers l'absolu, cette adéquation progressive de sa certitude individuelle avec la vérité objective, ce fut d'abord, à n'en pas douter, l'histoire propre de Hegel. Pour lui, « la *Phénoménologie* était, consciemment ou inconsciemment, le moyen de livrer au public, non un système tout fait, mais l'histoire de son propre développement philosophique [33] ». Il est vrai, en ce sens, que la *Phénoménologie* représente l'ouvrage le plus « personnel » de Hegel, celui qui nous livre le plus exactement son itinéraire. Chacun le reconnaît sans peine. Mais on a voulu prendre occasion de ce fait pour minimiser, une fois encore, son importance : il s'agirait là seulement d'un effort d'élucidation sans aucune valeur universelle, produit d'une évolution singulière à nulle autre semblable ; il nous renseignerait sur la façon dont l'individu Hegel a pénétré dans l'univers de la Science, mais lui-même, dit-on, a si bien conscience de cette particularité de son expérience qu'il lui substitue, lorsqu'il s'agit d'exposer son Système comme tel, une « introduction » à la fois plus impersonnelle et plus universelle en son expression : le texte sur les trois positions de la pensée à l'égard de l'objectivité.

On oublie que le dessein de Hegel est précisément de conjoindre le plus singulier au plus universel, — non point, sans doute, en donnant immédiatement au premier, non encore éprouvé en sa valeur réelle, un caractère normatif illusoire, mais en le soumettant au « long chemin de la culture [34] » qui opère peu à peu sa « formation à l'universalité [35] » ; or cela n'est possible que si l'individu parcourt à nouveau la totalité des figures historiques qui ont amené l' « Esprit du monde » jusqu'au point actuel de

---

verbal, parler ici, comme Hegel l'a fait, de « Science de l'expérience de la conscience », projet qui, loin d'exclure une « Phénoménologie de l'Esprit », l'appelait presque nécessairement.

33. J. Hyppolite, *op. cit.*, p. 55.
34. *Ph. G.*, 55/11 (I 58/20).
35. *Ph. G.*, 44/7 (I 45/23).

son développement [36], de sorte que le cheminement de l'individu vers sa vérité épouse nécessairement celui de l'Esprit du monde vers la conscience de soi, — cheminement qui a évidemment valeur universelle : « Puisque même l'Esprit du monde a eu la patience de parcourir ces formes dans toute l'extension du temps, [...] ainsi assurément, selon l'ordre des choses (*der Sache nach*), l'individu ne peut concevoir sa substance à moindre frais [37]. »

C'est pourquoi la *Phénoménologie* se présente comme une totalisation historico-logique, qui définit l'assomption de l'individu dans l'élément du Savoir par la résurgence en lui du dynamisme de l'Esprit. S'il en est bien ainsi, l'œuvre peut être abordée, théoriquement, sous deux approches diverses, l'une historique, l'autre logique, — dont chacune, pour être adéquate à son objet, doit se dépasser elle-même pour viser la totalité une. Les raisons de notre choix pour la seconde de ces démarches viendront au jour au cours du chapitre prochain. Dès maintenant, et comme terme de ce premier développement, nous pouvons en tirer deux conséquences :

— sans nier l'intérêt d'une étude génétique de la pensée de Hegel, nous croyons qu'il est possible de tenter une autre voie vers l'intelligence de la *Phénoménologie,* et précisément celle d'une compréhension de l'œuvre, *ut jacet,* par la recherche de ses structures et du mouvement qui les anime ;

— dans ce déchiffrement du *texte,* qui seul doit faire foi, nous prêterons attention, plutôt qu'aux multiples allusions historiques propres à éclairer tel ou tel aspect du développement, à la détermination des niveaux d'intelligibilité, par l'étude des parallélismes [38] qu'elle comporte tant au plan de la forme qu'à celui du contenu ; en somme, c'est par la mise en valeur de son architectonique que nous chercherons à définir sa portée et sa signification.

Le postulat sous-jacent est que l'ouvrage, pour être compris, ne requiert aucune connaissance préalable, et qu'il offre lui-même, en la nécessité qui l'anime, la clef de son propre déchiffrement. Pour pénétrer en lui, il suffit d'être cette conscience naïve que Hegel pose d'abord dans sa certitude la plus riche et la plus pauvre. Sans doute, l'expérience qui s'engage alors est telle qu'elle ne livre sa signification (ou son absence de signifi-

36. Soit dit en passant, telle est la raison d'une cohérence profonde entre une Science de l'expérience de la conscience et une Phénoménologie de l'Esprit : la seconde est nécessaire pour que la première puisse aboutir à son terme véritable.
37. *Ph. G.*, 27/38 (I 27/17).
38. Ce terme s'éclairera dans les pages suivantes. Il désigne les résurgences d'une figure ou d'un concept à l'intérieur de l'ouvrage lui-même.

cation) qu'au terme du parcours : c'est donc au terme de cette étude que l'on pourra juger de la validité d'une telle option. Les considérations historiques que nous avons évoquées avaient seulement pour but de nous montrer qu'il n'est point absurde de se lancer en pareille aventure, et que l'œuvre a une *unité* suffisante pour autoriser l'épreuve de sa cohérence logique.

Il reste auparavant, pour déterminer plus précisément notre problématique, à définir la *méthode* grâce à laquelle cette cohérence se trouve mise en œuvre.

CHAPITRE II

L'AUTO-MOUVEMENT DU CONTENU

Selon sa signification étymologique, le terme de « méthode » connote celui d'itinéraire, ou encore de cheminement. La méthode d'un raisonnement, d'une démarche de la pensée, c'est le « chemin » concret, avec ses étapes, avec son mouvement, avec son rythme, grâce auquel l'esprit détermine son objet et s'assimile son contenu. Sans doute, la prise de conscience qu'implique la définition pour elle-même d'une méthode entraîne une certaine distance par rapport au parcours effectif, dont elle vise à exprimer l'intelligibilité universelle ; en ce sens, une réflexion méthodologique participe à l'abstraction (à la bonne et nécessaire abstraction) qui est celle de l'univers logique défini dans sa spécificité : elle est la logique, thématisée pour elle-même, du parcours concret. Mais, ainsi qu'il en va de toute réflexion logique, elle doit se poser comme un mouvement de médiation, demeurant enracinée dans l'expérience dont elle veut rendre compte, et y faisant retour pour manifester toute l'ampleur de sa signification réellement universelle.

Nous avons déjà rencontré ce terme de « chemin » sous la plume de Hegel ; c'est un de ceux qu'il affectionne lorsqu'il tente de définir la démarche en laquelle il veut nous entraîner. Parler maintenant de « méthode », c'est donc nous mesurer à un concept qui est apte à rendre compte de la totalité du mouvement de cette œuvre, et du « sens » que déploie ce mouvement.

Pris selon son acception la plus pure, l'exposé de la *méthode* relève de la Science de la Logique : « ... Sa présentation proprement dite appartient à la Logique, ou plutôt est la Logique même. En effet, la méthode n'est rien d'autre que la structure (*Bau*) du tout exposée dans sa pure essentialité [1]. » Et, en 1812, dans l'introduction générale à la Logique objective, Hegel s'exprimera de même : « L'exposition de ce que peut seulement être la véritable méthode de la Science philosophique échoit au traité de la Logique elle-même ; en effet, la méthode est la conscience portant sur la forme de l'auto-mouvement intérieur de

---

1. *Ph. G.*, 40/4 (I 41/9).

son contenu [*i. e.* du contenu de la Logique] [2]. » En ce sens, une considération méthodologique pleinement adéquate à son concept n'a sa place qu'au terme du déploiement total de la Science, au sein d'une réflexion sur le mouvement parcouru ; ainsi le dernier chapitre de la Logique subjective, « L'Idée absolue », consiste-t-il essentiellement dans cette mise en valeur de la « méthode » du développement, par la double considération de son point de départ et de son mode de progression [3].

Mais aucun *résultat* (c'est un des leitmotive de la pensée de Hegel) ne peut être compris hors du mouvement qui l'engendre, de sorte que le savoir qui se pose comme terme se présuppose nécessairement comme point de départ ; c'est pourquoi le développement lui-même, en lequel consiste le parcours concret du chemin qu'est la Science, surgit toujours entre deux réflexions méthodologiques, dont la première, concept non déployé de la totalité, dessine à grands traits la logique d'un mouvement que le déploiement effectif du contenu permettra ensuite d'exprimer plus adéquatement dans la seconde.

Ce qui est vrai de la Logique à un titre tout particulier l'est aussi de tout ouvrage de Philosophie qui se présente comme systématique [4]. Sans qu'il puisse être question de décider ici du type de rapports qu'entretiennent les « purs concepts de la Science » avec les « figures de la conscience [5] », nous pouvons noter que cet encadrement par des considérations de méthode se vérifie dans le cas de la *Phénoménologie* [6] ; de sorte que nous ne pouvons éviter, à notre tour, de poser dès maintenant des questions qui ne trouveront une réponse qu'au terme de ces pages. Ces questions ont trait à la *nature* de l'exposé phénoménologique (notion d'expérience), à la détermination d'un certain nombre de *concepts fondamentaux* (structures, mouvement), à la façon dont le contenu se donne à connaître, en son propre déploiement, à travers les *divisions fondamentales* qu'il engendre (figures, sous-

2. *Logik*, I, p. 35.
3. *Logik*, II pp. 485-506.
4. Betty Heimann, dans son étude intitulée *System und Methode in Hegels Philosophie* (Leipzig, 1927), dénonce justement l'attitude de qui voudrait conserver le « noyau » de la pensée hégélienne (c'est-à-dire l'ensemble ordonné des diverses manifestations de l'Esprit), tout en rejetant la « gangue » sous laquelle il nous le présente (c'est-à-dire la méthode selon laquelle se construit cet ensemble). Tout en reconnaissant la possibilité (bien contestable, en fait) de procéder, dans une autre perspective, à cette opposition du contenu et de la forme, elle montre que le propre de Hegel est en tout cas de manifester l' « inséparabilité » du Système et de la Méthode, — dont le Concept exprime l'unité.
5. *Ph. G.*, 562/35 (II 310/25). C'est là une question sur laquelle l'étude qui va être menée ici pourra peut-être jeter quelque lumière.
6. *Ph. G.*, *Einleitung* : 70/7 (I 72/13).
Vorrede (écrite au terme) : 40/1 (I 41/6).

sections, sections), enfin au *mode* même de la progression (nécessité). Pour ce faire, nous pouvons prendre comme fil directeur le texte de présentation de l'ouvrage que Hegel rédigea lui-même, à l'automne 1807, et qui parut en feuillet le 28 octobre de cette année-là. Nous donnons tout d'abord une traduction de son passage central [7], avant de le commenter rapidement, en particulier à l'aide de l'Introduction.

> « Ce volume présente le *savoir en son devenir*. La Phénoménologie de l'Esprit doit procéder à la fondation du savoir, en prenant la place des explications psychologiques, ou encore des débats plus abstraits. Elle envisage la *préparation* à la Science d'un point de vue qui fait d'elle une nouvelle, intéressante, et la première science de la Philosophie. Elle embrasse en elle-même les diverses *figures de l'Esprit* comme les stations du chemin par lequel il devient pur savoir ou Esprit absolu. Dans les divisions principales de cette science, qui à leur tour se brisent en plusieurs, on envisagera donc la Conscience, la Conscience de soi, la Raison observante et agissante, l'Esprit lui-même, comme Esprit éthique, cultivé et moral, et enfin comme religieux en ses différentes formes. La richesse des manifestations de l'Esprit, qui se présente, au premier coup d'œil, comme chaos, est amenée jusqu'à une organisation scientifique qui les présente selon leur nécessité ; en elle les imparfaites se dissolvent et passent dans de plus hautes, lesquelles sont leur plus proche vérité. Quant à l'ultime vérité, elles la trouvent d'abord dans la Religion, et ensuite dans la Science comme le résultat du Tout. »

Ce texte appelle d'abord quelques remarques d'ordre général. Il a été écrit, comme il va de soi, *après* que la *Phénoménologie* ait été fixée dans sa teneur actuelle : le livre, rappelons-le, a été livré au public en avril 1807, alors que ce prospectus ne sortit des presses de Goebhardt qu'à la fin du mois d'octobre. Hegel a manifestement composé cette page dans la mouvance de la Préface et de la réinterprétation globale qu'elle lui avait permis d'opérer ; il accorde la priorité, dans cette visée explicative, au déploiement de l'Esprit par rapport au progrès de la conscience. Pourtant, rien ne serait plus faux que d'essayer une fois encore d'opposer terme à terme deux points de vue dont le mouvement même de l'ouvrage montre au contraire l'unité profonde. Voilà qui, nous l'espérons, ressortira avec netteté des conclusions de

---

7. Texte allemand dans l'édition de Hoffmeister, pp. XXXVII-XXXVIII.

3

cette étude ; mais, dès maintenant, il n'est pas impossible de manifester la cohérence de la « méthode » exposée au point de départ et de celle recueillie au terme, et précisément en commentant cette page, ainsi que nous l'avons annoncé, non seulement dans la ligne de la Préface, mais aussi et surtout à partir de l'Introduction.

I. NATURE DE L'ŒUVRE : NOTION D'EXPÉRIENCE

D'entrée de jeu, la *Phénoménologie* se trouve définie par sa caractéristique essentielle, qui est d'être un chemin, un itinéraire : elle « présente le *savoir en son devenir* ». Cette expression était déjà employée, presque textuellement, dans l'Introduction, et nous offre donc un premier témoignage de la continuité du dessein de Hegel entre 1805 et 1807. Au terme d'un développement que nous avons déjà évoqué, et dans lequel Hegel, s'opposant à Schelling, souligne que la Science ne peut s'affirmer dans sa propre vérité en négligeant sa relation au savoir immédiat, la tâche proposée en vue de cette entrée dans le savoir véritable est, en conséquence, ainsi énoncée : « C'est pour cette raison que doit être entreprise ici la présentation du savoir en sa manifestation [8]. » De part et d'autre, employé verbalement ou nominalement, le même terme de *Darstellung,* caractéristique, en ce contexte, du mouvement phénoménologique, dont le propre est de « poser-là », dans leur extériorité temporelle signifiante, les moments du concept. Quant à l'expression *das erscheinende Wissen* qui se trouve dans l'Introduction, elle contenait paradoxalement une nuance qui la rend déjà plus proche d'une véritable « phénoménologie de l'Esprit » que ne l'est *das werdende Wissen* d'octobre 1807.

Mais que signifie le « savoir » visé en ces deux textes ? En soi, *Wissen* est indéterminé. Avec le qualificatif d' « absolu », il désigne le terme du processus de la « présentation [9] » ; mais employé seul, sans détermination, il peut tout aussi bien désigner la Science véritable que le savoir trompeur de la conscience

8. *Ph. G.,* 66/36 (I 68/29).
9. *Ph. G.,* 75/13 (I 77/29). Sans préjuger du point primitif que vise, dans l'économie de l'ouvrage, cette dernière phrase de l'Introduction (et même si l'on admet, avec O. Pöggeler, que ce point se situe au début de la section « Conscience de soi »), il faut bien reconnaître que, *dans l'état actuel du texte,* cette réconciliation plénière de l'essence et de sa manifestation n'est atteinte que dans le dernier chapitre du livre.

naïve ; c'est pour cela d'ailleurs qu'il doit être mis à l'épreuve, et qu'il doit révéler sa nature en son propre devenir. Mais ici, dans la *Phénoménologie,* c'est de la « fondation (*Begründung*) du savoir » qu'il s'agit, autrement dit : du savoir en tant qu'il est réellement la manifestation de l'Esprit. C'est pourquoi la *Phénoménologie* est la « manifestation » du savoir *véritable,* c'est-à-dire de la Science. Hegel exprime ceci en extraposant et en coordonnant les deux éléments qu'implique cette richesse : « Elle envisage, dit-il, la *préparation* à la Science » (ce qui signifie qu'elle est antérieure à son surgissement et à sa pleine affirmation), selon « un point de vue qui fait d'elle une nouvelle, intéressante, et la première science de la Philosophie » (ce qui veut dire qu'elle est elle-même déjà d'ordre « scientifique »).

La Science, la *Wissenschaft* proprement dite, est, comme il est affirmé à la fin de ce texte, « le résultat du tout ». Par rapport à elle, la *Phénoménologie* est sa préparation en même temps que son effectuation concrète. Elle est « science » dans la mesure où son déploiement est la manifestation de ce qu'implique le savoir véritable, c'est-à-dire de la richesse multiforme de l'Esprit ; mais elle n'est, en cela même, qu'une introduction à la Science pleinement développée. Ce second aspect, si étroitement lié au premier, exprime le fait que l'Esprit, dans son individualisation en tout homme, se trouve affecté de particularités, de limitations, dont il doit se libérer peu à peu pour s'affirmer en lui dans sa pureté conceptuelle. Ce rapport du contenu de la Science (c'est-à-dire de l'Esprit) à l'homme concret est ce qui fait l'originalité de la *Phénoménologie* par rapport au Système : « De ce point de vue, cette présentation [= la *Darstellung* qu'opère la *Phén.*] peut être prise comme le chemin de la conscience naturelle qui tend vers le vrai savoir, [...] de sorte qu'elle se purifie jusqu'à l'Esprit (*sich zum Geiste läutere*), en même temps que, à travers la complète expérience d'elle-même, elle atteint à la connaissance de ce qu'elle est en elle-même [10]. »

Ce dernier texte, tiré de l'Introduction, exprime ce rapport de la Science à l'homme à l'aide de deux termes fondamentaux : conscience, expérience. Nous ne les trouvons pas dans le prospectus de 1807 ; mais la même idée y est exprimée sous cette

---

10. *Ph. G.,* 67/2 (I 69/3).
L'*Encyclopédie* exprimera, de même, que la *Phénoménologie* accueille et exprime le contenu total de la Science dans sa relation à l'homme : « Le développement du *contenu,* des objets des propres parties de la Science philosophique, tombe... dans ce développement de la conscience paraissant tout d'abord limité à ce qui est formel ; c'est derrière son dos que se développement, pour ainsi parler, doit progresser, dans la mesure où le contenu se comporte à l'égard de la conscience comme l'*en-soi* », § 25.

forme : la *Phénoménologie* doit « prendre la place des explications psychologiques, ou encore des débats plus abstraits ». Autrement dit : alors que, dans le cursus traditionnel, l'introduction à la Philosophie comprenait une série de réflexions d'ordre « psychologique » (les différents modes du savoir : intuition, perception, etc.), ou des discussions abstraites relatives à la capacité théorique de l'esprit humain à l'égard de la vérité (ces problèmes que Hegel a rejetés au début de son Introduction), elle comportera ici la présentation ordonnée des différentes figures dans lesquelles : 1° l'Esprit se donne à connaître ; 2° en révélant l'homme à lui-même.

Cette découverte par l'homme de la Vérité absolue, dans l'affirmation de sa propre vérité à laquelle il peut alors accéder, voilà proprement ce que Hegel appelle l' « expérience », voilà ce qu'il visait en choisissant tout d'abord comme titre de son œuvre : « Science de l'expérience de la conscience » ; c'est cela qui définit la « nature » de la *Phénoménologie*, et qui permet d'entrer dans sa « méthode ». — *Expérience* dit à la fois le rapport essentiel de l'objet considéré (ici, de la Science, c'est-à-dire du Vrai dans toute son extension) à la conscience, et le dépassement d'elle-même que cette conscience est amenée à opérer en fonction de ce rapport. Dans l'Introduction, Hegel développe tour à tour chacun de ces deux points : 1° il n'y a rien à chercher hors de la conscience, puisque tout, aussi bien l'objet que la « mesure » qui permet de le juger, « tombe » à l'intérieur de cette conscience [11] ; et 2° la conscience, qui paraît passer d'un objet à l'autre de façon purement contingente, au hasard de ses rencontres successives, est en fait entraînée sans le savoir dans un processus cohérent, qui la « forme » progressivement en l'arrachant à ses propres particularités [12].

Nous retrouvons sans cesse les deux mêmes composantes, disjointes d'abord à la conscience, mais qui s'unifient peu à peu pour elle au cours de *l'*expérience qu'elle fait : ce n'est que de façon progressive que peut s'imposer à l'individu l'unité de signification *des* expériences dans lesquelles il se trouve engagé. — On voit pourquoi chacune de ces relations entre la conscience et la Science, prise pour elle-même, peut être dite aussi bien « figure de l'Esprit [13] » que « figure de la conscience [14] » ; c'est que la figure (la *Gestalt*) se définit comme un rapport déterminé entre le concept et la réalité concrète immédiate : on peut donc l'aborder sous l'un ou sous l'autre de ces aspects, et la lire (par

11. *Ph. G.*, 70-72 (I 72-75).
12. *Ph. G.*, 73-75 (I 75-77).
13. Prospectus de 1807.
14. *Ph. G.*, 75/5 (I 77/21).

rapport au terme) comme une réalisation imparfaite de l'Esprit absolu, ou bien (par rapport au point de départ) comme un progrès de la conscience vers la Vérité totale et vers sa propre vérité. En ce dernier sens, l'entrée progressive dans l'univers de la Science s'opère par la mise au jour des diverses composantes de l'essence humaine : l'homme est chose parmi les choses, il est un vivant qui se situe au milieu de ses semblables, il est doué de raison et peut comme tel comprendre le monde et agir sur lui, il est « spirituel » c'est-à-dire historique et social, il est enfin un être religieux ; et la sommation de tous ces traits de son essence, leur récapitulation dans une unique figure (qui n'en est plus une, puisqu'en elle la réalité concrète a rejoint le concept, dans l'ultime conjonction de la certitude et de la vérité), c'est le pouvoir devenu sien de com-prendre son propre devenir et de le vivre dans la pureté de son déploiement signifiant : au terme de son expérience, la conscience atteint ainsi le point « où la manifestation devient égale à l'essence » ; « et finalement, quand elle saisit cette essence qui est sienne, elle désignera la nature du savoir absolu lui-même [15] ».

II. CONCEPTS FONDAMENTAUX :
STRUCTURE ET MOUVEMENT

Tel est le dessein de la *Phénoménologie*, telle est la réconciliation ultime à laquelle elle veut nous introduire. Et l'expérience qu'elle propose et déploie commande le déroulement concret de l'itinéraire de la conscience, avec ses étapes et son rythme.

Une fois encore, le texte de l'Introduction se révèle ici très proche de la feuille de présentation de 1807, et peut nous aider à la mieux comprendre. Nous avons lu dans celle-ci : la Phénoménologie de l'Esprit « embrasse en elle-même les diverses *figures de l'Esprit* comme les stations du chemin par lequel il devient pur savoir ou Esprit absolu ». Et l'Introduction s'exprime de la sorte : « Cette présentation peut être prise [...] comme le chemin de l'âme qui parcourt la série de ses formations [16], comme des stations qui lui sont fixées par sa propre nature, en sorte

---

15. Pour l'interprétation de cette phrase, cf., ci-dessus, p. 26, note 29.
16. *Gestaltung* ajoute au terme simple de *Gestalt* une nuance factitive, qui traduit la part qu'assume l'esprit dans le surgissement de la figure. Ordinairement, *Gestalt* qualifie la figure définie en elle-même, dans son équilibre statique, et *Gestaltung* la désigne en son engendrement et en son dynamisme.

qu'elle se purifie jusqu'à l'Esprit, en même temps que, à travers la complète expérience d'elle-même, elle atteint à la connaissance de ce qu'elle est en elle-même [17]. »

De part et d'autre, la même mention des deux concepts fondamentaux qui commandent l'intelligence de tout cheminement, qu'il soit physique ou intellectuel : les *stations*, les étapes, qui structurent le développement et jalonnent son « sens », — et le *mouvement* qui les relie l'une à l'autre, en exprimant l'unité qui les fonde. Concepts qui ne sont d'ailleurs que les deux faces d'une totalité unique : l'étape n'est que le mouvement en son repos, saisi en cet instant où il se recueille pour jaillir à nouveau, et le mouvement n'est que la relation et l'unité com-prises entre les diverses étapes auxquelles un être atteint successivement dans son affirmation de soi. Quant au nuances diverses de ces deux textes, l'un mettant davantage en valeur le développement de l'esprit, et l'autre insistant plus sur le progrès de la conscience, nous les avons déjà soulignées, tout en indiquant leur cohérence véritable : la totalité du monde « spirituel » est visée dès le temps de l'Introduction, mais dans sa relation à la conscience et *du point de vue de cette conscience,* — alors que plus tard cette même et unique totalité phénoménologique sera visée *du point de vue de l'Esprit.* Voilà pourtant qui ne change rien, ici et là, à la détermination des deux concepts fondamentaux que nous essayons maintenant de comprendre.

S'il y a un mouvement unique, parcourant et reliant les stations (ou les structures, en entendant sous ce terme l'ensemble des étapes en leur succession ordonnée), c'est qu'une réalité unique — celle du « savoir en son devenir » — tend à s'affirmer tout au long du développement. La conscience peut bien se croire engagée en une multiplicité d'expériences disjointes, sans lien entre elles : en réalité, c'est une seule expérience, sous des modalités diverses, qui l'amène au centre d'elle-même et de toutes choses, lui donnant de « parvenir à la connaissance de ce qu'elle est en elle-même » dans l'acte par lequel elle se livre, en toute certitude de soi, aux hommes et aux choses. Voilà qui définit un double type d'enchaînement des figures, et, par voie de conséquence, une double lecture possible de l'œuvre.

Le premier rapport qu'entretiennent entre elles les diverses figures est un rapport de *linéarité.* Autrement dit, les étapes successives s'enchaînent les unes aux autres au sein d'une pro-gression continue, de sorte que l'itinéraire se déploie, sans retours sur lui-même, dépassant sans cesse le point qu'il vient

---

17. *Ph. G.* 67/5 (I 69/6).

d'atteindre, distendu entre un point de départ et un terme qui apparaissent comme effectivement distincts, extérieurs l'un à l'autre, extraposés dans l'espace et le temps. Cette lecture de l'œuvre est celle qu'opère la conscience, immergée tout d'abord dans sa certitude immédiate, et naissant peu à peu à sa propre vérité au fur et à mesure qu'elle accède à la Science en reconnaissant et en opérant l'unité du concept et de l'être. Son chemin n'est point de reconnaissance, mais de découverte ; inconsciente de la nécessité du surgissement de l'objet, elle est attentive avant tout à l'aspect de nouveauté, oubliant ce qu'elle vient de vivre pour accueillir naïvement l'expérience neuve qui s'offre à elle. « Voici comment ceci se présente : lorsque ce qui se manifestait d'abord comme l'objet devient pour la conscience, en s'abaissant en elle, un savoir de lui, et lorsque l'*en-soi* devient un *être*-pour-la-*conscience-de-l'en-soi*, c'est là le nouvel objet, avec lequel paraît aussi une nouvelle figure de la conscience, dont l'essence est quelque chose d'autre que la précédente [18]. » La conscience est l'élément dans lequel l'objet se diffracte en une pluralité d'aspects ; ce n'est que peu à peu, au terme d'un chemin parcouru à l'aveugle, que se recomposera pour elle son unité brisée.

Mais cette unité n'est finalement possible, et ne devient vraie aussi pour la conscience, que parce qu'elle est présupposée en soi au plan de la substance. D'où un second type de relation entre les diverses figures : non plus celle d'un progrès linéaire, mais la découverte d'une *circularité*, qui définit des niveaux d'intelligibilité comparables grâce à la récurrence d'une signification unique au travers des contenus divers et des situations changeantes. — Le mouvement, en cette seconde approche, ne se déploie plus du point de départ vers le terme, de la conscience vers la Science, mais au contraire dans une réassomption systématique du contenu à partir du terme : c'est la Science qui va vers la conscience, c'est la substance qui s'affirme comme sujet en engendrant un monde adéquat à sa propre richesse. L'Esprit absolu se prouve comme concept universel en manifestant que toute effectivité est sienne, sortant de lui-même pour se poser en elle, et demeurant toujours identique à lui-même en cette altérité : schème de totalisation, qui se répète à chacune des étapes, et dispose celles-ci dans un rapport, non plus tant de succession que de reduplication et d'approfondissement.

Cette double dimension est ce qui fait la richesse de la *Phénoménologie*. En elle, les moments du concept, de l'Esprit absolu, ne se déploient pas comme ils le feront dans l' « éther » de la

18. *Ph. G.*, 74/15 (I 76/24).

Science : « Ils ne sont pas des moments abstraits et purs, mais ils sont comme ils sont pour la conscience, ou comme la conscience surgit dans son rapport à eux [19]. » De sorte que la seconde lecture de l'œuvre est à la fois d'ordre scientifique et d'ordre pré-scientifique : l'Esprit s'y donne à connaître pour ce qu'il est, mais dans un effort tendu de conquête de lui-même plus que dans le libre ex-posé de ce qu'il est. Pour lui aussi, comme pour la conscience, le chemin qu'il doit ainsi parcourir est celui d'une « culture » réassumée dans le temps : « ... Considérée du côté de l'individu, la culture consiste en ce qu'il acquiert ce qui est devant lui, consomme en soi sa nature inorganique [20] et en prend possession pour soi. Mais du côté de l'Esprit universel, en tant qu'il est la substance, cette culture consiste uniquement en ce que la substance se donne la conscience de soi, et produit en soi son propre devenir et sa propre réflexion [21]. »

Au niveau du texte et de son déchiffrement concret, ce double point de vue donne naissance à deux séries de considérations, selon que nous nous situons au plan de la conscience et de son long voyage hors de sa propre nuit, ou à celui de l'Esprit qui sait le sens de l'aventure où il est engagé, et peut récapituler les étapes de son devenir. Les « textes pour la conscience » sont ceux dans lesquels l'expérience de l'individu se trouve décrite ; au contraire, dans les « textes pour nous », c'est le philosophe lui-même qui, arrêtant le mouvement, réfléchit sur lui pour dégager sa signification : « Dans son mouvement [= le mouvement de la conscience], il se produit ainsi un moment de l'*être-en-soi* ou *pour-nous,* qui ne se présente pas pour la conscience, laquelle est comprise elle-même dans l'expérience ; mais le *contenu* de ce qui surgit pour nous est *pour elle,* et nous ne comprenons que l'aspect formel de ce contenu, ou son pur surgir ; *pour elle,* ce qui a surgi est seulement comme objet, *pour nous* il est en même temps comme mouvement et devenir [22]. »

Double intelligibilité, une en son fondement, diverse en son expression, qui fait songer au souple étagement harmonique d'une composition fuguée.

---

19. *Ph. G.,* 75/2 (I 77/18).

20. La « nature inorganique » est constituée par la tradition culturelle que l'individu trouve « devant lui » comme une chose morte, et qu'il doit s'assimiler dans une démarche qui est à la fois souvenir et intériorisation (*Er-innerung*), — avant de faire progresser, à son tour, l'Esprit qui s'est traduit et déposé en elle.

21. *Ph. G.,* 27/19 (I 26/25).

22. *Ph. G.,* 74/27 (I 77/3).

A noter que le point de vue du philosophe (pour-nous) est identique à celui de l'Esprit (en-soi). Le philosophe, dans la *Phénoménologie,* est celui qui, ayant déjà, pour l'avoir effectué lui-même, l'intelligence du parcours que la conscience accomplit, peut le récapituler à partir du Savoir absolu.

III. LES UNITÉS DE BASE :
FIGURES ET SECTIONS

Ce sont les relations en devenir de cette pluralité des structures et de l'unique mouvement qui les rassemble (l'unité d'un développement scientifique au travers des modes différents selon lesquels la conscience l'appréhende) qui posent et qui déterminent les divisions fondamentales de l'œuvre. Et cela non seulement au niveau des unités majeures, telles que les reprend la table des matières, mais au plan même du contenu le plus simple, en chaque objet nouveau qui apparaît, en chaque attitude nouvelle que la conscience adopte à son égard.

La première et la plus fondamentale de ces unités est celle de la *figure,* de la *Gestalt.* Nous avons déjà rencontré ce terme, pour noter que les accentuations diverses des textes de 1805 et de 1807 se retrouvaient dans l'utilisation que Hegel en fait, substituant l'expression « figures de l'Esprit » à celle de « figures de la conscience », ou plutôt expliquant l'une par l'autre, en lui donnant par là sa véritable ampleur. La figure (par exemple la figure de la Certitude sensible, celle de la Raison examinant les lois, ou celle de l'Artisan dans la Religion naturelle...) exprime, à l'intérieur de la conscience, la traduction du mouvement unitaire de l'œuvre dans une structure déterminée. Autrement dit, en elle, le mouvement se noue, se rassemble en lui-même, et se détermine dans son rapport à une attitude particulière de la conscience, pénétrant la totalité du réel qu'il y rencontre, pour l'assumer dans son économie véritable et l'élever à une forme supérieure d'effectivité. La figure est ainsi comme le creuset dans lequel s'opère peu à peu la purification, tout à la fois du sujet, de l'objet, et de leur rapport mutuel ; elle est le lieu de leur médiation et de leur rencontre essentielle.

La figure est donc normalement une unité d'une certaine ampleur. Ainsi de la Raison observante. Mais, conjonction d'une structure particulière avec le *mouvement* total, elle n'est pas une réalité statique, — et le devenir qu'elle traduit s'exprime dans un certain nombre d'étapes intermédiaires, dont aucune ne se suffit à elle-même, et dont la totalité rassemblée constitue sa richesse. Reprenons l'exemple de la Certitude sensible. Ce qui fait d'elle une figure déterminée, c'est l'unité de l'attitude qu'adopte alors la conscience à l'égard de tout ce qui se présente à elle [23] : en effet, tout au long de ces pages, elle appréhende son objet selon une « visée » globale, sans distinctions ni analyses, et elle se pose pareillement face à lui dans la pureté d'un Je qui n'a pas encore pris conscience de son acte de connaissance : « Ni Je ni la chose n'a ici la signification d'une médiation multiforme ; Je n'a pas la signification d'un représenter ou d'un penser multiformes, et la chose n'a pas la signification d'éléments constitutifs multiformes [...]. Le *singulier* sait un pur ceci, ou (sait) *ce qui est singulier* [24]. » Mais ce pur rapport désignatif, qui fait l'unité de la figure et est présent tout au long de son déploiement, relie la conscience à un contenu qui ne cesse de changer au fur et à mesure que celle-ci est contrainte d'éprouver les déterminations et de son objet et de son propre mode d'appréhension : l'objet est d'abord l'essentiel et la conscience l'inessentiel, mais cette visée inadéquate se convertit dans son contraire, avant que ce ne soit la relation elle-même qui surgisse comme le véritable essentiel. En chacune de ces phases successives, la conscience se trouve obligée de mettre en question sa propre attitude, sa « visée », et elle voit celle-ci lui échapper peu à peu pour se commuer en un « dire » (première saisie vraie de la chose dans l'élément du langage), qui représentera, au terme, une nouvelle attitude, un nouveau mode de relation à l'objet, — et, par conséquent, l'entrée dans une nouvelle figure. Mais, avant d'en venir là, la conscience tente toutes les issues possibles pour se maintenir dans sa certitude présente ; elle ne se rend qu'après avoir éprouvé qu'il n'est nulle manière de la sauvegarder : qu'il s'agisse de l'objet, qu'il s'agisse du Je, ou qu'il sagisse de leur relation, la conscience découvre que ce qui vaut réellement en eux, ce n'est point la singularité immédiate qu'elle vise, mais l'universel qu'elle atteint concrètement au niveau de son langage. Ainsi, c'est au travers de ces trois *expériences* que la conscience, en sa figure de la Certitude sensible, en vient à connaître tout à la fois les limites de sa propre attitude et la possibilité concrète de la dépasser.

Ces textes peuvent être dits des textes d'expériences (au pluriel) parce qu'ils sont la traduction, dans la richesse diversifiée du contenu, de l'unique « expérience de la conscience » dont la présentation « scientifique » mène celle-ci de son attitude initiale jusqu'au Savoir absolu. C'est sur eux que repose toute la force du mouvement, en eux que son dynamisme se donne à connaître. Ils constituent, au premier chef, les développements qui valent

23. Car il est identique de dire que la figure est la traduction du mouvement unitaire dans une structure déterminée, ou d'affirmer qu'en elle la totalité structurée est appréhendée selon un mouvement particulier.
24. *Ph. G.*, 80/5 (I 82/8).

« pour la conscience », — joyaux inentamables auxquels tout le reste sert de monture. C'est grâce à eux que la figure acquiert un pouvoir de médiation, car c'est en eux que le contenu de l'Esprit peut rejoindre la conscience pour l'arracher à ses certitudes immédiates et la révéler à elle-même.

Etant médiatrice, toute figure a valeur inaliénable ; et, en elle, c'est bien la totalité du mouvement qui est présente sous un mode déterminé. Mais une figure s'accomplit dans une autre figure, laquelle, à son tour, par le jeu des expériences qui se déploient en elle, engendrera une autre figure, dans laquelle l'Esprit se donnera à connaître sous une modalité plus prégnante. Ainsi, chacune d'entre elles ne peut se définir adéquatement que par rapport à toutes les figures que contient la *Phénoménologie*. Mais cette portée totale se fragmente au niveau d'unités intermédiaires, — ensemble de figures ressortissant plus ou moins étroitement à une attitude identique, et dessinant comme des blocs de plus en plus vastes, qui reproduisent à une échelle nouvelle, de portée plus universelle, dans une structure plus élaborée, la même relation du mouvement unitaire et du contenu que nous avons rencontrée au plan élémentaire des expériences de la conscience. Par exemple, les figures diverses du Stoïcisme, du Scepticisme, de la Conscience malheureuse, constituent toutes ensemble une expression de l'effort déployé par la Conscience de soi pour s'affirmer dans sa propre liberté ; et, à son tour, cette unité constitue un moment particulier de la Conscience de soi entendue dans la plénitude de son acception. Ainsi les totalités élémentaires s'accomplissent-elles dans des totalités plus vastes, les expériences dans la figure, les figures dans les sous-sections, et celles-ci dans les sections, chacune de ces unités étant définie par une attitude originale de la conscience, et donnant naissance corrélativement à une « règle de lecture » particulière du passage considéré. Le Tout est la récollection de ces structures diverses dans l'unité du mouvement qui les pose, — l'architecture vivante de l'œuvre et du « sens » qui la traverse.

Enfin, fondement véritable du mouvement ascendant suivi jusqu'alors, il est possible, à partir de ce Tout, de redéployer les moments qui le composent. C'est ce que fait Hegel dans le prospectus de 1807, qu'il est à peine besoin, maintenant, de commenter : la *Phénoménologie de l'Esprit* « embrasse en elle-même les diverses *figures de l'Esprit* comme les stations du chemin par lequel il devient pur savoir ou Esprit absolu. Dans les divisions principales de cette science, qui à leur tour se brisent en plusieurs, on envisagera donc la Conscience, la Conscience de soi, la Raison observante et agissante, l'Esprit lui-même, comme Esprit éthique, cultivé et moral, et enfin comme religieux en ses différentes formes ». Hegel, dans cet aperçu sommaire, se borne à indiquer la scission du Tout en sections et sous-sections ; mais il note que celles-ci « se brisent à leur tour en plusieurs », et il désigne par là les figures elles-mêmes, et les expériences qui les composent.

Un autre texte de Hegel, tiré de l'introduction à la section « Religion », développe pareillement l'économie de l'œuvre, — en la considérant dans ses quatre premières sections. Envisagées dans leur unité, celles-ci constituent ensemble « le Tout de l'Esprit » dans son être-là, « en tant que ses moments se séparent les uns des autres et que chacun se présente pour soi-même ». Ces « moments », pris pour eux-mêmes, constituent le second étage de la construction d'ensemble ; ce sont : « la Conscience, la Conscience de soi, la Raison et l'Esprit », autrement dit : les sections diverses dans lesquelles se divise cette partie de l'œuvre. Une autre division du même type nous fait accéder à un étage encore plus fondamental : « Comme l'Esprit était différencié de ses moments, ainsi faut-il encore en troisième lieu différencier de ces moments eux-mêmes leur détermination singularisée. Nous avons vu de fait chacun de ces moments se différencier en lui-même en un parcours propre et se diviser en figures diversifiées (*sich verschieden gestalten*) ; ainsi par exemple dans la Conscience se différenciaient la Certitude sensible et la Perception. Ces derniers côtés se séparent les uns des autres dans le temps, et appartiennent à un Tout particulier [25]. »

La figure est ainsi la totalité déterminée grâce à laquelle le mouvement universel anime et assume tout le contenu de l'Esprit déployé dans le temps.

IV. MODE DE PROGRESSION :
LE MOUVEMENT ET SA NÉCESSITÉ

Les textes que l'on vient de lire insistent par priorité sur l'aspect structurel de cette construction. Rien d'étonnant à ce que Hegel revienne, pour finir, sur ce qui est l'âme de cette architecture, sur le dynamisme qui l'habite et qui fonde le passage d'une totalisation à une autre totalisation. Sans ce mouvement dialectique unique qui anime la pluralité de ses structures, la *Phénoménologie* ne serait qu'une construction froide, sans lien

25. *Ph. G.*, 476/38 (II 207/22).

avec l'expérience dont elle entend manifester l'intelligibilité. « La richesse des manifestations de l'Esprit, — écrit Hegel dans le prospectus de 1807, — qui se présente, au premier coup d'œil, comme chaos, est amenée jusqu'à une organisation scientifique qui les présente selon leur nécessité ; en elle les imparfaites se dissolvent et passent dans de plus hautes, lesquelles sont leur plus proche vérité. Quant à l'ultime vérité, elles la trouvent d'abord dans la Religion, et ensuite dans la Science comme le résultat du Tout. »

L' « organisation scientifique » du contenu, dans la *Phénoménologie,* est donc à entendre dans une perspective dynamique ; elle ne peut être comprise en sa vérité qu'au sein d'un devenir, dans la mesure où le concept, qui structure le donné, s'y déploie, par définition, dans la forme du temps [26]. Dans le texte que nous venons de lire à nouveau, ce dynamisme (cette « dialectique ») s'exprime dans les verbes qui se trouvent employés : les figures imparfaites *se dissolvent* (*sich auflösen*) et passent (*übergehen*) dans des figures plus parfaites ; voilà qui peut nous permettre de mieux comprendre, récapitulant tous les développements précédents, ce que signifie l'expression de Hegel qui sert de titre au chapitre présent : la méthode est l' « auto-mouvement du contenu ».

On peut dire que la dialectique naît d'une double certitude initiale, mais d'une double certitude qui, loin de se donner comme un savoir immédiat, invérifiable, sollicitant seulement une adhésion de foi, engendre sa propre mise en question, et ne coïncide avec sa propre vérité qu'au terme du déploiement de l'univers philosophique, qu'elle a d'abord mis en mouvement. Sous sa forme la plus indéterminée, cette certitude peut s'énoncer ainsi : *il y a du sens* ; quant à sa double composante, on peut la formuler de la sorte : d'une part, l'absolu n'est pas distant de nous, mais au contraire se donne à connaître dans toute expérience, dans toute rencontre, — et, d'autre part, la vérité a en elle-même tout ce qu'il faut pour se faire reconnaître comme telle, et point n'est besoin de la solliciter ni d'intervenir de l'extérieur dans sa manifestation.

Qu'il y ait du sens au monde, c'est là le postulat commun à tout effort philosophique, s'il est vrai que la philosophie est essentiellement la recherche d'une signification intelligible : nul n'est tenu de s'adonner à ce labeur, au moins sous sa modalité technique, et celui qui l'accepte le fait en vertu d'une « décision à la philosophie », qui n'est autre, précisément, que la confession, encore pleinement indéterminée, de l'existence d'un sens. Mais

---

26. *Ph. G.,* 38/33 (I 39/32) ; 477/4 (II 208/2) ; 558/10 (II (305/4).

ce qui spécifie l'univers philosophique comme univers dialectique, ce sont les deux attitudes dans lesquelles se traduit cette option fondamentale : il vaut la peine de les développer quelque peu pour elles-mêmes.

L'absolu n'est pas distant de nous. Cela signifie simplement qu'il n'existe aucun préalable à l'entrée dans la philosophie. C'est au début de l'Introduction que Hegel, avec un peu de hauteur, souligne ce point, capital à ses yeux : « L'absolu seul est vrai, ou le vrai seul est absolu [27]. » Ce qui signifie qu'il n'est nul moyen d'imaginer une connaissance préjudicielle qui déciderait, au terme d'un examen contradictoire, du moyen vrai de se mettre en chemin vers la vérité. Cela présupposerait que « l'absolu *se trouve d'un côté,* et que le connaître, de *l'autre côté,* pour soi, et séparé de l'absolu, est pourtant quelque chose de réel [28] ». Or la connaissance n'est pas un instrument qui existerait en soi, et que l'on pourrait sonder, comme tel, hors de son exercice concret ; elle ne serait alors qu'un moyen cultivé dans le but d'attirer l'absolu et de se saisir de lui, — mais l'absolu « se moquerait bien de cette ruse, s'il n'était pas et ne voulait pas être en et pour soi déjà près de nous [29] ».

C'est donc l'absolu qui s'approche lui-même de l'homme et se manifeste à lui comme tel : il suit de là que *la vérité a en elle-même tout ce qu'il faut pour se faire reconnaître comme telle.* Voilà qui n'est point à entendre comme si « la » vérité était quelque entité subsistant en soi ; au contraire, nous venons de le voir, elle est dès l'origine dans un rapport constitutif à l'effort humain qu'est le connaître : mieux, elle *est* ce mouvement, en tant qu'il se déploie sans entraves et parvient à son terme. La « vérité du savoir », c'est l' « être-pour-nous de cette vérité [30] », de sorte que la distinction entre une vérité objective et le savoir de cette vérité tombe à l'intérieur de la conscience ; il n'est point de mesure de la vérité qui soit extérieure à la vérité : c'est la conscience seule, *parce qu'*elle est dans la vérité, qui, au cours de son expérience, peut être la mesure du vrai. « L'essentiel est de retenir fermement pendant toute la recherche que ces deux moments, *concept et objet, être-pour-un-autre* et *être-en-soi-même,* tombent eux-mêmes dans le savoir sur lequel porte notre recherche, et que par conséquent nous n'avons pas la nécessité d'apporter avec nous des mesures, et d'appliquer *nos* fantaisies et *nos* pensées au cours de la recherche ; par le fait que nous

27. *Ph. G.,* 65/12 (I 67/7).
28. *Ph. G.,* 65/5 (I 66/40).
29. *Ph. G.,* 64/19 (I 66/14).
30. *Ph. G.,* 71/4 (I 73/9).

les écartons, nous parvenons à considérer la chose telle qu'elle est *en* et *pour soi-même*[31]. »

Voilà ce qu'est la méthode dialectique, voilà ce que signifie *l'auto-mouvement du contenu.* L'individu n'a pas à *manier* le vrai, ni à déterminer par avance les conditions de son apparition : il a à se rendre présent au « sens » qui est là, et qui le sollicite à s'accomplir lui-même dans sa propre vérité. Attitude de respect, de soumission au vrai qui se donne et se fait reconnaître ; attitude bien éloignée de l'idéalisme orgueilleux, maître de lui-même et de son propre objet, qui sert trop souvent à qualifier l'attitude hégélienne. Mais si l'individu n'a pas à intervenir de son propre chef, ce n'est pas à dire qu'il n'ait qu'à accueillir la vérité pleinement élaborée ; encore une fois, ce n'est ni du côté du sujet ni du côté de l'objet entendus dans leur opposition et leur isolement réciproques que se trouve toute la lumière, mais bien plutôt dans leur relation en devenir : le « contenu » de la conscience, c'est précisément ce rapport entre la conscience et son objet ; ce ne sont pas les choses qui se meuvent, et ce n'est pas non plus l'esprit dans son abstraction initiale : c'est le *contenu* qui se déploie, parce qu'il est présence de l'Esprit à l'homme, parce qu'il est *invention,* par l'homme à la recherche de lui-même, de son propre univers spirituel[32].

Tel est le mode de progression de l'expérience à l'intérieur de la *Phénoménologie,* telle est l' « organisation scientifique » que reçoivent en elle les « manifestations de l'Esprit ». Hegel précise que, du fait de cette présentation « scientifique », les moments du concept, c'est-à-dire de l'Esprit déployé dans sa vérité, s'enchaînent ici les uns aux autres « selon leur nécessité ». Nous avons déjà rencontré ce terme, en montrant comment la conscience, dans l'instant même où elle se croit livrée au hasard de découvertes sans lien entre elles, participe en fait à la cohérence du mouvement de la Science, qui, « pour ainsi dire derrière son dos[33] », prépare l'apparition du nouvel objet. La nécessité qui s'exprime en cela ne vaut donc d'abord que pour-nous, ou en-soi ; mais parce qu'elle repose sur l'identité en-et-pour-soi du pour-nous et du pour-la-conscience, elle se manifeste peu à peu à la conscience elle-même comme étant sa propre loi ; et, au terme, l'ultime expérience, devenue adéquate à la réalité, au plan de la forme comme à celui du contenu, exprime cette égalité devenue, pour la conscience, entre la nécessité du concept et sa propre liberté singulière.

---

31. *Ph. G.,* 71/36 (I 74/4).
32. « Invention » , au double sens, passif *et* actif, de ce terme.
33. *Ph. G.,* 74/26 (I 77/2).

La « méthode » dialectique n'est rien d'autre que le refus de toute extériorité dans le traitement de la vérité. La « nécessité » de son déploiement est identique à la liberté qui s'exprime dans l'auto-mouvement du contenu : liberté qui se conquiert et se prouve dans la *Phénoménologie,* avant de s'exposer elle-même, sans nulle autre contrainte que la nécessité de sa propre manifestation, dans la *Science de la Logique.* « La vérité est le mouvement d'elle-même en elle-même [34] » ; et c'est pourquoi Hegel, dans la Préface, souligne l'impossibilité d'employer, dans la réflexion philosophique, toute méthode de type historique, ou encore « scientifique » (par exemple : mathématique) : car à la Science — entendons : à la Philosophie accomplie en sa vérité — « il n'est permis de s'organiser que par la vie propre du concept ; en elle, la déterminité, qui, tirée du schéma [35], est appliquée à l'être-là de façon extérieure, est l'âme se mouvant elle-même du contenu plein [36] ». Et il clôt la Préface en renouvelant encore cette même affirmation : « Ce par quoi la Science existe, je le pose dans l'auto-mouvement du concept [37]. »

Toute étude de la *Phénoménologie,* pour avoir quelque chance de rejoindre réellement son objet, doit déployer sa propre méthode en fonction de celle que l'œuvre elle-même met en jeu ; nous sommes donc prêts maintenant, après avoir évoqué celle-ci, à nous interroger sur le mode d'approche le plus adéquat à cette totalité entrevue : ce qu'il nous faut trouver, ce sont les éléments qui, au niveau du *texte* lui-même, permettent de déterminer les structures réelles de l'ouvrage en même temps que l'unité du mouvement qui les anime.

34. *Ph. G.,* 40-27 (I 41/29).
35. Dans le cas d'un raisonnement de type mathématique.
36. *Ph. G.,* 44/11 (I 45/27).
37. *Ph. G.,* 57/21 (I 60/20).

CHAPITRE III

LES CORRÉLATIONS INTERNES

I. LES RÉSURGENCES
AU NIVEAU DES FIGURES

Pour bien comprendre la *Phénoménologie,* sinon au niveau d'une première lecture (en laquelle il convient de suivre simplement la conscience au chemin de ses découvertes), du moins au plan d'une intelligence systématique de l'auto-déploiement de son contenu, il est donc nécessaire de demeurer attentif à cette pluralité d'éléments qui ont été évoqués, et qui donnent à chaque figure, à chaque mouvement, à chaque totalité nouvelle, la plénitude de sa richesse et de ses harmoniques. La signification réelle d'un passage quelconque exige toujours que soit fait appel à la totalité de l'œuvre, présente à chacun des niveaux sous une modalité déterminée. C'est là une conséquence de ce que nous avons appelé la « dimension circulaire » du développement, — c'est-à-dire le fait qu'un mouvement identique, qui est le mouvement unitaire de l'œuvre, se pose à nouveau en chacune des totalités subordonnées qui constituent cette œuvre.

Sous cet aspect, le style même de la *Phénoménologie,* la méthode qu'elle met en œuvre, exigent cette récapitulation du Tout en *chacune* des formes où il se donne à connaître, l'attention à *chacune* des étapes qu'elle comporte, et dont aucune ne peut être absolument privilégiée par rapport aux autres, — sous peine de fausser l'équilibre global, et d'infléchir le sens de l'ouvrage selon une détermination qui n'est point celle de l'universel. Il faut, dit Hegel, « *séjourner* en chacun [des moments], car chacun est lui-même une figure individuelle totale, et il n'est considéré de façon absolue que dans la mesure où sa déterminité est considérée comme Tout ou comme Concret, ou dans la mesure où le Tout est considéré dans la propriété de cette détermination [1] ». Ainsi, chaque moment, chaque figure, s'épanouit en une constellation propre, originale ; il est identique de dire

1. *Ph. G.,* 27/34 (I 27/7).

qu'il organise le contenu total selon la règle propre qui le définit, ou d'affirmer qu'il donne au mouvement universel de s'exprimer dans sa relation à un contenu particulier : de toute façon, en lui les éléments communs se structurent suivant une contexture originale qu'il importe de saisir et d'exprimer pour elle-même.

Mais cette attention à *chaque* étape ne doit point s'opposer à la considération de l'enchaînement des figures et de leurs relations mutuelles : au contraire, on vient de le rappeler, c'est parce que chacune d'elles représente comme une concrétion particulière du Tout qu'elle acquiert valeur en elle-même. C'est pourquoi on ne peut interpréter correctement une de ces figures si l'on ne saisit pas, en son insuffisance même, comme un appel à son propre dépassement dans une série « linéaire » qui ne trouve son sens plénier qu'au terme. En parallèle à l'affirmation rappelée plus haut (nécessité de « séjourner » en chacun des moments), Hegel souligne cet aspect essentiel de pro-grès, d'itinéraire : « L'impatience prétend à l'impossible, c'est-à-dire à l'obtention du but sans les moyens. [...] Il faut supporter la *longueur* de ce chemin, car chaque moment est nécessaire [2]. » La raison en est simple, et tient au caractère même de la *Phénoménologie,* qui fait d'elle une préparation *scientifique* à la Science : « Par ce mouvement [*i. e.* par le mouvement du concept immanent au devenir phénoménologique], le chemin par lequel le concept du savoir est atteint devient pareillement un devenir nécessaire et complet, de telle sorte que cette préparation cesse d'être un philosopher contingent qui s'attache à tels ou tels objets, relations et pensées de la conscience imparfaite, selon que l'induit la contingence, ou qui cherche à fonder le vrai par un raisonnement, un conclure et un déduire allant ici et là à partir de pensées déterminées ; mais ce chemin embrassera par le mouvement du concept la mondanité plénière (*vollständige Weltlichkeit*) de la conscience [3]. »

Ainsi, le sens véritable de la *Phénoménologie* échappe à celui qui privilégie de façon absolue l'une de ses figures (par exemple celle de « Domination et Servitude »), s'efforçant de lire en elle seule la signification du Tout, comme au travers d'un prisme, — et il échappe tout autant à celui qui ne prend pas les figures en toute leur épaisseur, et ne s'efforce pas de retrouver en chacune d'elles (et en celle-là aussi comme en toute autre) le sens total de l'œuvre, sans restriction aucune. Il semble donc que l'on soit au rouet, puisqu'il faudrait être au niveau du Tout pour

---

2. *Ph. G.,* 27/29 (I 27/3).
3. *Ph. G.,* 31/20 (I 31/9). *Weltlichkeit* désigne ici la totalité du contenu déterminé de la conscience.

comprendre le particulier, et qu'il faut déjà comprendre celui-ci
pour ce qu'il est avant de parvenir au Tout. Cette formulation
paradoxale, dont aucun des termes ne peut être changé, donne
la mesure tout à la fois de l'immense difficulté de l'œuvre et de
l'intérêt qui est le sien ; au vrai, c'est là le propre de toute
pensée systématique, qu'il est parfaitement vain de contester tant
que l'on ne s'est pas soumis à la règle (à la « méthode ») qui
est sienne : il y faut de longs tâtonnements, un ajustement progressif des éléments à la Totalité et de celle-ci à ses moments
divers ; il y faut répudier cette « impatience » contre laquelle
Hegel met en garde, — impatience qui entraîne souvent à juger
d'une chose avant que sa signification ne se soit déclarée.

Mais comment est-il possible, de façon concrète, d'entrer dans
cette intelligence ? Une dernière fois, c'est la feuille de présentation d'octobre 1807 qui va nous mettre sur la voie. Nous avons
déjà lu la dernière phrase de son paragraphe central : « ... les
[manifestations de l'Esprit] imparfaites se dissolvent et passent
dans de plus hautes, lesquelles sont leur plus proche vérité.
Quant à l'ultime vérité, elles la trouvent d'abord dans la Religion, et ensuite dans la Science comme le résultat du Tout. »
Ce texte est précieux en ce qu'il conjoint, dans une description
unique, les deux dimensions rappelées ici, de linéarité et de circularité : *linéarité,* parce que la vérité ultime n'existe qu'au terme
(sous mode figuratif dans la Religion, et sous mode pleinement
adéquat au concept dans le Savoir absolu), de sorte que le mouvement ne peut s'arrêter avant que la conscience ait accompli le
parcours en son intégralité [4] ; *circularité,* parce que chaque étape
atteinte représente la « vérité » de celle qui la précède, et que
la « vérité la plus proche » n'est pas d'une autre nature que
l' « ultime vérité » : car « l'Absolu seul est vrai, ou le Vrai seul
est absolu », et l'on ne peut faire de différence « entre un Vrai
absolu et un Vrai d'une autre nature [5] ».

Cela impose que, dans le déchiffrement du texte, l'on prête
attention, non seulement à l'organisation propre d'une figure en
elle-même, à la constellation conceptuelle et linguistique qu'elle
déploie, et dans laquelle le Tout se donne à connaître comme
Tout, — mais aussi à la résurgence, à l'intérieur d'une figure,
d'éléments ou de situations déjà rencontrés dans les figures
antérieures, éléments grâce auxquels, au fil du développement,
la vérité du Tout se construit et s'affirme peu à peu. M. Hyppolite souligne la signification de ces résurgences — de ces « corrélations internes » — lorsqu'il écrit : la *Phénoménologie* est

4. *Ph. G.,* 69/6 (I 71/10).
5. *Ph. G.,* 65/20 (I 67/14).

« ... l'ouvrage de Hegel le plus vivant, celui dont la croissance paraît la plus organique. On est frappé de voir que les mêmes concepts reviennent à des étages divers et enrichissent leurs significations. Ce n'est donc qu'en analysant de près la progression de l'œuvre, son contenu substantiel en même temps que ses démarches dialectiques, que l'on peut espérer en entrevoir le mouvement [6] ». Voilà qui est juste, pour autant que l'on élargit un peu ce jugement : d'une part, ce ne sont pas seulement des « concepts » qui réapparaissent aux étages divers, mais des situations complexes qui peuvent représenter des figures ou même des séquences de figures ; d'autre part, ces résurgences ne servent pas seulement à enrichir la signification d'un concept ou d'un mouvement de pensée, dans une marche linéaire, uniformément ascendante : parfois, au contraire, pour prendre un exemple, c'est l'insuffisance d'un résultat qui est manifestée par sa confrontation avec une dialectique antérieure, plus achevée et plus « vraie » ; de sorte que ces parallèles et citations internes dessinent un faisceau de relations d'une extrême complexité, qu'il faut prendre soin d'examiner à chaque fois pour découvrir son sens et sa portée : s'agit-il d'un rapport absolu, qui manifeste l'égalité réelle, bi-univoque, de deux moments divers en leur apparition ? S'agit-il d'une relation partielle ? positive ou négative ? valant comme un simple rappel, ou jouant un rôle dans le développement présent ? ayant effectivité au plan du contenu, ou à celui de la forme ? faisant progresser le résultat évoqué, ou revenant au contraire à un point antérieur, pour tenter une autre voie après une recherche infructueuse ? Voilà les questions (et d'autres de ce type) qui permettent d' « analyser de près la progression de l'œuvre, son contenu substantiel en même temps que ses démarches dialectiques ».

II. LA TENTATIVE
DE WILHELMINE DRESCHER

Pour préciser encore cette méthode d'investigation, il peut être bon d'évoquer une tentative semblable menée voici quelque trente ans par Wilhelmine Drescher dans une thèse portant sur le mouvement dialectique de l'Esprit dans la *Phénoménologie* [7].

6. J. Hyppolite, *Genèse et Structure de la Phénoménologie de l'Esprit de Hegel*, p. 54.
7. W. Drescher, *Die dialektische Bewegung des Geistes in Hegels Phänomenologie*, 1937, Pilger-Druckrei, Speyer a. Rh., 78 pages.

La première partie de cette courte étude est constituée par un examen du mouvement dialectique tel qu'il se déploie, sous un mode particulier, tout au long de la section « Esprit ». Quant à la seconde partie (qui comporte vingt-sept pages), elle envisage le problème des structures de l'œuvre dans toute son ampleur, et précisément du point de vue qui nous intéresse ici ; voici quel est son titre : *Présentation du mouvement dialectique de l'Esprit, en coupe, à travers toute la Phénoménologie, en considérant de façon particulière les parallèles.*

Que signifie ici le terme de « parallèles » ? Il vise les passages de l'œuvre que Hegel met explicitement en relation les uns avec les autres, définissant ainsi, sous mode positif ou négatif, des niveaux d'intelligibilité identiques ou différents, en rapport d'inclusion ou d'exclusion. Par exemple, dans la dialectique de l'Essence lumineuse, qui représente la première figure de la Religion naturelle, il souligne que la détermination présente est du même type que celles de la dialectique de la Certitude sensible ou de la figure du Maître ; voici donc trois passages qui ont, au moins en quelque mesure, le même « sens », et dont chacun contient effectivement les autres comme en transparence : dans une première lecture, ce parallélisme n'est point saisi dans la plénitude de sa signification, puisque la conscience oublie son expérience passée dans une attention exclusive à l'objet nouveau, — mais au niveau d'une réassomption systématique du contenu (et il n'est point d'intelligence vraie de l'ouvrage sans cette seconde lecture), il est nécessaire de tenir compte de toutes ces corrélations internes, de ce mouvement circulaire qui pose et déploie chaque passage avec toutes ses harmoniques ; pour comprendre l'Essence lumineuse il faut « se souvenir » de la Certitude sensible et de la Conscience de soi immédiate ; et l'intelligence de la Certitude sensible suppose qu'aient été tirées au clair toutes les relations qu'entretient cette figure, non seulement avec celles du Maître ou de l'Essence lumineuse, mais avec toutes celles dont Hegel souligne la parenté avec elle.

Voilà qui doit conduire à établir une sorte de diagramme pour chacune des figures majeures, de sorte que l'on puisse appréhender d'un seul coup l'ensemble des relations qu'elle entretient avec le reste de l'œuvre. Nul autre moyen de rendre compte en vérité de la place qu'elle occupe dans l'économie du tout ; et, inversement, seule une telle étude systématique des parallèles peut permettre de saisir, dans la résurgence des situations et des mouvements, le sens unitaire de l'ouvrage, tel qu'il s'exprime en lui-même et dans chacune des figures. On voit pourquoi W. Drescher parle ici d'une étude « en coupe » (*in Querschnitt*), à travers toute la *Phénoménologie* : cette étude découpe en effet

l'ouvrage, en mettant en lumière la parenté interne de mouvements et de figures éloignés les uns des autres, et que rien, souvent, ne semble rapprocher extérieurement.

Tel est le projet, solidement enraciné, comme on le voit, dans
la nature même de l'œuvre, telle que l'étude de sa méthode
nous l'a révélée : nous sommes susceptibles de trouver vraiment
ici, au niveau des notations *textuelles*, des éléments qui nous
permettent d'entrer dans l'intelligence du mouvement à la fois
linéaire et circulaire qui le structure. Mais la mise en œuvre
de ce projet, dans l'essai de W. Drescher, souffre de graves
insuffisances, dont il est bon de prendre conscience pour définir
notre propre dessein. La seconde partie de sa thèse s'ouvre sur
un tableau d'ensemble de la *Phénoménologie* qui met en relation,
selon une symétrie très stricte, les trois temps de la Conscience,
de la Conscience de soi et de la Raison, avec les moments
correspondants de la Raison elle-même (ce qui ne va point sans
difficultés), de l'Esprit et de la Religion. Suit l'étude des neuf
parallèles complexes qui en résultent :

— Certitude sensible, Raison observante, l'Esprit vrai et le
Monde éthique, l'Essence lumineuse ;
— Perception, Observation de la Conscience de soi, Action
éthique, Plante et Animal ;
— Force et Entendement, Raison observante (III), Etat du
droit, Artisan.

Et ainsi de suite, en suivant toujours cette même loi : aux
trois moments de la Conscience sont comparés les trois temps de
la Raison observante, de l'Esprit éthique et de la Religion naturelle ; à ceux de la Conscience de soi sont rapportés ceux de
l'Actualisation de la Conscience de soi rationnelle, de l'Esprit
étranger à lui-même et de la Religion de l'art ; enfin, les trois
temps de la Raison sont rapprochés de ceux de l'Individualité
se sachant réelle en et pour soi, de la Moralité et de la Religion
manifestée. Chacune de ces séries de parallèles est ensuite analysée sommairement ; mention est faite du texte qui fonde le
rapprochement, avant que ne soient rappelées les situations
respectives des passages en cause, et soulignée la signification
que peut revêtir l'instauration de ce rapport.

Ce sont là un type d'exposé et des résultats qui prouvent
à la fois trop et trop peu. *Trop*, parce que la *Phénoménologie*
n'a point la perfection un peu froide de cette façade à l'équilibre parfait, dans laquelle il a bien fallu, pour les besoins de
la cause, accentuer quelques dessins, voire pratiquer quelques
fausses fenêtres. En fait, W. Drescher ne fait aucune différence

entre parallèle et parallèle, accordant la même valeur aux simples allusions et aux rapprochements plus amples ; parfois, plusieurs parallèles de types divers sont tirés d'un texte unique ; en somme, on se défend mal de l'impression de se trouver devant quelque construction *a priori*, qui ne peut accueillir, en son cadre trop parfait, le jaillissement perpétuel et l'invention si évidents tout au long de l'ouvrage.

C'est en ce sens qu'une telle étude prouve aussi *trop peu,* demeurant en retrait par rapport à l'analyse effectivement possible de la véritable richesse de ce livre. Les relations qu'entretiennent les diverses figures sont infiniment plus complexes qu'il ne paraît ici, les lignes de force et les niveaux divers plus enchevêtrés. S'il est jamais possible de tenter d'en rendre compte par un tableau d'ensemble, ce n'est certes pas au début qu'on peut le faire, mais seulement après avoir « séjourné » longtemps (ainsi que le dit Hegel lui-même) à l'intérieur de chacune des figures, pour la saisir dans son originalité et comme dans toute son épaisseur. La méthode de W. Drescher la conduisait nécessairement, en morcelant dès l'abord chacun des moments considérés, à ne pouvoir nous éclairer sur sa signification véritable ; comment savoir, par exemple, quelle est la place de la Raison observante dans l'économie de l'ensemble, alors que les textes la concernant sont dispersés dans les 1er, 2e, 3e et 7e parallèles, sans que soit jamais rassemblée la totalité des relations qui définissent son sens ? Encore existe-t-il beaucoup d'autres rapprochements de cette figure (ou d'une partie de cette figure) qui ne viennent point en considération dans cette nomenclature trop générale et trop sommaire.

En somme, les deux principaux défauts de cette étude tiennent en ceci : l'auteur n'a pas retenu, à très loin près, tous les parallèles que comporte l'ouvrage, mais a sélectionné ceux qui lui paraissaient les plus importants pour appuyer sur eux seuls la démonstration d'une parfaite symétrie de l'ensemble ; et, d'autre part, même à l'intérieur de ces données restreintes, nulle « typologie » des corrélations n'a été tentée, pour dégager la portée réelle de chacune d'entre elles. Il se peut que le schéma général dégagé au travers de ces pages soit effectivement justifié en ses grandes lignes ; pourtant, même alors, la vraie perspective est faussée si l'on ne montre la complexité et l'enchevêtrement des relations vivantes qui jouent à l'intérieur de ce cadre et constituent sa vraie richesse. Nous avons tenté de montrer que l'intelligence de la *Phénoménologie* impliquait celle de la relation entre ses structures et le mouvement unitaire qui les anime : l'ouvrage de W. Drescher privilégie les structures au détriment du mouvement.

III. TYPOLOGIE DES PARALLÈLES

La première condition pour mener à bien une étude de ce genre est donc de recueillir et d'analyser *toutes* les corrélations internes que révèle une lecture attentive de l'ouvrage ; sans aucun préjugé, et sans aucune volonté préalable de sélection : l'analyse viendra ensuite, et ne sera féconde que si elle brasse la totalité des éléments en jeu. Dessein qui paraît à l'abri de toute ambiguïté, mais dont la mise en œuvre peut déjà se révéler malaisée. Que faut-il entendre, en effet, par le terme de « parallèle » ? Il est bien des passages qui, de façon plus ou moins prégnante, en évoquent d'autres, qu'ils éclairent ou par lesquels ils sont éclairés, sans que pourtant nulle citation explicite de l'auteur ne vienne souligner cette relation et mettre le sceau sur elle. Parfois, c'est la parenté d'un mouvement qui met sur la voie de ce rapport, ou encore la résurgence d'un concept déterminé, ou d'une tranche de vocabulaire caractéristique d'une étape passée. Mais l'étude de ces rapprochements, que l'on ne peut négliger au plan du commentaire, échappe en fait, au moins dans l'état actuel de notre connaissance du texte, à une élaboration proprement scientifique. En effet, il n'est guère de moyen qui permette de déterminer une frontière nette entre ce qui constitue un rapport effectif, bien qu'implicite, et tous les rapprochements plus ou moins douteux qui, à la limite, peuvent ne reposer que sur la réapparition d'un mot isolé, dont la détermination, à l'étage considéré, peut n'être pas d'une parfaite clarté. Pour trancher en de pareils cas, il faudrait qu'ait été faite auparavant une étude systématique de tout le vocabulaire de la *Phénoménologie*, pour définir sa répartition structurelle et le mouvement de son évolution.

Mais il est raisonnable de penser (sans que cela puisse constituer, dans l'absolu, un critère pleinement convaincant) que les parallèles vraiment signifiants sont ceux que Hegel lui-même, au cours de sa rédaction, a éprouvé le besoin de souligner de façon explicite. Telle est donc notre plate-forme de départ : nous avons recueilli *tous les énoncés*, de quelque nature ou de quelque dimension qu'ils soient, portant mention d'un rapprochement quelconque entre eux deux passages de l'œuvre. Voilà qui exclut les parallèles implicites, comme aussi les relations se situant uniquement au niveau des mots et de leur résurgence. Cette enquête nous met en présence d'un peu plus de deux cent vingt corrélations internes [8], de portée bien diverse, il va de soi, mais qui ont toutes pour caractéristique ou d'annoncer ou de rappeler un autre passage du livre ; pratiquement, ce sont tous les textes de ce genre : nous avons déjà vu plus haut..., ou : le mouvement présent reprend celui de telle figure antérieure..., ou encore : le concept que nous rencontrons ici n'a pas la plénitude de sens qui sera la sienne plus loin...

Il est nécessaire, pour traiter ce matériel, d'opérer une première discrimination entre les différents « types » de relation qu'il instaure, autrement dit de réaliser une « typologie » de ces renvois et citations internes ; classification qui ôterait toute valeur au travail entrepris si elle procédait d'un quelconque *a priori* : mais en fait, elle découle tout naturellement de la nature même de l'œuvre, telle que le précédent chapitre l'a mise en lumière. Nous avons vu en effet que la *Phénoménologie* se déploie selon une double dimension interne, l'une exprimant la *linéarité* de l'itinéraire, et l'autre son intégration conceptuelle, autrement dit sa *circularité*, — la première dessinant par priorité le chemin de la conscience vers le Savoir, et l'autre exprimant surtout l'assomption systématique du contenu qui permet à la substance de s'affirmer comme sujet, à la Science d'acquérir la conscience. En second lieu, à un niveau postérieur d'analyse, cette circularité du sens, qui traduit l'immanence du Tout à chacun des moments de l'itinéraire, implique la détermination d'une pluralité de *structures* que pose et relie entre elles un unique *mouvement*, — le rapport entre ces deux éléments étant ce qui définit la signification même de l'œuvre en son intégralité.

Ainsi, la soumission à la règle de l'ex-posé phénoménologique nous conduit à distinguer trois types de parallèles possibles :

— ceux qui ressortissent à la *linéarité* du développement, assurant sa continuité linguistique et conceptuelle en réalisant l'enchaînement des différents moments les uns par rapport aux autres ;

— ceux qui relèvent d'une *circularité statique*, mettant en valeur les structures de l'ouvrage, son architectonique ;

— ceux qui traduisent sa *circularité dynamique*, c'est-à-dire le retour d'un mouvement identique au travers des contenus divers.

---

8. Il serait vain de chercher à préciser davantage ; car cela dépend, par exemple, de la façon dont l'on traite, dans cette liste, les textes équationnels que représentent l'introduction à la Religion, ou le Savoir absolu : faut-il connumérer chacun des rapprochements qu'ils indiquent, ou compter comme un seul parallèle l'ensemble des relations qu'ils définissent ? Le chiffre donné ici à titre indicatif, pour fixer un ordre approximatif de grandeur, a été établi à partir de la seconde de ces options. — L'Appendice I, ci-dessous p. 273, donne une nomenclature intégrale de ces corrélations.

L'immense majorité des citations explicites doit être rattachée au premier de ces types. Pour parler encore selon l'ordre de grandeur indiqué plus haut, disons que plus de cent-soixante-quinze parmi les corrélations notées sont à ranger dans cette catégorie[9]. Ce sont ordinairement des textes très courts, voire de simples allusions, et, à la limite, des procédés de style ; mais il peuvent aussi parfois avoir un peu plus d'ampleur. Par rapport à notre dessein, qui est de rechercher la relation entre les structures et le mouvement, ils semblent tout d'abord ne présenter aucun intérêt direct, et rassembler de « faux parallèles », dont l'évocation ne se justifie que par la nécessité de les écarter. En fait, nous le verrons, ils portent en eux des indications précieuses que nous aurons à recueillir. Mais il convient d'en dresser auparavant un tableau plus précis.

A. Les faux parallèles

Ils expriment tout ce qui ressort à la *linéarité* du discours. Ils peuvent être évoqués :

1. *A l'intérieur d'une continuité* DANS *le développement.*

    — Rappel :
          d'une définition ;
          d'une division ;
          d'une « règle de lecture[10] » ;
          d'un résultat.
          ...

      Ces rappels peuvent être opérés :
          sous mode défini : « comme on l'a dit en tel endroit » ;
          sous mode indéterminé : « comme on l'a dit plus haut ».

    — Lien entre deux mots.
    — Suture entre deux textes pour la conscience par-dessus un texte pour-nous.
    — Simple résumé, au terme d'une expérience.

2. *A l'occasion d'une réflexion* SUR *le développement.*

    — Tout ce qui permet de « faire le point » :
          divisions ;

---

9. Cf. Appendice II, p. 306.
10. C'est-à-dire de l'attitude qui est celle de la conscience à un niveau défini, et qu'elle ne doit point outrepasser au cours de l'expérience ; la suivre en son itinéraire implique alors qu'on lise le développement sans s'écarter de la « règle » posée. Il s'agit donc bien d'assurer une *continuité.*

plan : rappel des étapes passées ;
          annonce des étapes futures.
— Tout ce qui permet de « reverser » le contenu antérieur
dans la figure nouvelle, en ne laissant échapper aucun des
éléments acquis.
— Les régressions de la conscience, qui marquent l'échec
d'une tentative, et obligent à revenir en arrière.
— Les comparaisons (statiques) entre deux situations ou deux
résultats :
          pour souligner l'identité ou la différence ;
          pour faire mesurer le progrès accompli ;
          pour montrer qu'une figure antérieure trouve ici son
          véritable accomplissement.

On le voit, la détermination de ce premier type de corrélations nous mène depuis le simple procédé de style jusqu'à des
comparaisons qui peuvent déjà avoir une certaine importance
pour la découverte des structures du raisonnement : pourtant,
même alors, la « pointe » de la réflexion ne porte pas sur
l'architecture globale de l'œuvre, ni sur la constitution d'une
totalité comme telle, mais sur la nécessaire progression à l'intérieur du chemin parcouru. — Nous avons dit cependant que
ces passages ont un intérêt par rapport au but que nous poursuivons dans cette étude : c'est que, assurant la continuité du
développement et comme la présence des figures passées dans la
figure nouvelle (en reversant en celle-ci le contenu de celles-là),
ils concourent au surgissement des « figures privilégiées » qui
interviendront ensuite, ainsi que nous le verrons, au niveau
des parallélismes de mouvement (3ᵉ type). Voilà qui ne contredit
point notre conclusion précédente, selon laquelle il n'est nulle
figure absolument privilégiée, puisque chacune est caractérisée
comme la résurgence du Tout sous une modalité déterminée :
car au sein de cette égalité fondamentale, il est certaines figures
qui, de fait, peuvent résumer tout un mouvement, et dont l'évocation entraîne, comme en filigrane, celle de toutes les autres
dont elles expriment le sens ; ce sont les notations ressortissant
à la linéarité du discours qui permettent de discerner ces figures.

B. LES PARALLÉLISMES DE STRUCTURES

La seconde catégorie regroupe toutes les corrélations qui ont
trait à la détermination des structures de l'œuvre. Nous entrons
cette fois, à un premier niveau, dans la compréhension de sa
dimension circulaire, — de son architecture. Mais il ne s'agit

encore que d'une *circularité statique*, autrement dit des correspondances qui existent entre des totalités déjà constituées comme telles. C'est le philosophe, c'est Hegel qui parle. Le mouvement est arrêté. Nous nous tenons à l'extérieur des figures, pour souligner les relations qu'elles entretiennent entre elles. Deux séries de développement rentrent dans cette catégorie :

1. *Les textes courts* (ordinairement au début d'une nouvelle figure).

Ils mettent en relation la totalité nouvelle (présente en soi, sous mode non encore développé) avec la ou les totalités précédentes déployées selon leurs propres structures.

2. *Les grands textes architecturaux.*

Introductions à :
   l'Effectuation de la Conscience de soi par sa propre activité (Raison) ;
   l'Esprit ;
   la Religion ;
Le Savoir absolu (1er Temps).

Tous ces passages, qui se situent par définition dans des développements au niveau du pour-nous, constituent des « textes équationnels », c'est-à-dire des textes dans lesquels se trouve défini le rapport signifiant entre les diverses parties de l'œuvre. Selon une autre image, on peut parler aussi de « textes architecturaux », c'est-à-dire de textes qui soulignent l'équilibre existant entre les « masses » diverses, et les correspondances entre les totalités dans lesquelles se divise le développement. Par rapport à l'économie de l'ensemble, et bien que cette disjonction ne puisse être retenue, en dernier ressort, pour juger de la *Phénoménologie* (puisque le dessein de celle-ci tend précisément à son dépassement), l'on peut dire que cette série de textes ressortit à une réflexion portant sur la *forme* de l'ouvrage ; nous ne sommes pas à l'intérieur du contenu et de son déploiement, mais c'est de l'extérieur que nous déterminons les situations relatives de deux figures ou de deux totalités de figures.

C. Les parallélismes de mouvement

Dans le troisième type de parallèles, au contraire, nous demeurons à l'intérieur de l'un des termes de la relation, pour souligner sa parenté (ou sa dissemblance) avec tel ou tel passage antérieur ; il ne s'agit plus alors de rapports formels, mais de l'organisation réelle du *contenu* lui-même ; ce qui est visé, c'est la *circularité dynamique,* autrement dit la résurgence de l'unique *mouvement* qui anime et relie les totalités, dans leur constitution interne et dans leurs relations réciproques. Ces parallélismes se situent à l'intérieur du mouvement lui-même, à l'intérieur de l'expérience. Ils font ordinairement référence à des « figures privilégiées » ou à des « séquences-modèles », qui ont valeur normative par rapport aux développements dans lesquels elles sont évoquées. En dernière analyse, ce sont ces passages qui doivent nous donner la clé de l'œuvre, en manifestant « l'auto-mouvement de son contenu ». On peut ici distinguer trois catégories de textes :

1. *Les « jauges » intérieures* [11].

Evocation de « figures remarquables », pour souligner :
une identité ;
une différence [12].

2. *Les contrepoints.*

Indication de l' « esprit effectif » qui correspond à tel ou tel moment du concept [13].

3. *La parenté de niveau de deux mouvements :*
au niveau d'une figure déterminée ;
au niveau d'une « séquence-type » de figures enchaînées [14].

L'étude à entreprendre pour tenter de saisir le rapport réel entre les structures et le mouvement de la *Phénoménologie* se

11. Hegel insiste, nous l'avons vu, sur le fait qu'un mouvement dialectique n'admet nul extrinsécisme de la vérité par rapport à elle-même, et rejette par conséquent toute intervention d'une « mesure », d'un *Massstab* extérieur à l'objet (*Ph. G.,* 70, I 72) : s'il y a mesure, c'est à l'intérieur de la conscience qu'elle « tombe » et qu'elle agit (*ibid.,* 71, I 73). Mais l'introduction de ces figures servant de « jauges » à l'expérience exprime bien, en fait, le souvenir d'une attitude *intérieure* à la conscience, — qu'elle a vécue, faite sienne, et à laquelle elle doit demeurer fidèle.
12. Il ne s'agit plus de comparer deux résultats de façon statique, mais de montrer comment un mouvement déjà éprouvé se réalise à nouveau à l'intérieur de la situation nouvelle. C'est une reprise de souffle, une indication de rythme, qui, loin d'arrêter le mouvement, le fait progresser.
13. Surtout dans la Religion, pour indiquer la totalité correspondante de la section « Esprit », — c'est-à-dire le « monde » dans lequel est vécue telle forme de rapport à la divinité.
14. C'est vraiment le *mouvement* comme tel auquel il est fait appel en ce cas, — le « passage » opéré autrefois, dans le texte évoqué, s'imposant à nouveau comme la *raison* ou le *modèle* du passage qui demeure à opérer. — Par « séquence-type », on entend désigner une succession signifiante de figures enchaînées : par exemple, dans l'Etat du droit (Esprit vrai), le ressort du progrès est constitué par l'évocation du mouvement qui fit passer, dans la section « Conscience de soi », du Stoïcisme au Scepticisme, et de celui-ci à la Conscience malheureuse.

trouve maintenant pleinement définie : elle doit consister dans une confrontation entre les textes qui ressortissent à la seconde catégorie et ceux qui relèvent de la troisième, — textes qui, précisément, soulignent ce que nous avons appelé respectivement des « parallèles de structures » et des « parallèles de mouvement [15] ». Voilà qui permettra donc de savoir si l'organisation réelle de l'œuvre, l'auto-déploiement de son contenu (au niveau de la conscience), répond à l'organisation formelle qu'opère Hegel lui-même lorsqu'il réfléchit sur les relations qu'entretiennent entre elles les diverses sections et figures (textes pour nous) : on voit que cette tentative, tout entière commandée par la méthode du livre lui-même, est susceptible de donner accès à ses structures *vivantes,* exprimées dans toute leur complexité.

Quelques mots encore pour définir les rapports organiques qu'entretiennent entre eux ces trois types de corrélations internes : plusieurs images, dont certaines ont un fondement dans le texte de Hegel lui-même, peuvent nous aider à les évoquer. Si nous considérons la *Phénoménologie* comme un tableau (qu'il s'agisse d'une peinture ou d'une tapisserie), les citations du premier type constitueront comme le tissu, ou encore le fond, dans leur homogénéité et leur continuité ; celles du second type représenteront la « composition » du tableau, l'équilibre signifiant, mais encore statique, de ses masses et de ses parties ; quant à celles du troisième type, elles marqueront le mouvement réel du contenu, son « style », ses couleurs, la vie qui en lui s'exprime. Dans un autre registre d'expression, et puisque la *Phénoménologie* se présente explicitement comme un chemin, un itinéraire, nous aurions d'une part le paysage lui-même en sa continuité, d'autre part sa représentation statique sur la carte que l'on peut étudier comme de l'extérieur, enfin le cheminement effectif et la découverte de ce qu'il recèle. Dernière image, sur laquelle nous aurons à revenir, et qui est suggérée par l'emploi que Hegel fait d'un texte de Diderot, opposant l'accord d'une musique harmonieuse à la cacophonie de voix entremêlées sans souci de cohérence [16] : si la *Phénoménologie* est comme une Symphonie définie par les relations qu'entretiennent ses divers plans musicaux, l'on peut dire que le premier type de citations internes sert à constituer le *tissu sonore,* en assurant les changements de tonalité et les enchaînements entre les thèmes successifs, tandis que le second type concerne l'*orchestration,* considérée sous l'angle de la mise en œuvre des lois de l'harmonie, de l'équilibre entre la pluralité des instruments et des parties, et que le dernier type de corrélations souligne tout ce qui regarde l'*univers mélodique* proprement dit, avec le rythme de son déploiement dans le temps, avec le contrepoint qui le constitue et les harmoniques qu'il éveille, avec, surtout, comme dans un opéra de Wagner, ou encore comme dans *Pierre et le Loup* de Prokofiev, le retour du thème défini, propre à chacun des personnages ou des éléments du discours musical, et qui, surgissant comme en filigrane, éveille l'esprit à l'épaisseur réelle du monde que l'affirmation nouvelle vient de mettre en mouvement. C'est, au fond, à la détermination de ces plans musicaux que devra nous mener cette étude.

Il reste seulement, ayant défini notre problématique, le but proposé et les moyens à mettre en œuvre, à caractériser rapidement le mode de progression de cette enquête, de telle façon qu'elle rejoigne au plus près le mouvement des totalisations successives que présente cet ouvrage.

CHAPITRE IV

LES TOTALISATIONS SUCCESSIVES

L'exposé de la « méthode » phénoménologique hégélienne nous a fait prendre conscience du mode selon lequel s'enchaînent les uns aux autres les éléments fondamentaux dans lesquels se donne à connaître, en ses déterminations successives, l'expérience à signification unique qui mène la conscience depuis son état inculte jusqu'au savoir véritable d'elle-même et de toutes choses : chacune des figures, dans sa singularité propre, est l'expression du mouvement universel dans une structure particulière, et sa relation aux autres figures est commandée par cette résurgence en elles du sens unitaire qui la constitue elle-même comme figure déterminée. Nous avons vu ensuite que ces relations nécessaires entre les figures engendrent, au niveau du texte, une série de parallèles ou corrélations internes à significations diverses, dont l'étude systématique est susceptible de nous ouvrir l'accès, précisément, à ce sens unitaire qu'ils expriment dans la diversité des situations et des contenus : l'évocation, en transparence, des expériences passées permet une totalisation progressive de la signification qu'elles revêtent, la constitution de figures ou de séquences privilégiées susceptibles d'intervenir ensuite de façon normative à l'intérieur du développement.

Cette intégration du contenu dans l'unité du sens s'opère tout au long de la *Phénoménologie* ; elle *est* la *Phénoménologie* même, comme manifestation de l'Esprit en sa richesse originelle. Mais si la totalisation dernière ne se pose qu'à l'instant où « le phénomène devient égal à l'essence », c'est-à-dire dans le Savoir absolu [1], pourtant cette « ultime vérité » que les figures « trouvent d'abord dans la Religion, et ensuite dans la Science comme le résultat du Tout », se donne déjà à connaître, en son engendrement, tout au long de l'itinéraire, par le moyen de cette « plus proche vérité » qu'acquiert chacune d'entre elles en se « dissolvant » et en « passant » dans celle qui la suit [2]. Ainsi, cet unique

---

1. *Ph. G.*, 75/13 (I 77/29). Ceci, encore une fois, dans l'état *actuel* du texte, et sans préjuger de l'intention originaire de Hegel lorsqu'il écrivit cette phrase au début de l'année 1805. Cf. ci-dessus, p. 26, note 29.
2. Feuille de présentation d'octobre 1807. Cf. ci-dessus, p. 33.

mouvement d'intégration se fragmente-t-il lui-même, si l'on peut dire, jusqu'à se présenter, au terme, comme l'unification (*Vereinigung*) de réconciliations (*Versöhnungen*) déjà réalisées à des niveaux partiels [3]. Autrement dit, les expériences de la conscience, qui se présentent, dans un premier moment, en ordre de progression linéaire, se rassemblent en fait en des unités de lecture et de signification, qui sont autant de paliers, de *totalisations successives,* dont chacune présente un groupe de figures exprimant toutes ensemble une attitude commune qui les déborde et les rassemble.

Ces unités intermédiaires, ce sont tout d'abord les sections (et les sous-sections) dans lesquelles l'œuvre se divise. Et l'un des problèmes les plus ardus que pose la *Phénoménologie* est celui du rapport entre son organisation selon l'ordre des figures et son organisation selon l'ordre des sections. L'étude présente permettra peut-être de jeter quelque lumière sur cette question. Mais les sections elles-mêmes se rassemblent à leur tour en unités plus vastes, qu'il importe de définir pour connaître les axes majeurs selon lesquels notre enquête pourra être menée. Quelles sont donc les grandes « totalisations successives », quels sont les grands regroupements de sections, à l'intérieur desquels et entre lesquels peut être suivi et étudié le mouvement d'intégration totale ?

Les interprètes de la *Phénoménologie* ont tous souligné la difficulté que représente la pluralité des divisions possibles de l'ouvrage. Haering y puise un argument en faveur de sa théorie selon laquelle Hegel, débordé par son sujet, aurait modifié, en cours de rédaction, son projet initial, et par conséquent son plan ; d'où, selon lui [4], l'incohérence entre les deux parties de l'œuvre, incohérence qui s'exprime dans le fait que la division initiale (A., B., C. pour les trois premières sections) n'a pas de répondant dans le reste du livre. Et l'on peut sans peine évoquer l'aveu de Hegel lui-même dans sa lettre à Schelling du 1er mai 1807, s'excusant de n'avoir pas eu le temps nécessaire pour « maîtriser » (*unterkriegen*) aussi bien le mouvement de l'ensemble que l'organisation des diverses parties.

Il est pourtant une division qui court tout au long du livre, et qui structure l'intégralité de son contenu ; elle se déploie de I à VIII, selon les titres suivants :

    I. La Certitude sensible, le ceci et le viser.
    II. La Perception, la chose et l'illusion.

---

3. *Ph. G.*, 553/5 et 15 (II 298/14 et 25).
4. *Op. cit.*, II, p. 484. — Cf. Hoffmeister, pp. 575-576.

III. Force et entendement, manifestation et monde supra-sensible.
IV. La Vérité de la certitude de soi-même.
V. Certitude et vérité de la raison.
VI. L'Esprit.
VII. *La Religion* [5].
VIII. Le Savoir absolu.

Cette division, dans le morcellement et l'enchaînement de ses parties, représente par priorité ce que nous avons appelé la dimension linéaire de l'œuvre. Comme telle, elle ne peut servir de fondement à une organisation réelle de son contenu, puisqu'elle procède par connumération d'éléments divers qui ne sont point posés dans leur spécificité *réciproque,* et ne peuvent donc apparaître dans leur subordination véritable. S'agit-il d'attitudes humaines fondamentales, de figures historiques, ou de moments logiques ? Comment toutes ces déterminations se trouvent-elles composées de façon originale à chacun des niveaux ainsi distingués ? Autant de questions auxquelles cette première *Inhaltsangabe* ne peut permettre de répondre. Nous devons la garder en mémoire comme un rappel permanent de la *continuité* du sens ; mais c'est à un autre plan, à celui des entrelacements entre toutes ces parties, que l'unité du mouvement doit s'affirmer plus vraie en surmontant les séparations initiales.

Une première série de recoupements apparaît dans une autre division, introduite par Hegel dans la table qu'il composa après la rédaction de l'ouvrage. Les moments de la « division linéaire » évoquée ci-dessus y sont rassemblés selon des schèmes ternaires :

(A) Conscience (Certitude sensible, Perception, Force et Entendement).
(B) Conscience de soi (4ᵉ moment de la division précédente).
(C) (AA) Raison.
(BB) Esprit.
(CC) Religion.
(DD) Savoir absolu [6].

Ce qui ressort ici de la façon la plus nette, c'est une certaine unité de signification reliant les trois premières divisions de

---

5. Ecrit de la sorte, en caractères italiques, dans la table des matières de l'édition originale.
6. Cf. Hyppolite, *op. cit.*, p. 57 ; Haering, *op. cit.*, II, pp. 484-485 ; *Ph. G.*, 575-576 (apparat critique). O. Pöggeler (*op. cit.*, p. 272, trad. franç., p. 209) démontre, contre Haering, qu'il n'est nul moyen de lire ce plan comme si Esprit, Religion et Savoir absolu n'étaient que des subdivisions de la Raison ; en fait, les quatre dernières sections se trouvent ici situées au même niveau, connumérées toutes ensemble sous l'unique troisième temps.

l'œuvre : Certitude sensible, Perception, Force et Entendement.
Nous verrons d'ailleurs que cette première totalisation préfigure
celle, posée déjà à un niveau plus élaboré, qui rassemble les
trois premières sections : Conscience, Conscience de soi, Raison.
Mais comment le reste de l'œuvre se déploie-t-il par rapport à
ces premières unités ? Haering, introduisant ici les divisions fondamentales de la « Philosopie de l'Esprit » enseignée par Hegel
à Iéna au cours des années précédentes, oppose « l'Esprit individuel » constitué par l'ensemble Conscience/Conscience de
soi/Raison, à « l'Esprit objectif » (la section « Esprit ») et à
« l'Esprit absolu » (Religion et Savoir absolu). Mais il n'est rien,
au plan des déclarations explicites du texte, qui permette d'asseoir une telle assertion ; en fait, les trois titres que Haering
donne ainsi aux trois parties de son étude [7] ne se trouvent pas
ici sous la plume de Hegel, et celui-ci ne suggère nullement une
division tripartite du Tout qui, après la totalisation des trois premières sections, comporterait comme second temps la quatrième,
et comme troisième moment les deux dernières parties rassemblées en une ; il suffit, là contre, de souligner l'opposition manifeste entre la Religion et le Savoir absolu : loin que ce dernier
puisse être com-pris dans une unité intelligible directe avec la
seule section « Religion », il se présente explicitement comme
l'unification ultime des vérités partielles que proposent la section
« Religion » (Esprit dans son pour-soi) *et* l'ultime figure de la
section « Esprit » (Esprit dans son en-soi).

Ce caractère absolument à part du Savoir absolu, totalisation
de totalisations, est souligné dans le prospectus d'octobre 1807,
auquel nous pouvons faire appel une dernière fois. Rappelons-en
le texte : « Dans les divisions principales de cette science, qui à
leur tour se brisent en plusieurs, on envisagera donc la Conscience, la Conscience de soi, la Raison observante et agissante,
l'Esprit lui-même, comme Esprit éthique, cultivé et moral, et
enfin comme religieux en ses différentes formes. La richesse des
manifestations de l'Esprit, qui se présente, au premier coup
d'œil, comme chaos, est amenée jusqu'à une organisation scientifique qui les présente selon leur nécessité ; en elles les imparfaites se dissolvent et passent dans de plus hautes, lesquelles sont
leur plus proche vérité. Quant à l'ultime vérité, elles la trouvent
d'abord dans la Religion, et ensuite dans la Science comme le
résultat du Tout [8]. »

L'énumération première s'arrête après l'Esprit religieux, ce
qui fait mieux ressortir que le Savoir absolu, évoqué au terme

---

7. *Op. cit.*, II, pp. 487, 500, 511.
8. Cf., ci-dessus, p. 33.

comme le lieu de « l'ultime vérité », ne peut être compris sur le même plan que les sections qui le précèdent. Il est vrai que son rapport à la Religion est d'un type tout spécial, puisque celle-ci présente également, sous une première forme, cette ultime vérité ; mais cela ne justifie pas leur considération simultanée : en effet, la religion, qui est elle aussi, sous cet aspect, du côté de la Totalité, est en même temps, comme « Esprit religieux », une section simplement particulière au milieu des autres ; seul le Savoir absolu se situe au plan de *la Science, comme le résultat du Tout.*

Nous voyons donc se dégager déjà deux totalisations : l'une qui rassemble les sections « Conscience », « Conscience de soi » et « Raison », — l'autre qui, au terme, donne, avec le Savoir absolu, le sens dernier de l'œuvre. Mais comment s'organisent, par rapport à cela, l'Esprit et la Religion ? Le premier est présenté ici comme une totalité qui rassemble en elle-même une pluralité d'aspects successifs : Esprit éthique, cultivé et moral (c'est-à-dire les trois divisions majeures de cette quatrième section), et enfin esprit religieux en ses différentes formes. Cette dernière mention rend compte du rapport singulier qui existe entre Esprit et Religion, celle-ci trouvant dans le déploiement du monde objectif le « lieu » où sont vécues les réalisations historiques effectives des moments du concept absolu qu'elle ex-pose ; mais cela n'autorise pas à les traiter de conserve, car la Religion, étant *aussi* du côté du Tout, représente une unification originale, à un autre niveau. Voilà donc que s'affirment, en cette première analyse superficielle, quatre totalisations successives, qui pourront constituer comme autant de paliers dans notre recherche des relations entre les structures et le mouvement :

— Conscience, Conscience de soi, Raison ;

— l'Esprit dans sa conscience (en-soi), autrement dit le rapport entre la section « Esprit » et les trois sections précédentes ;

— l'Esprit dans sa conscience de soi (pour-soi), défini par la relation de la totalisation précédente avec les différentes formes de la Religion ;

— le Savoir absolu, comme unité conceptualisée de ces diverses totalités.

Ce n'est pas à dire que ces unités soient toutes du même type. Si la problématique générale de la *Phénoménologie* peut être exprimée comme la réduction de la distance originelle [9] entre la conscience et la conscience de soi (ou entre la substance et le

9. « Distance » au plan phénoménologique, — car l'unité existe en soi, dans l'absolu qui est et veut être déjà « en et pour soi près de nous » — *Ph. G.,* 64/20 (I 66/15).

sujet), il est évident que la première et la dernière d'entre elles sont les seules à présenter le schéma global qui aboutit à l'unité de ces deux termes ; quant aux totalisations intermédiaires, elles demeurent partielles, et n'ont point leur signification en elles-mêmes, visant à constituer tour à tour l'Esprit dans sa conscience et l'Esprit dans sa conscience de soi, — autrement dit à déployer le contenu qui servira de matière à la seconde et ultime unification. Cette remarque permet de minimiser l'importance du plan qui vient d'être dégagé : il ne faut point le prendre comme un cadre définitif qui serait susceptible de rendre compte de toutes les nuances de l'organisation du contenu, mais comme une première approximation, que seul permettra de préciser l'examen des différents types de corrélations internes entre ces totalisations successives.

C'est à cet examen qu'il faut procéder, dans une seconde partie sur laquelle reposera tout le poids de l'étude présente.

DEUXIÈME PARTIE

L'ORGANISATION DES EXPÉRIENCES

CHAPITRE PREMIER

DE LA CONSCIENCE INDIVIDUELLE
À L'UNIVERSALITÉ DE LA RAISON

I. CONSCIENCE

« Le savoir qui tout d'abord ou de façon immédiate est notre objet ne peut être aucun autre que celui-là qui est lui-même savoir immédiat, *savoir* de l'*immédiat* ou de l'*étant*. Nous avons quant à nous à nous comporter pareillement *de façon immédiate* ou *réceptive,* par conséquent à ne rien modifier en lui, tel qu'il s'offre, et à écarter le saisir conceptuellement (*das Begreifen*) de l'appréhender (*das Auffassen*) [1]. »

Le dessein de la *Phénoménologie,* tel que l'exprime l'Introduction, consiste, nous l'avons vu, à mener la conscience depuis son état inculte jusqu'au savoir scientifique d'elle-même et de toutes choses, — et cela, précisera la Préface, en lui permettant de revivre (au plan de la mémoire intériorisante qu'engendre son expérience) le mouvement universel qui a amené l' « Esprit du monde » jusqu'au stade actuel de sa culture et de son auto-déploiement. Pour suivre ce chemin, pour épouser le sens qui est le sien, il faut se dépouiller de tout autre savoir, et renoncer à intervenir au nom d'un pouvoir prétendu dont on ne sait encore ce qu'il signifie. L'œuvre de conceptualisation sera possible au terme, dans un mouvement de réflexion sur l'itinéraire parcouru ; tenter de la réaliser dès le point de départ interdirait de parvenir jamais au fondement radical de l'acte de comprendre, que seul le déploiement ordonné de l'expérience doit permettre d'atteindre.

Car c'est bien un *fondement* nouveau qu'il s'agit de trouver à l'acte de philosopher, fondement qui implique une modification concomitante, une purification réciproque du savoir objectif et du mode sous lequel il est appréhendé. Son prix en est ici l'oubli de toute attitude antérieure déjà élaborée, l'acceptation de ne rien présupposer, de telle sorte que puisse venir au jour, avec son poids véritable, tout ce que comporte la relation originelle

1. *Ph. G.,* 79/4 (I 81/3).

de l'homme à son propre monde. Hegel veut que nous nous rendions présents à la situation la plus immédiate, retrouvant l'attitude la plus simple et la plus dépouillée, — face au savoir le plus simple et le plus dépouillé. Mais l'intelligence de cet immédiat est ce qui exige la médiation la plus vaste ; car ce savoir le plus pauvre est aussi le plus riche : il ne supprime pas la détermination, il la reconduit au point de son origine et de son engendrement. C'est pourquoi tout est là, dès cette première phrase de la Certitude sensible, et nous n'aurons pas à sortir de ce point de départ, mais à l'approfondir en prenant conscience de ce qu'il recèle.

Tout est là parce que la situation première est définie, non point par ses termes entendus de façon isolée, mais par la *relation* qui les unit : ce qui est immédiat, ce n'est pas la chose, mais le savoir de cette chose, autrement dit sa relation à la conscience ; et dans ce « savoir », l'opposition qui se dessine est d'abord saisie à sa racine, dans l'unité fondamentale dont elle manifeste la richesse intrinsèque.

Car tout savoir, fût-ce le plus simple, est riche d'une dualité d'éléments, en lesquels s'exprime le déploiement de sa propre unité : d'une part l'objet lui-même, de l'autre le savoir proprement dit de cet objet, ou le moi connaissant. Mais cette distinction, une fois encore, est seconde par rapport à la relation qui la définit et la pose : commune origine qui détermine chacun de ces termes, et qui les détermine précisément *dans leur relation* ; autrement dit, l'objet et le moi sont ici engagés dans le dynamisme d'un processus qui ne les laisse pas indifférents l'un par rapport à l'autre, mais les situe dans une relation en devenir.

Trois déterminations successives jalonnent ce mouvement : c'est d'abord *l'objet* qui, en accord avec l'appréhension immédiate, s'impose comme l'essentiel, ce qu'il y a de ferme ; mais sa solidité supposée ne résiste pas, en réalité, à l'expérience faite sur lui : et, tandis que son contenu fluant ne cesse de changer, c'est *l'acte simple d'appréhender,* en son identité avec lui-même, qui en vient à porter tout le poids de la certitude ; mais le moi ne peut être abstrait pleinement de ce contenu qui le modifie, et sa fermeté ne peut être plus grande que celle de l'objet qui le détermine : et puisque chacun des termes, considéré en lui-même, se trouve dans un rapport constitutif avec l'autre, dont il prend la détermination avant de la lui abandonner à nouveau, c'est enfin *leur relation* qui resurgit au terme, et qui s'impose, dans une évidence devenue, comme le véritable essentiel.

Nous allons donc de la relation simple, posée en soi sous mode non développé, à la relation comprise en vérité, par le moyen d'une triple expérience qui souligne tout à la fois la valeur et la limite de chacun des moments particuliers qui constituent cette unité, avant d'éprouver au terme leur unité devenue. A chacune des charnières entre ces expériences successives, un rappel du plan et de la situation initiale (ce sont des corrélations internes du premier type qui nous permettent d'opérer une réflexion sur le développement, et qui assurent sa continuité) nous aide à faire le point, et à réaliser une totalisation, dans l'unique mouvement qui les fonde, des trois temps considérés :

— situation initiale, qui assure le premier déploiement de la relation fondamentale : « Dans la certitude sensible, un [moment] est posé comme le simple étant sous mode immédiat ou comme l'essence, [c'est] *l'objet,* mais l'autre [est posé] comme l'inessentiel et le médiatisé, qui par là n'est pas *en soi* mais par le moyen d'un autre, [c'est] Je, *un savoir* qui ne sait l'objet que parce qu'*il* [= l'objet] est, [un savoir] qui peut être ou aussi ne pas être [2] » ;

— passage de la première à la deuxième expérience : « Si nous comparons la relation dans laquelle le *savoir* et *l'objet* surgissaient tout d'abord, avec leur relation telle qu'elle vient de s'affirmer dans ce résultat, alors elle s'est inversée. L'objet, qui devait être l'essentiel, est maintenant l'inessentiel de la certitude sensible, [...] la certitude est maintenant présente dans l'opposé, c'est-à-dire dans le savoir, qui était auparavant l'inessentiel [3] » ;

— passage de la seconde à la troisième : « La certitude sensible expérimente donc que son essence n'est ni dans l'objet ni dans le Je, et que l'immédiateté n'est ni une immédiateté de l'une ni de l'autre [...]. Nous en arrivons par là à poser le *tout* de la certitude sensible elle-même comme son *essence,* et non plus simplement un moment de celle-ci, comme il est arrivé dans les deux cas où sa réalité devait être tout d'abord l'objet opposé au Je, puis Je [4]. »

Réfléchissant sur « l'organisation des expériences », sur la signification relative de chacune d'entre elles par rapport à l'axe double, linéaire et circulaire, de la progression de l'œuvre, nous pouvons présupposer, ainsi qu'il vient d'être fait, la connaissance de leur déploiement concret, pour souligner seulement les relations structurelles qui les relient les unes aux autres et l'unité du mouvement qui est cette liaison même. De ce point de vue, les corrélations qui viennent d'être citées manifestent que la Certitude sensible constitue une première totalisation, le premier parcours, dans une structure déterminée, du mouvement global

2. *Ph. G.,* 80/35 (I 83/5).
3. *Ph. G.,* 82/39 (I 85/15). Renvoie à la citation précédente.
4. *Ph. G.,* 84/9 (I 87/1). Renvoie aux deux textes qui viennent d'être cités.

de la *Phénoménologie,* exprimant déjà un certain type de relation unitaire entre la substance et le sujet, sous la forme de ce rapport entre l'objet et le Je. Cette dialectique initiale pourra donc éventuellement, ainsi que nous le verrons, avoir une valeur exemplaire et normative pour les expériences qui surgiront par après.

Cette unité fondamentale trouve son origine dans la *relation* qui définit le savoir, et elle boucle sur elle-même en revenant, au-delà de son propre déploiement dans la particularité de ses termes, à cette même relation comprise désormais à un autre niveau de profondeur. Sous la forme la plus simple qui puisse être, nous touchons ici du doigt la liaison véritable entre les deux dimensions du développement phénoménologique : c'est le parcours circulaire lui-même qui a permis de faire un pas en avant, et de progresser dans l'élucidation du rapport en jeu. Modification qui entraîne l'apparition d'un vocabulaire nouveau, comme l'expression d'une nouvelle attitude du Je et le signe de l'entrée dans une nouvelle « figure de la conscience ».

Comme il est normal, cette nouveauté se donne à connaître à l'un et l'autre des points de vue dont l'expérience a manifesté l'insuffisance, — au plan de l'objet et à celui de l'acte d'appréhension. Le titre de cette sous-section est : « La Certitude sensible ; ou le ceci et le viser » ; et il y a une relation étroite entre la certitude subjective du simple mouvement de désignation (*meinen*), du côté du Je, et l'atteinte, du côté de l'objet, d'une réalité à la fois parfaitement singulière et indéterminée (*dieses*). Mais l'expérience unique, en ses trois phases successives, manifeste tour à tour que le ceci aussi bien que le Je et que leur relation mutuelle, loin d'être purement singuliers, sont en fait d'ordre universel, de sorte que la conscience, qui croit ne faire que « viser » un pur « ceci », « prononce » en réalité un savoir plus véritable qui atteint la « chose » pour ce qu'elle est, dans sa complexité intrinsèque : ce faisant, la conscience en vient à prendre l'objet selon sa vérité : *Wahr-nehmung.*

Ce passage de la Certitude sensible à la Perception est thématisé pour lui-même dans les trois premiers paragraphes de la nouvelle figure. Les corrélations qu'ils instaurent relèvent tout à la fois de la constitution d'un discours homogène et cohérent (réflexion sur le développement qui permet de reverser le contenu antérieur dans la situation nouvelle), et d'un parallélisme structurel qui détermine la totalité en soi du mouvement de la Perception à partir de la totalité déployée de la Certitude sensible. Soulignons l'un et l'autre de ces aspects :

— Après avoir noté que, pour nous, la Perception se présente comme la vérité de la Certitude sensible, et que *notre* accueil de la figure nouvelle doit être pensé sous la catégorie de la nécessité [5], Hegel affirme : « La richesse du savoir sensible appartient à la perception, non à la certitude immédiate, dans laquelle elle était seulement ce qui se jouait à côté ; car c'est seulement celle-là [= la perception] qui a la *négation,* la différence ou la multiplicité en son essence [6]. » — Ce contenu sensible, plus *véritablement* présent dans cette dialectique (où l'objet, précisément, est « pris » selon sa « vérité » universelle), est donc transvalué, en cette assomption, par la négation à laquelle il est soumis en son immédiateté. Voilà qui donne occasion à Hegel de définir l'*Aufhebung* par référence au texte de l'Introduction qui soulignait déjà la positivité de toute négation comme négation déterminée [7]. En somme, la « chôséité », qui constitue le point de départ de la nouvelle expérience, « n'est rien d'autre que l'*ici* et *maintenant* tel qu'il s'est prouvé, c'est-à-dire comme un *ensemble simple* de beaucoup [d'ici et maintenant] [8] ».

— Puisque toute la richesse de la Certitude sensible concourt à la définition de la situation nouvelle, rien d'étonnant à ce que ce contenu identique engendre, en son auto-déploiement, une structure semblable à celle que nous avons rencontrée précédemment. Ici et là, c'est la *relation* qui s'impose comme point de départ, et qui pose, dans leur détermination, les termes qui la composent : « Comme l'universalité est son principe en général, ainsi le sont aussi ses moments qui se différencient en elle sous mode immédiat, Je comme un universel et l'objet comme un universel [9]. »

Ce parallélisme structurel se développe tout au long de la dialectique qui suit. Pas plus que dans le cas de la Certitude sensible, nous n'avons à en suivre le déroulement concret, mais seulement à prendre conscience de ses articulations. Ici encore, ces articulations donnent naissance à une structure qui est tout à la fois de progression et d'enroulement (dimensions linéaire et circulaire) : le point de départ, à savoir l'*universel sensible,* sera compris au terme pour ce qui est en vérité, c'est-à-dire comme « *universalité inconditionnée absolue* [10] » ; de l'un à l'autre, la conscience percevante est entraînée à travers trois expériences successives, qui, tout comme dans le cas de la Certitude sensible,

5. *Ph. G.,* 89/14 (I 93/3).
6. *Ph. G.,* 90/16 (I 94/15).
7. *Ph. G.,* 90/29 (I 94/27), rapporté à 68/33 (I 70/35).
8. *Ph. G.,* 91/12 (I 95/16), rapporté à 89/7 (I 92/10).
9. *Ph. G.,* 89/17 (I 93/6).
10. *Ph. G.,* 100/10 (I 105/20).

privilégient tour à tour l'importance de l'objet et celle du Je connaissant, avant de saisir l' « objet » nouveau comme la relation véritable et l'unité de l'un et l'autre de ces termes. Parallélisme de fait, que Hegel ne souligne pas pour lui-même, mais qui montre combien sont étroites la liaison et comme la totalisation du contenu de l'une des figures dans celui de l'autre [11].

Il y a donc comme un recouvrement possible, terme à terme, de ces deux figures ; de l'une à l'autre, c'est le même mouvement qui se déploie, mais à un autre niveau de profondeur, dans une structure encore bien limitée, mais qui est telle que la certitude commence d'y rejoindre la vérité (*Wahr*-nehmung). Nous demeurons sous la règle de lecture générale de la section « Conscience », qui implique la prévalence de l'objet dans l'acte de connaissance, de telle sorte pourtant que la relation du savoir entraîne une modification concomitante du Je, — et voilà qui nous entraîne peu à peu vers la section « Conscience de soi », avec son attention privilégiée au sujet. Un indice significatif de cette montée du sujet au cœur même de l'expérience nous est donné dans un parallèle de mouvement que Hegel introduit entre la première et la seconde expérience, à l'instant où le Je s'affirme pour lui-même après la première considération de la chose. Celle-ci, au cours de l'expérience faite sur elle, a vu son unité initiale se dissoudre dans l'universalité plurale des propriétés qui la com-posent, et la conscience demeure affrontée à ces « *universalités* sensibles », dont « chacune est pour soi, et, comme *déterminée,* exclut les autres [12] » ; c'est dire que cette conscience, ayant laissé échapper l'unité complexe qui seule constitue la chose comme chose, retombe à son égard dans la pure immédiateté d'une relation sensible : elle redevient « un *viser,* c'est-à-dire qu'elle est sortie totalement du percevoir et qu'elle est retournée en soi [13] ». Pourtant, ce retour à une attitude dépassée (et le parallèle, ici, nous sert de « jauge », de mesure intérieure) n'est pas une simple régression qui nous condamnerait à une perpétuelle reprise d'un mouvement partiel ; il s'accompagne d'une réflexion de la conscience en elle-même, c'est-à-dire d'une connaissance directe, au second degré, de l'attitude qui est celle du Je dans son acte d'appréhender : la conscience est renvoyée à un mouvement qu'elle connaît, pour l'avoir déjà expérimenté, et elle éprouve que ce mouvement est impuissant à respecter, dans sa complexité réelle, l'objet de sa nouvelle expérience :

---

11. 1re expérience, *la chose* comme identique à soi : 93/19 (I 98/1) ;
    2e expérience, *la conscience* comme l'inégal : 95/15 (I 100/1) ;
    3e expérience, *l'objet comme le mouvement total* : 97/19 (I 102/18).
12. *Ph. G.*, 94/6 (I 98/25).
13. *Ph. G.*, 94/18 (I 99/3).

autrement dit, elle s'aperçoit que, son objet ayant changé, elle-même doit changer d'attitude si elle entend le « saisir » dans sa « vérité » (*wahr-nehmen*) ; du coup, c'est elle qui va dépasser son objet, et contraindre celui-ci à se modifier : « Elle ne perçoit plus simplement, mais elle est aussi consciente de sa réflexion en soi, et sépare celle-ci de la simple appréhension elle-même [14]. »

L'on peut saisir, sur cet exemple le plus simple qui soit, comment une corrélation interne peut avoir une valeur dynamique, et, loin d'arrêter le mouvement, lui donner sa vraie détermination. En effet, ayant levé l'hypothèse de sa propre attitude attardée, s'étant, si l'on peut dire, élevée au niveau de son objet, la conscience, renonçant aux particularités de ses appréhensions partielles (les « aussi », les « en tant que », qui mutilent indûment l'unité de la chose), perçoit désormais dans son objet, qu'elle accueille comme « mouvement total [15] », la cohérence réelle des moments qui le composent : universalité/singularité, être-pour-soi/être-pour-un-autre [16]. Ainsi le résultat de la Perception est-il à nouveau, comme celui de la Certitude sensible, *l'universalité de l'objet*, mais une universalité plus profonde, puisque l'objet perd maintenant ses déterminités pures comme il avait perdu alors ses déterminités sensibles [17] ; l'expérience de cette nouvelle figure, qui reprend à un autre niveau celle de la figure précédente, purifie donc le résultat de la limitation qui était sienne alors : l'universel sensible, défini par la dualité non réconciliée des moments rappelés ci-dessus, s'accomplit comme universel inconditionné ou absolu dès lors que chacun de ces termes est saisi dans sa vérité, c'est-à-dire dans son unité paradoxale avec l'autre.

Voici donc que le mouvement se recueille dans ce résultat, lequel surgit vraiment comme la totalisation des expériences déployées jusqu'alors. En même temps, nous atteignons à une nouvelle définition des rapports entre l'objet et le Je connaissant ; car l'intelligence plénière de l'extérieur exige une saisie plus adéquate de ce qu'est l'intérieur véritable : l'objet, en effet, ne peut révéler son identité à l'esprit que si la conscience accepte de se laisser creuser par lui jusqu'à se reconnaître elle-même pour ce qu'elle est, comme entendement d'abord, comme conscience de soi ensuite.

Ce qui a contraint la conscience à conjoindre, dans son acte de percevoir, les éléments qu'elle séparait tout d'abord, c'est

14. *Ph. G.*, 95/12 (I 99/33).
15. *Ph. G.*, 97/24 (I 102/23).
16. *Ph. G.*, 100/5 et 8-9 (I 105/14 et 17-18).
17. *Ph. G.*, 99/36 (I 105/7).

cette force intime qu'elle possède sans la connaître encore, et qu'éveille peu à peu la relation à un objet accepté comme la mesure du savoir (c'est là la « règle » de toute la section), comme ce qui le forme et le révèle à soi. Autrement dit, la conscience a lié son sort (ou plutôt a reconnu que son sort est lié dès toujours) à la réalité qu'elle appréhende ; il lui faut aller jusqu'au bout de cet examen, apprendre ce qu'elle est en laissant se déterminer son savoir, et dépasser l'immédiateté de celui-ci en découvrant qu'elle est identique, en son existence propre, à l'objet qui constitue son contenu.

La troisième figure de la conscience, qui s'exprime dans la dialectique « Force et Entendement », achève cette première expérience globale. Elle le fait en approfondissant le mouvement déployé dans les deux précédentes, c'est-à-dire en se tenant obstinément (comme le terme *Verstand* le suggère) dans son objet, pour le connaître dans sa consistance propre en même temps que dans son unité avec elle-même : en son résultat devenu transparent à lui-même se résumera alors toute la section « Conscience », dans l'instant où le savoir acquerra une nouvelle direction et une nouvelle loi.

Pas plus que ci-dessus, nous n'avons à suivre en détail le mouvement du contenu, au niveau de ses déterminations successives, mais à tenter de saisir ses articulations essentielles (celles que manifestent les corrélations explicites), qui expriment l'organisation des expériences et leur totalisation progressive, par la résurgence du mouvement unitaire au travers des structures nouvelles du développement. Pourtant, comme les parallèles les plus signifiants et les plus appuyés que nous rencontrons dans ce texte portent, non pas sur les relations de cette figure avec les autres, mais sur son économie propre, sur sa logique interne, il peut être bon, inversant l'ordre d'exposé que nous avons suivi à propos de la Perception, de souligner d'abord cet aspect ; il sera plus facile de comprendre quelle place lui revient dans l'ensemble lorsqu'aura été dégagée ainsi sa cohérence spécifique.

Le résultat de la dialectique de la Perception est la position de l'universel inconditionné comme *objet* de la conscience ; celui de Force et Entendement sera la suppression de ce dualisme rémanent : « Le mouvement, qui se présentait auparavant comme l'autodestruction de concepts contradictoires, a donc ici la forme *objective*, et est mouvement de la force, dont le résultat est l'universel sous mode inconditionné comme *Non-objectif* ou comme *Intérieur* des choses [18]. » Autrement dit, la Perception, en montrant que les déterminations contradictoires de l'universalité

---

18. *Ph. G.*, 106/23 (I 113/39).

et de la singularité (au plan du contenu), de l'être pour soi et de l'être pour un autre (à celui de la forme) existaient conjointement à l'intérieur de la chose, a reconnu à celle-ci une vérité qui ne peut être surpassée : le résultat de Force et Entendement sera encore l'universel inconditionné ; mais ce qui reste à surmonter, c'est la forme objective que conserve ce résultat, — ou encore (mais cela revient au même) ce qu'il faut montrer, c'est que cette richesse de l'objet réfléchi en lui-même est identiquement la richesse propre du Je connaissant, lequel, de simple conscience, se prouve alors conscience de soi.

Les étapes de cette expérience, que l'on rappelle ici seulement sous mode schématique, sont : la *force simple*, qui n'est autre que l'universel inconditionné objectif, c'est-à-dire le passage immédiat l'un dans l'autre des éléments contradictoires de la chose (son unité et ses différences indépendantes)[19] ; le *doublement de la force*, son déploiement en force sollicitante et force sollicitée[20], qui signifie le passage du premier universel de l'entendement (le concept simple de la force) au second universel (la réalité de la force, son essence vraie comme *Intérieur des choses*)[21] : ainsi se constitue dans sa vérité l'objet de l'entendement ; mais parce que la réflexion en lui-même du Je connaissant n'est pas encore au niveau de la réflexion à laquelle s'est élevée la chose en sa réalité intérieure, ce monde objectif véritable se présente à l'entendement comme un *doublement suprasensible* du monde immédiat dans lequel il demeure enfermé[22] ; l'unité de ce monde supra-sensible avec le monde de la manifestation (*erscheinende Welt*) s'exprimera à travers les dialectiques des *lois multiples* et du *concept simple de la loi*[23], et elle aboutira à l'*Infinité*, dans laquelle la pure contradiction (qui est identique à la réflexion en soi) cesse d'être simplement objective : la conscience se connaît alors, dans le redoublement de son propre connaître, comme l'identité inquiète des différences multiples, — autrement dit comme « *l'essence simple de la Vie*[24] ».

Ce simple rappel a pour but de situer l'importance véritable de l'un des moments de cette dialectique, celui du *Jeu des forces*. De même que nous avons vu le *Meinen*, érigé en attitude-type, servir de point de repère et de mesure dans un mouvement postérieur, ainsi ce rapport déterminé intervient-il plusieurs fois d'une manière normative dans la suite du développement. La force simple est l'unité paradoxale des déterminations contra-

19. *Ph. G.*, 105/9 (I 112/10).
20. *Ph. G.*, 106/29 (I 114/5).
21. *Ph. G.*, 110/14 (I 118/23), qui renvoie à 105/12 (I 112/14).
22. *Ph. G.*, 111/28 (I 120/13).
23. *Ph. G.*, 115/2 (I 124/1) et 116/36 (I 126/1).
24. *Ph. G.*, 125/21 (I 136/25).

dictoires de la chose ; comme telle, elle s'extrapose, en tant qu'extrême de l'Un, dans la subsistance des « matières » ou des propriétés multiples ; mais les deux termes sont posés en elle comme dans leur unique fondement simple, de sorte que, dans leur relation, c'est en fait la force qui dialogue avec elle-même, se posant ici comme sollicitante et là comme sollicitée : d'où le « jeu » de ces forces, qui échangent sans cesse leurs détermi-nations (la sollicitante n'est telle que parce qu'elle est sollicitée par l'autre à être ce qu'elle est, et vice versa), et qui constituent, dans le mouvement perpétuellement renaissant de leur identifi-cation, la réalité effective du concept de force[25].

Au cours même de ce chapitre (et voilà qui nous montre l'importance exemplaire de ce passage, préfiguration directe du mouvement de l'Infinité), il est fait appel par trois fois à ce « modèle » : la première fois pour montrer comment le jeu des forces définit comme loi le contenu d'abord indéterminé de l'Intérieur ; la seconde fois pour comprendre le sens du mouve-ment tautologique par lequel l'entendement cherche à expliquer les rapports entre la force et la loi ; et la troisième fois comme explicitation de la loi de l'Intérieur dans le monde de la mani-festation, autrement dit comme la reconnaissance de la différence absolue à l'intérieur de la chose même[26]. Il est à noter que ces trois passages reprennent respectivement les moments de l'objet, du sujet, et de leur relation accomplie dans la chose[27], — c'est-à-dire qu'ils suivent le schéma déjà rencontré à l'intérieur des figures de la Certitude sensible et de la Perception : corrélation que nous indiquons seulement, sans plus la souligner, pour rester fidèles à la règle posée, qui est celle d'une étude des parallèles explicites.

Cette dernière remarque nous introduit pourtant à la considé-ration des rapports entre cette figure, ainsi déterminée, et les deux autres qui la précèdent. S'il est vrai qu'une fois encore nous retrouvons la même structure, axée sur une détermination plus plénière de l'objet de connaissance, c'est que la totalité du contenu de la Certitude sensible et de la Perception a resurgi ici dans l'élément de l'entendement. C'est ce que soulignent les premiers paragraphes de cette dialectique, dans un parallélisme structurel qui met en relation la totalité développée de la Per-ception avec la totalité en-soi de Force et Entendement, c'est-à-dire avec l'universel sous mode inconditionné qui vient de s'im-

25. *Ph. G.*, 107-110 (I 115-118).
26. *Ph. G.*, 113/32 (I 122/26) ; 120/3 (I 130/5) ; 121/6 (I 131/12).
27. La Certitude sensible avait pour objet le *Dieses*, et la Perception la chose aux multiples propriétés, *Ding* ; ici, le pas en avant s'exprime dans la première apparition du terme de *Sache* (121/16 ; I 131/22).

poser comme le nouvel objet. Ce qui définit ce nouvel objet, c'est l'unité, en lui, de l'être-pour-soi et de l'être-pour-un-autre, autrement dit l'égalité de ses déterminations *formelles* ; pourtant, comme nul *contenu* ne peut se présenter qui ne soit assumé dans de telles déterminations (celles-ci embrassant la totalité des modes d'être), « il ne peut plus y avoir aucun autre contenu qui, par sa constitution particulière, se soustrairait au retour dans cette universalité inconditionnée [28] » ; de sorte que ce résultat, qui, pour la conscience, a par priorité une signification négative (elle voit son objet se dissoudre et lui échapper), a aussi pour nous (et bientôt aussi pour la conscience, au terme de cette ultime expérience) une valeur positive [29] : étant « absolument universel [30] », il dessine en lui le sens de *tout* ce qui est, — et aussi bien celui du sujet connaissant. Pour l'heure, et c'est ce qui rend nécessaire cette nouvelle expérience, le Je a vu surgir l'universel inconditionné au cours d'une dialectique dans laquelle il ne traitait encore son objet que comme objet ; c'est pourquoi, et bien qu'il se soit déjà réfléchi en lui-même (par le moyen de sa régression au stade du *Meinen*), la réflexion absolue accomplie dans l'universel inconditionné vaut encore pour lui comme objet, comme un en-soi qui n'est pas encore pour-soi ; autrement dit, pour lui, sa réflexion en lui-même comme sujet est encore distincte de la réflexion en soi de son objet [31].

Cette opposition rémanente sujet/objet, qui existe dans la Perception, se retrouve dans le rapport entre les deux moments de la force simple : « C'est ce mouvement que nous avons à considérer, mouvement dans lequel les deux moments se rendent incessamment indépendants et sursument de nouveau leur indépendance. Il est clair, en général, que ce mouvement n'est rien d'autre que le mouvement du percevoir, dans lequel les deux côtés, le percevant et le perçu, sont, d'une part, inséparablement unis comme l'*acte d'appréhender* le vrai, mais au cours duquel, d'autre part, chaque côté est aussi bien *réfléchi* en soi, ou est pour soi. Ici ces deux côtés sont les moments de la force [32]. »

Ainsi, aussi bien au plan du contenu qu'à celui de la forme, le mouvement d'assomption de l'une des figures dans l'autre est clairement souligné. Il ne restera plus, au cours du développement, qu'à éviter une régression quelconque à l'objectivisme encore immédiat (Certitude sensible) ou non suffisamment média-

---

28. *Ph. G.*, 104/11 (I 110/38).
29. *Ph. G.*, 103/37 (I 110/25).
30. *Ph. G.*, 104/19 (I 111/7).
31. *Ph. G.*, 103/4 (I 109/15).
32. *Ph. G.*, 106/11 (I 113/26). Sur la traduction de *aufheben*, rendu ici par « sursumer », cf., ci-dessous, *Note sur le vocabulaire de Hegel et sur la traduction de quelques termes*, p. 309.

tisé (Perception) des attitudes antérieures ; c'est contre ce danger que nous mettent en garde deux autres corrélations :

— puisque, dans le supra-sensible, les « essences de la perception » (Un /universel, essentiel/inessentiel) sont posées « comme elles sont en soi » (*i.e.* comme moments relatifs, échangeant sans repos leurs déterminations)[33], nous n'en sommes définitivement plus aux niveaux de « *l'être de la perception* » et de « l'objectif sensible en général », lesquels ne sont présents ici qu'avec une signification négative[34] ;

— le monde supra-sensible, qui s'ouvre à l'entendement dans l'appréhension de l'Intérieur des choses, n'est absolument pas « le monde sensible, ou le monde comme il est *pour la certitude sensible immédiate et pour la perception* » ; au contraire, le rapport à ce monde se fait par la médiation de la « manifestation » (*Erscheinung*), de sorte que savoir sensible et perception, en lui, sont « posés plutôt *comme sursumés* ou en vérité *comme intérieurs*[35] ».

« Force et Entendement » se présente donc comme un nouveau parcours de l'itinéraire déjà suivi dans les deux dialectiques antérieures. Mais ici, la purification de l'objet et son assomption dans l'universel ont une force telle qu'elles refluent sur la relation originelle, et investissent le sujet lui-même engagé en cette relation. Le résultat, c'est-à-dire l'Infinité, entendue comme la contradiction pure et le mouvement sans repos intérieur à la chose même, ne se pose plus sous mode objectif ; la réflexion en lui-même du Je connaissant, déjà présente, comme mouvement particulier, au terme de la Perception, ne fait plus nombre avec celle de la chose : en regardant, par la médiation de l'*Erscheinung,* dans l' « intérieur des choses », l'entendement, « en fait, fait seulement l'expérience de *soi-même*[36] » ; il n'est plus distinct de son objet, — ou encore : il est devenu à lui-même son propre objet.

II. CONSCIENCE DE SOI

C'est ainsi que surgit le concept de la conscience de soi. Il importe de préciser ce passage et cette assomption, qui inter-

33. *Ph. G.,* 111/1 (I 119/19).
34. *Ph. G.,* 111/10 (I 119/28).
35. *Ph. G.,* 113/11 (I 122/3). Sursumés = *aufgehobene.* Avec, comme ci-dessus, la signification à la fois négative (supprimés) et positive (accomplis, maintenus, élevés) de ce terme.
36. *Ph. G.,* 128/29 (I 140/20).

viendront plusieurs fois dans le développement à venir à la manière d'un mouvement remarquable ou d'une séquence type. La loi générale de la section « Conscience » est celle de l'altérité de l'objet par rapport au savoir ; ou, plus exactement, à l'intérieur de la relation originelle qui constitue le savoir, il y a prévalence de l'objet sur le Je connaissant, de telle sorte que celui-ci n'est jamais considéré directement pour lui-même, mais toujours rapporté à l'objet comme à une réalité étrangère, et se modelant sur lui (ainsi, par exemple, dans la seconde expérience de la Certitude sensible) ; la certitude, c'est-à-dire l'aspect subjectif de la connaissance, demeure séparée de la vérité, laquelle est posée du côté de l'objet. C'est cela que signifie la première phrase de la section « Conscience de soi » : « Dans les modes précédents de la certitude, le vrai est pour la conscience quelque chose d'autre qu'elle-même [37]. » Toutes les figures de la section « Conscience » se sont déployées selon cette règle d'organisation : elles sondent la valeur réelle de cet objet qui se donne pour le vrai ; et, en même temps que sa particularité sensible s'accomplit dans l'universalité relative de la chose perçue, puis dans l'universalité absolue que l'entendement découvre et déploie au cœur de la *Sache,* l'esprit connaissant se découvre engagé lui-même en ce mouvement de réflexion, au point que disparaît pour lui l'affirmation d'une vérité purement objective : « Le concept de ce vrai disparaît dans l'expérience faite sur lui ; l'objet était *en soi* immédiatement, l'étant de la certitude sensible, la chose concrète de la perception, la force de l'entendement : il se prouve plutôt n'être pas ainsi en vérité, mais cet *en-soi* se révèle être le mode selon lequel l'objet est seulement pour un autre ; le concept de l'objet se sursume dans l'objet effectif, ou la première représentation dans l'expérience, et la certitude s'est perdue dans la vérité [38]. »

C'est pourquoi la section nouvelle s'intitule : « La vérité de la certitude de soi-même. » Dans la dialectique de l'Infinité, l'objet véritable, dans sa réflexion en lui-même et son mouvement intérieur, se détermine comme une totalité, autrement dit comme une première réconciliation, du point de vue de l'en-soi, de l'objet et du sujet ; pourtant, cette réconciliation ne peut encore être posée et développée pour elle-même, puisque l'expérience ne s'est déployée que sous mode objectif, du côté de la réalité prise pour le vrai : autrement dit, après avoir traité de la vérité en partant de la certitude, il reste à sonder cette certitude en elle-même pour découvrir sa propre vérité. Le sujet est ainsi renvoyé en

37. *Ph. G.,* 133/4 (I 145/3).
38. *Ph. G.,* 133/5 (I 145/4).

lui-même, pour y éprouver de son point de vue cette totalité qui vient de se déterminer : « Désormais a pris naissance ce qui ne se réalisait pas dans les relations précédentes, à savoir une certitude qui est égale à sa vérité ; car la certitude est à soi-même son objet, et la conscience est à soi-même le vrai [39]. »

C'est au sein même de l'expérience objective que s'est affirmé ce nouveau point de vue, celui de la conscience de soi. Le moment de l'*Erklären,* c'est-à-dire du redoublement tautologique grâce auquel l'entendement supprime, en les égalisant, les différences solidifiées intérieures à la loi, est comme une première « description » de cette conscience de soi [40] : le Je connaissant prend sur lui la cohérence qu'il cherchait jusqu'à présent dans la chose, et s'affirme concrètement comme le fondement de l'unité de celle-ci ; c'est ainsi que la vérité de l'objet bascule dans la vérité de la certitude de soi-même. En un sens, donc, la conscience de soi est la vérité de la conscience, et celle-ci s'accomplit pleinement dans celle-là : « Le *processus nécessaire* des figures de la conscience exposées jusqu'ici, telles que leur vrai était une chose (*Ding*), un autre qu'elles-mêmes exprime précisément que non seulement la conscience des choses n'est possible que pour une conscience de soi, mais que celle-ci seulement est la vérité de ces figures [41]. » Mais, d'un autre côté, la nouvelle perspective demeure grevée de la particularité dans laquelle elle trouve son origine : « ... la conscience de soi est la réflexion sortant de l'être du monde sensible et du monde perçu : elle est essentiellement le retour à partir de l'*être-autre* [42]. » Si bien que, entre l'une et l'autre des sections, reliées entre elles, comme toujours, par un mouvement d'assomption à la fois négatif et positif, c'est la négativité qui l'emporte (alors que, d'une figure à l'autre, à l'intérieur de la Conscience, c'était la positivité qui était soulignée par priorité) ; il s'agit d'une transvaluation radicale, d'une nouvelle définition de l'expérience, et comme d'une inversion du mouvement : « L'*être* visé (*das Sein der Meinung*), la *singularité* et l'*universalité* opposée à elle de la perception, aussi bien que l'*Intérieur vide* de l'entendement, ne sont plus comme des essences, mais comme des moments de la conscience de soi, c'est-à-dire comme des abstractions ou des différences qui, *pour* la conscience, sont en même temps néant, ou ne sont pas des différences, et sont des essences purement disparaissantes [43]. » Toutes les réalités considérées jusqu'à présent sont transportées

---

39. *Ph. G.,* 133/15 (I 145/13).
40. *Ph. G.,* 126/40 (I 138/15), qui renvoie à 119/16 (I 129/4).
41. *Ph. G.,* 128/15 (I 140/6).
42. *Ph. G.,* 134/23 (I 146/23).
43. *Ph. G.,* 134/14 (I 146/14).

sur un autre plan : « Avec la conscience de soi, nous sommes entrés dans le royaume natal de la vérité [44]. »

S'il y a, entre les deux, dépendance intrinsèque, il y a plus encore, au moins pour la conscience qui expérimente ce passage, et dans l'instant où elle l'expérimente, *juxtaposition* de ces deux totalités. Rien d'étonnant, par conséquent, à ce que cette section nouvelle se déploie dans sa cohérence propre et originale, en ne présentant que très peu de corrélations explicites avec celle qui la précède : car « la conscience de soi est devenue seulement *pour soi,* non pas encore comme *unité* avec la conscience en général [45] ». Une telle unité de la conscience et de la conscience de soi, c'est dans la dialectique de la section « Raison » qu'elle s'imposera pour la première fois à l'esprit connaissant ; pour nous, nous savons que le « Vrai intérieur » est l'absolument universel, « purifié de l'*opposition* de l'universel et du singulier », et ce savoir nous est déjà « la première et par là même incomplète manifestation de la Raison [46] » ; mieux, nous le verrons, la conscience de soi, dans son surgissement, dessine à nos yeux les linéaments de la réalité *spirituelle* proprement dite (seul le *Geist* est, en effet, le « royaume natal de la vérité [47] ») : mais ces pierres d'attente disposées ici (comme des sortes de parallèles prospectifs) n'ont pas encore de signification pour la conscience elle-même ; or c'est à son niveau qu'il nous faut considérer l'organisation concrète des expériences.

La section « Conscience de soi » comporte une longue introduction, qui définit la situation nouvelle ainsi que la règle de lecture qu'elle engendre, et deux développements principaux dans lesquels se trouve exposée une série d'expériences concrètes : Indépendance et dépendance de la conscience de soi (avec la dialectique Domination et Servitude), Liberté de la Conscience de soi (avec les figures du Stoïcisme, du Scepticisme et de la Conscience malheureuse). Presque tous ces textes revêtent une grande importance dans l'économie globale de l'œuvre, et nous les trouverons rappelés bien des fois au fur et à mesure que nous progresserons dans le déchiffrement de ses structures. Leur signification véritable ne pourra donc ressortir qu'au terme, lorsque auront été étudiées toutes leurs récurrences ; pour l'instant, il nous faut nous en tenir aux brèves notations qui accompagnent leur surgissement premier.

Nous avons vu que la conscience de soi se présente comme l'accomplissement négatif des expériences de la conscience. Sa

44. *Ph. G.,* 134/6 (I 146/6).
45. *Ph. G.,* 128/22 (I 140/13).
46. *Ph. G.,* 111/28 et 34 (I 120/13 et 19).
47. *Ph. G.,* 140/28 (I 154/16).

première apparition, dans le mouvement de l' « explication »,
la montre déterminée comme le simple redoublement de sa propre affirmation. Prenant ainsi sur elle le tout de la vérité de
l'objet (de telle sorte que cette vérité en vienne à coïncider avec
sa certitude d'elle-même), elle s'affirme comme mouvement auto-
suffisant, pour lequel la différence objective est « immédiatement
sursumée [48] » ; mais, s'en tient-elle à cette « tautologie sans mouvement du *Ich bin Ich* », alors, n'étant plus conscience, elle
disparaît aussi comme conscience de soi ; la distinction entre le
Je et l'être-autre doit donc être maintenue, de telle sorte pourtant qu'elle soit niée dans l'égalité effective de cette « différence »
avec la conscience de soi elle-même. Autrement dit, le monde
doit être encore présent, mais affecté essentiellement du négatif ;
son indépendance est celle d'un « moment » relatif au tout, sa
subsistance est « une manifestation... qui en soi n'a aucun être » ;
et cette négativité du monde s'exprime, du côté de la conscience,
comme *désir* : en effet, c'est en s'assimilant le monde (et en prouvant ainsi le néant de la différence objective) que la conscience
se prouve comme mouvement de réflexion en elle-même, c'est-à-
dire comme conscience de soi. « Désormais, la conscience,
comme conscience de soi, a un double objet, l'un, l'immédiat,
l'objet de la certitude sensible et du percevoir, mais qui *pour
elle* est marqué du *caractère du négatif,* et le second, à savoir
elle-même, qui est l'*essence* vraie et qui n'est d'abord présent
que comme l'opposé du premier. La conscience de soi se présente
ici comme le mouvement au cours duquel cette opposition est
sursumée et où sa propre égalité avec elle-même vient pour
elle à l'être [49]. » C'est en montrant que l'objectif est subjectif
qu'elle-même se démontre, en sa certitude propre, comme vérité
objective.

La conscience de soi est donc déterminée comme désir. Mais
quel est ce monde vers lequel elle se tourne pour manifester son
égalité avc lui ? Ce n'est plus le ceci de la certitude sensible, et
non plus l'ensemble des choses aux propriétés multiples de la
conscience percevante, mais l'universel absolument inconditionné
auquel a abouti la dialectique de l'entendement, la pure inquiétude intérieure de la chose même qui déploie ses différences pour
les reprendre aussitôt dans son unité : sous sa forme la plus
générale, c'est le cycle perpétuellement renaissant qui pose et
supprime l'universel et le singulier dans leur relation en devenir,

48. *Ph. G.,* 134/28 (I 146/28). Pour l'analyse à venir et l'affirmation de la
conscience de soi comme « désir », cf. tout le paragraphe qui fait suite à
ce passage.
49. *Ph. G.,* 135/6 (I 147/14).

— la *Vie,* engendrement des individus dans l'unité de l'espèce, et réflexion en soi du multiple disjoint.

Ces deux moments, la conscience de soi comme Désir et la Vie, proviennent d'une réalité unique, qui s'est scindée en se repoussant elle-même hors d'elle-même, ainsi qu'il en allait déjà dans le mouvement de l'Infinité [50]. Cette corrélation, que nous rencontrerons deux fois encore, et, de façon très significative, dans chacun des paragraphes sur lesquels s'ouvrent les deux divisions majeures de cette section [51], nous montre que l'Infinité est bien l' « élément » formel dans lequel se déploie le contenu de ces figures nouvelles ; rien d'étonnant à cela, puisque cette parfaite identité des pures différences, au terme de Force et Entendement, est la forme, pleinement achevée en son ordre, d'une totalité dont *nous* savons qu'elle se situe déjà au niveau de la Raison. Pourtant, et bien qu'ils surgissent ainsi dans une relation théorique de pleine réciprocité, conjoignant l'un et l'autre le singulier et l'universel dans le mouvement qui les constitue, Vie et Désir s'opposent encore l'un à l'autre : la première demeure objective par rapport à la conscience de soi, qui ne peut s'affirmer réfléchie en elle-même, à ce premier niveau, qu'en « marquant immédiatement son objet du [caractère du] négatif [52] ».

Telle est donc la situation : la conscience de soi ne se connaît comme telle que dans sa relation à un monde dont la subsistance propre est pourtant un défi à la totalité qu'elle tente d'affirmer ; car son désir, qui demeure conditionné par l'objet, engendre celui-ci dans l'instant même où il nie son indépendance en s'efforçant de l'assimiler. Mais cette renaissance perpétuelle de l'objet est précisément ce qui signifie son propre dépassement : en effet, puisque le mouvement de son rapport à la conscience de soi est cela même qui le constitue dans son autonomie, c'est que cet objet accomplit *pour son propre compte* le processus de négation que la conscience exerce à son endroit : il est donc une conscience de soi, — et la conscience de soi n'est conscience de soi qu'en face d'une autre conscience de soi.

Ainsi s'achève le déploiement du concept simple de la conscience dans son pour-soi [53] ; et ce terme est identiquement la position d'une figure nouvelle, l'entrée dans une expérience complexe qui met aux prises la double négation antagoniste de deux consciences de soi affrontées. Figure à la structure toute nouvelle, qui nous introduit dans la complexité d'un univers

50. *Ph. G.,* 135/28 (I 148/6), et le début du paragraphe suivant.
51. *Ph. G.,* 141/9 (I 155/8) et 151/26 (I 167/24).
52. *Ph. G.,* 135/35 (I 148/14).
53. *Ph. G.,* 139/40 (I 153/20).

humain ; aussi, et bien que les expériences suivantes nous ramènent à la considération d'attitudes individuelles, Hegel souligne-
t-il, en une sorte de parallèle prospectif auquel il a déjà été fait
allusion plus haut, que nous atteignons ici à l'effectivité d'un
monde authentiquement « spirituel » : « Pour nous, écrit-il, est
déjà présent le concept *de l'Esprit.* Ce qui sera plus tard pour la
conscience, c'est l'expérience de ce qu'est l'Esprit, cette substance
qui, dans la parfaite liberté et indépendance de son opposition, à
savoir des diverses consciences de soi étant pour soi, est leur
unité : *Je* qui est *Nous,* et *Nous* qui est *Je.* Dans la conscience de
soi comme concept de l'Esprit la conscience atteint son tournant ; de là, hors de l'apparence [54] colorée de l'en-deçà sensible
et hors de la nuit vide de l'au-delà supra-sensible, elle pénètre
et chemine (*einschreitet*) dans le jour spirituel de la présence [55]. »
    L'affrontement des deux consciences de soi individuelles, dans
la dialectique Domination et Servitude, et la première forme de
« reconnaissance » à laquelle elles parviennent, constituent l'étape
initiale dans cette lente montée vers la plénitude de la réalité
spirituelle : les « Je » opposés vont commencer de se rassembler
dans l'effectivité d'un « Nous ». Cette figure ne comporte que
très peu de parallèles explicites [56]. Nous avons déjà parlé de
celui sur lequel elle s'ouvre : il souligne que « le concept de
cette unité de la conscience de soi dans son doublement » est le
concept de « l'Infinité se réalisant dans la conscience de soi [57] ».
Cette corrélation, comme il a été dit, montre que l'Infinité
exprime la forme achevée dans laquelle le nouveau contenu se
pose et se déploie. Mais il s'agit là, non pas tant d'une indication
structurelle à proprement parler, que d'une détermination de la
situation au niveau du pour-nous, d'une mise en place des éléments de l'expérience. C'est encore dans un texte pour nous,
dont le sens est identique à celui que nous venons de lire, que
se trouve une autre référence, non plus à l'Infinité, mais à la
dialectique qui représenta la première apparition concrète du

---

54. *Schein* a ici une signification nettement négative : ce qui se donne
comme la réalité tout en étant du domaine de l'illusion.
55. *Ph. G.,* 140/28 (I 154/16). On se souvient que O. Pöggeler place ici
le point où, « dans la Conscience de soi, vérité et certitude, concept et objet
deviennent mutuellement égaux », permettant déjà, en principe, l'entrée dans
la « Philosophie de l'Esprit », et plus précisément dans l'Esprit objectif.
Au début de la Conscience malheureuse, il est indiqué pareillement que la
vraie signification de ce doublement dans l'unité n'est autre que « le
concept de l'Esprit devenu vivant et entré dans l'existence », 158/32 (I 176/18)
et 159/5 (I 177/2).
56. D'elle surtout vaut ce que nous avons dit plus haut : son sens se
dégagera au fur et à mesure des multiples récurrences auxquelles elle sera
soumise par la suite.
57. *Ph. G.,* 141/7 (I 155/6).

mouvement infini [58], à savoir la relation entre la force sollicitante
et la force sollicitée : dans le mouvement complexe qui définit
la figure nouvelle (chacune des consciences de soi agissant tout
à la fois sur elle-même et sur son autre), « nous voyons se répéter
le processus qui se présentait comme jeu des forces, mais dans
la conscience. Ce qui, dans ce jeu des forces, était pour nous, est
maintenant pour les extrêmes eux-mêmes [...]. Chaque extrême
est à l'autre le moyen terme par lequel chacun se médiatise et
se rassemble étroitement avec soi-même, et chacun est à soi-
même et à l'autre une essence immédiate étant pour soi, qui en
même temps n'est ainsi pour soi que par cette médiation. Ils se
reconnaissent comme *se reconnaissant réciproquement* [59] ». On
le voit, à travers ces deux parallèles, ce n'est pas une parenté de
structures entre les deux mouvements qui se trouve indiquée,
mais le fait que la situation nouvelle soit tout entière déterminée
par l'ultime expression de la figure antérieure, expression qui,
comme point d'aboutissement et de transition, échappait en fait
à la loi de la section « Conscience », pour se poser déjà du côté
de la Conscience de soi.

Deux autres corrélations négatives, pleinement circonscrites,
cette fois, au mouvement de la conscience de soi à l'intérieur
d'elle-même et de sa propre loi, montrent d'une part que chacune des consciences affrontées ne peut plus agir unilatérale-
ment sur un objet inerte, comme il en allait dans la dialectique
du *désir,* mais doit composer avec le mouvement de l'autre
conscience [60], et d'autre part que la conscience du Maître, n'étant
plus affrontée à l'indépendance des choses sous mode direct,
mais seulement par la médiation de l'Esclave, peut atteindre à
l' « assouvissement » qui était refusé au simple désir [61]. Parallèles
qui soulignent simplement que les exigences posées dans la définition même de la situation se trouvent peu à peu réalisées de
façon effective (autrement dit, qu'elles se déploient et s'imposent
au niveau de la conscience elle-même).

Le second mouvement, intitulé « Liberté de la conscience de
soi », s'ouvre, tout comme le premier, sur une corrélation explicite avec l'Infinité [62]. Sa signification ne diffère point de celle que
nous avons rappelée ci-dessus, à propos de la récurrence précé-

---

58. *Ph. G.,* 126/36 (I 138/11).
59. *Ph. G.,* 142/33 (I 157/9). On se souvient que le mouvement de
l'*Erklären,* première « description » de ce qu'est la conscience de soi (127/1,
I 138/16), introduisait précisément dans la simplicité de la loi « l'absolu
changement même » qui est caractéristique du jeu des forces : 120/5 et 10
(I 130/1 et 6).
60. *Ph. G.,* 142/19 (I 156/28).
61. *Ph. G.,* 146/38 (I 162/18).
62. *Ph. G.,* 151/26 (I 167/24).

dente : le mouvement infini est l'élément formel dans lequel le contenu nouveau se développe et se donne à connaître. Mais quel est ce contenu ? Evidemment, celui de la dialectique Domination et Servitude, dont la résolution engendre la naissance d'une figure nouvelle. Tandis que la conscience du Maître demeure massivement prisonnière de son égalité abstraite avec elle-même, celle de l'Esclave possède tout à la fois, dans l'objet « formé », l'intuition de soi comme réalité libre et indépendante, et, dans le Maître, sa propre essence comme conscience de soi ; mais cette dualité d'aspects, qui semblent demeurer encore extérieurs l'un à l'autre, est accueillie dans la certitude devenue objective et vraie (à travers les dialectiques de l'Intérieur d'abord, de l'Infinité ensuite) que la conscience a acquise à propos de l'égalité effective entre l'en-soi et le pour-soi, — ce qui fait que l'essence n'est plus étrangère à la liberté de la manifestation de soi-même dans le monde : « Pour nous une nouvelle figure de la conscience de soi est venue à l'être ; une conscience qui, comme l'Infinité ou le pur mouvement de la conscience, est pour soi l'essence ; qui *pense* ou est conscience de soi libre [63]. »

On voit comment, dans son identité à la récurrence précédente, cette nouvelle mention de l'Infinité nous fait pourtant progresser dans l'intelligence de la portée réelle de cette figure (ou plutôt de ce mouvement), — puisque, dépassant la relation formelle, elle met précisément en valeur l'identité devenue de la forme et du contenu : l'étape nouvelle, celle de la *pensée,* n'exprime plus seulement l'identité en-soi d'éléments qui demeurent effectivment extraposés (comme dans le cas de Domination et Servitude), mais l'égalité réelle du moi et de son monde : « car être objet à soi, non comme *Je abstrait,* mais comme Je qui a en même temps la signification de l'être-*en-soi,* ou se comporter à l'égard de l'essence objective de telle sorte qu'elle ait la signification de l'*être-pour-soi* de la conscience pour laquelle elle est, c'est cela que veut dire *penser* [64] ».

Les trois moments de l'affirmation de la conscience de soi dans sa liberté véritable (moments qui correspondent, ainsi qu'il est souligné pour le premier, à des périodes historiques déterminées) sont « le Stoïcisme, le Scepticisme et la Conscience malheureuse ». La *conscience stoïque* érige immédiatement en attitude de vie l'affirmation de la suprématie de la pensée ; mais, ce faisant, elle fausse l'équilibre de ce résultat et détruit son universalité réelle : en effet, bien que son domaine d'action ait toute l'ampleur de celui de la Vie elle-même (cette Vie qui

---

63. *Ph. G.,* 151/24 (I 167/23).
64. *Ph. G.,* 151/28 (I 168/1).

est l'objet du désir et du travail) [65], et bien qu'elle résume en elle toutes les caractéristiques des figures précédentes (étant susceptible de s'affirmer pareillement dans la situation de l'Esclave et dans celle du Maître) [66], il se trouve qu'elle procède, à l'égard de son contenu, non par assomption véritable, mais par négation simple, se gardant de son atteinte en proclamant son inessentialité ; elle ne déploie donc qu'une négation imparfaite de l'être-autre, lequel subsiste en lui-même, laissant la conscience stoïque à l'affirmation illusoire d'une liberté abstraite.

Le *Scepticisme* nous fait progresser dans l'affirmation pratique d'une liberté effective de la pensée : il est « la réalisation de ce dont le Stoïcisme n'est que le concept [67] ». Dans sa réflexion en elle-même, la conscience stoïque laissait l'être-là valoir en dehors d'elle ; au contraire, la conscience sceptique s'affirme comme négativité concrète, acceptant, au moins pour un temps, de se mesurer aux choses et d'affronter leur contenu ; comme telle, elle dépasse l'attitude stoïque (qui, dans la relation Domination et Servitude, correspondait au « *concept* de la conscience *indépendante* ») et réalise concrètement la négativité que celle-ci ne faisait qu'affirmer : le Scepticisme, par conséquent, « correspond au désir et au travail », et mène à son terme ce que ces attitudes ne faisaient qu'esquisser, faute de pouvoir (s')exprimer (dans) une conscience de soi déjà accomplie en elle-même [68]. En d'autres termes, parce que le Scepticisme « a en lui-même l'Infinité [69] », toute différence extrinsèque disparaît pour lui, et devient seulement une différence de la conscience de soi.

Cette figure du Scepticisme revêt une importance capitale aux yeux de Hegel ; c'est qu'elle représente, il le dira plus loin, le premier « comportement négatif de la conscience » à l'égard de la réalité extérieure [70]. Au temps de ses premiers écrits de Iéna, il avait opposé au doute stérile de Schulze le Scepticisme antique, conçu comme une entrée possible dans le mouvement de la Science véritable [71]. Dans l'Introduction de la *Phénoménologie,* il s'attaque plus précisément au doute systématique d'un Descartes, et prône en regard ce « scepticisme venu à maturité »

65. *Ph. G.*, 152/39 (I 169/8), qui renvoie à la fois au texte introductif de cette section et à l'attitude de l'Esclave.
66. *Ph. G.*, 153/10 (I 169/20).
67. *Ph. G.*, 154/37 (I 171/21).
68. Pour toutes ces corrélations, cf. 155/11 sq. (I 172/3 sq.). Une reprise postérieure de ce parallèle montre que cet aspect apparente bien la conscience sceptique à celle de l'Esclave : 158/29 (I 176/15).
69. *Ph. G.*, 155/22 (I 172/14).
70. *Ph. G.*, 385/9 (II 95/13).
71. *Verhältnis des Skeptizismus zur Philosophie* (Werke I 161 sq.). Cf. une allusion en *Ph. G.*, 87/3 (I 90/7).

qui est « la pénétration consciente dans la non-vérité » du savoir phénoménal [72] » : « se dirigeant sur toute l'étendue de la conscience phénoménale, il rend l'esprit capable d'examiner ce qu'est la vérité, en tant qu'il le met en état de désespérer des représentations, pensées et avis soi-disant naturels [73] ». Sans doute, il n'est point le dernier mot du savoir, étant en quelque mesure sa négation simple et son refus ; en tant qu'il s'arrête à « une manière de voir unilatérale », à un « pur mouvement *négatif* » qui oublie la détermination du rien auquel il aboutit, il est « une des figures de la conscience imparfaite [74] », — celle-là même que nous considérons maintenant ; mais l'attitude qu'il exprime, cet oubli, face au résultat, du chemin de son devenir, fait de lui l'illustration parfaite de ce qu'est la conscience en chacune de ses expériences successives [75] ; il n'est donc point étonnant que Hegel voie en lui comme l'aboutissement véritable de la totalisation de toutes les dialectiques antérieures [76] : en lui, pour la première fois, le mouvement de négation part de la conscience de soi elle-même ; assurée en sa liberté objective, elle laisse disparaître l'autre d'elle-même, parce qu'elle sait son néant effectif ; mieux, elle déclare ce néant et le manifeste comme tel, affirmant en toutes choses la simple *vérité* de sa propre liberté.

Mais la conscience sceptique est essentiellement, ainsi qu'il vient d'être rappelé, oubli de son devenir et de sa propre histoire ; c'est seulement, par conséquent, sous mode immédiat qu'elle affirme l'effectivité de sa propre liberté. Elle est la pure inquiétude dialectique, le mouvement de va-et-vient, l'alternance sans repos de l'égal et de l'inégal, qui, pour s'affirmer supérieure à toute détermination, passe sans cesse de l'une à l'autre : ainsi surgit une nouvelle figure, celle de la *conscience malheureuse,* qui, divisée à l'intérieur d'elle-même, dans son unité même, étale aux yeux de tous sa propre contradiction : « Le doublement, qui d'abord se partageait en deux singuliers, le Maître et l'Esclave, est revenu dans un seul ; le doublement de la conscience de soi en elle-même, qui est essentiel dans le concept de l'Esprit, est par là même présent, mais pas encore l'unité de ce doublement,

---

72. *Ph. G.*, 67/24 et 27 (I 69/23 et 25). Cf. O. Pöggeler, *op. cit.*, p. 279 : « Die Einleitung innerhalb der Phänomenologie bezeichnet... die Wissenschaft der Erfahrung als sich vollbringenden Skeptizismus ». A noter que cette « pénétration » — *Einsicht* — sera, à l'intérieur de la section « Esprit », la forme achevée de ce comportement négatif dont le Scepticisme donne un premier exemple ; cf. le texte déjà évoqué : *Ph. G.*, 385/9 (II 95/13).
73. *Ph. G.*, 68/10 (I 70/14).
74. *Ph. G.*, 68/28 (I 70/30).
75. *Ph..G.*, 74/9 (I 76/19).
76. Cf. les deux paragraphes en 155/29 (I 172/21) et 156/4 (I 173/3).

— et la *conscience malheureuse* est la conscience d'elle-même comme essence doublée qui ne fait que se contredire [77]. »

Nous n'avons pas à suivre les trois attitudes successives que la conscience malheureuse prend à l'égard de l' « Immuable figuré », ni non plus à souligner le parallélisme de fait (sans aucune annonce explicite) entre les trois moments de la « ferveur pieuse » (*Andacht*) et ceux que développera la Religion manifestée [78] ; il suffit, pour marquer la signification de cette figure par rapport à celles qui l'ont précédée, de souligner une dernière corrélation, qui ne fait, à vrai dire, que développer une affirmation déjà rencontrée : la conscience malheureuse est l'unité de la conscience stoïque et de la conscience sceptique [79] ; voilà qui fait sa grandeur (car elle est à la fois la pure pensée supérieure à toute détermination et l'inquiétude face à la singularité comme telle), voilà qui fait aussi sa faiblesse (car elle tient ensemble ces moments sans les réconcilier vraiment : elle demeure en effet distincte de l'immuable jusque dans la connaissance qu'elle a de lui). Si elle parvient, dans le mouvement du sacrifice réel, à supprimer effectivement son opération comme opération singulière, et donc à se reconnaître elle-même dans l'universalité qu'acquiert par là le résultat de son action, elle sait que cette action n'est pas son fait, mais est produite en elle, comme de l'extérieur, par l'Immuable ; pourtant, en cette richesse participée, elle se trouve entraînée au-delà d'elle-même, étant devenue certitude d'être, dans sa singularité même, toute réalité.

III. RAISON

Voilà qui définit une situation toute nouvelle. En effet, ayant renoncé à la pure intériorité de son être-pour-soi, grâce à l'abandon effectif de toute volonté particulière [80], la conscience de soi, arrachée à sa solitude, se pose désormais dans l'objectivité sous la forme d'un singulier sursumé *identique à l'universel*. Pour la première fois, ces deux termes ne valent plus comme des extrêmes demeurant extérieurs l'un à l'autre, mais ils sont rassemblés dans le moyen terme qui est leur unité [81] : l'individu

77. *Ph. G.*, 158/29 (I 176/15).
78. *Ph. G.*, 163/22 (I 182/31).
79. *Ph. G.*, 163/1 (I 182/9).
80. *Ph. G.*, 170/20 (I 191/15), qui renvoie à 166/39 (I 187/9).
81. *Ph. G.*, 175/24 (I 195/22), qui renvoie à 169/13 (I 190/1).

singulier s'est égalé en effet à la réalité universelle, grâce à son assomption médiate dans l'Immuable absolu.

Ainsi surgit la *Raison*, unité de la Conscience et de la Conscience de soi, certitude demeurant près de soi jusque dans l'objectivité vraie et l'indépendance définies par l'élément de l'être. Nous avons souligné, lors du passage de la Conscience à la Conscience de soi, l'inversion du mouvement qui s'est alors produit : si le résultat de Force et Entendement était déjà pour nous « la manifestation de la Raison [82] », voilà qui n'était point clair à la conscience elle-même, et celle-ci a dû, avant d'en venir là, parcourir un long chemin constitué par l'approfondissement de son savoir d'elle-même ; la section « Conscience de soi » a donc développé sa structure et son intelligibilité propres, — sa seule relation explicite à la section « Conscience » étant l'appel, plusieurs fois renouvelé, à la totalité *formelle* constituée par l'Infinité (et déjà auparavant par le jeu des forces), comme point d'aboutissement de la conscience. Au contraire, maintenant, dans la section « Raison », c'est l'égalité réelle, aux plans de la forme *et* du contenu, entre ces deux totalisations juxtaposées qui va se faire jour.

La Conscience, dans son état originel, est certitude immédiate d'elle-même et de son monde ; quant à la Conscience de soi (rappelons-nous son titre), elle est « la vérité de la certitude de soi-même » ; conjoignant l'un et l'autre de ces mouvements, l'une et l'autre de ces attitudes, la Raison reprend logiquement, dans sa définition initiale, les deux termes caractéristiques des dialectiques antérieures, — et son intitulé est le suivant : *Certitude et vérité de la Raison*. « Certitude », puisque c'est la conscience immédiate, en son intériorité singulière, qui trouve son fondement dans son rapport à l'Immuable ; « vérité », puisque cette relation met la conscience à l'épreuve de l'objectivité, et que, loin de se perdre en elle, elle demeure près de soi, assurée en sa liberté.

La conscience est « certitude d'être toute réalité » (ou toute vérité) [83]. Cette assurance acquise l'introduit dans un nouveau type d'expérience, dans une nouvelle définition de ses rapports à son propre monde : en tant que « sa pensée est immédiatement elle-même l'effectivité, elle se comporte donc à l'égard de cette effectivité comme Idéalisme [84] ». Auparavant, une telle unité, pour elle, faisait problème ; ou bien elle se coupait du monde en s'absorbant dans sa propre certitude, ou bien elle se tournait vers

---

82. *Ph. G.*, 111/34 (I 120/19). Cf., ci-dessus, p. 87.
83. *Ph. G.*, 175/27 (I 195/25) ; 176/23 (I 196/30) ; 178/14 (I 199/4) ; 180/27 (I 201/34) ; 180/30 (I 202/2) ; 181/40 et 182/4 (I 203/12 et 17) ; 184/28 (I 205/30).
84. *Ph. G.*, 176/9 (I, 196/11).

ce monde comme vers une réalité étrangère pour le conquérir et le faire sien : « elle le désirait et le travaillait [85] » ; désormais, ayant éprouvé l'unité réelle de son en-soi et de son pour-soi, elle n'est plus astreinte à semblable lutte, mais ce contemple elle-même et jouit d'elle-même dans la « *subsistance* de ce monde », qui lui devient « sa propre *vérité* et sa propre *présence* : elle est certaine de faire en lui seulement l'expérience de soi [86] ».

Au moins en va-t-il ainsi selon le *concept* de l'Idéalisme, tel que *nous* pouvons le définir à partir de son engendrement. Mais la conscience, déterminée comme Raison, oublie le chemin de son propre devenir : « La conscience, qui est cette vérité, a ce chemin dans son dos, et l'a oublié lorsqu'elle surgit *immédiatement* comme Raison, ou encore cette Raison surgissant immédiatement ne surgit que comme la certitude de cette vérité [87] » ; c'est pourquoi le déroulement de cette section consiste en un nouveau parcours de l'itinéraire déjà accompli : « car ce chemin oublié est la saisie conceptuelle (*das Begreifen*) de cette affirmation exprimée immédiatement [88] » : seule une relecture du parcours effectué, un tel souvenir de sa propre histoire, peuvent l'arracher à l'abstraction de son attitude initiale (idéalisme vide, doublé d'un empirisme radical), qui la rend aussi contradictoire que l'était la conscience sceptique [89], et la fait régresser à des modes de relation au réel dont ses premières expériences lui ont pourtant, depuis longtemps déjà, révélé l'insuffisance [90]. On comprend donc l'importance que vont revêtir, pour la première fois, les parallèles proprement structurels, qui traduiront cette reprise des expériences passées désormais assumées selon une signification moins abstraite ; voilà qui commande, pour cette section nouvelle, un ordre d'exposé différent, plus rigoureux, qui dégagera d'abord pour elles-mêmes, en leur totalité, ces corrélations de structures, avant d'en venir à l'organisation réelle du contenu qui se présente en elles.

La section « Raison » comporte trois sous-sections, de dimensions très inégales : *Raison observante* (soixante-douze pages),

85. *Ph. G.*, 176/12 (I 196/16), qui renvoie aux premières expériences de la Conscience de soi.
86. *Ph. G.*, 176/21 (I 196/27).
87. *Ph. G.*, 177/12 (I 197/28). Pour les corrélations effectives de la Raison avec les figures antérieures (Certitude sensible, Perception, Entendement, Domination et Servitude, Stoïcisme, Scepticisme, Conscience malheureuse), cf. tout ce paragraphe : 176/23 sq. (I 196/30 sq.).
88. *Ph. G.*, 177/17 (I 198/1).
89. *Ph. G.*, 181/4 (I 202/15).
90. *Ph. G.*, 181/16 (I 202/27), et 181/27 (I 203/1).

7

L'effectuation de la conscience de soi rationnelle par elle-même (vingt-huit pages), *L'individualité qui pour soi est réelle en et pour soi-même* (trente pages). La première, et singulièrement le premier des trois mouvements qu'elle comporte (*Observation de l'organique*, avec ses trente-six pages massives), représente, de l'avis de Haering et de beaucoup d'autres, le moment où l'œuvre se gonfla démesurément sous la main de Hegel, et où la nécessité s'imposa de déployer son contenu jusqu'à la détermination plénière du monde de l'Esprit. Quoi qu'il en soit de ce jugement, et même si Hegel n'atteignit qu'à ce moment à une conscience nette de ce qu'impliquait son projet initial, il est certain (pour nous en tenir à la règle posée, qui est d'étudier les corrélations explicites soulignées dans le texte lui-même) que l'attitude assignée à la raison observante par son parallèle avec le mouvement de la conscience impliquait un large déploiement de l'expérience, tel qu'il couvre le champ total de la certitude sensible, lequel, nous le savons, est « d'une richesse infinie, à laquelle on ne peut trouver aucune limite, ni en *extension*, dans l'espace et le temps où cette connaissance se déploie, ni en pénétration, dans le fragment extrait de cette plénitude par division [91] ».

La Raison observante se conduit donc d'abord comme conscience ; autrement dit, assurée, en sa singularité même, d'être égale à toute réalité, elle se dirige vers ce monde dans la certitude absolue que celui-ci est *sien* [92] ; elle se trouve de la sorte dans une attitude simple d'accueil, de disponibilité, prête à découvrir en toute chose l'image de ce qu'elle est elle-même : « Nous la voyons de nouveau, dit Hegel, s'enfoncer dans le viser et le percevoir » (*ibid.*). Mais, bien sûr, ce retour n'est pas une simple régression au niveau du Je immédiat ; car les expériences qu'elle a connues ont ancré la conscience dans la certitude qu'elle a d'être toute vérité et toute réalité, de sorte que ce monde qu'elle aborde n'existe plus pour elle sous la raison de l'altérité ; au contraire, elle *sait* qu'elle est elle-même cet Autre : « précédemment, il lui est seulement *arrivé* de percevoir quelques caractéristiques dans la chose et d'en *faire l'expérience* ; ici, c'est elle-même qui dispose les observations et l'expérience [93] ».

Attitude complexe que celle-là : la Raison est pleinement assurée en elle-même, — et c'est au nom même de cette assurance qu'elle « cherche sa propre infinité » dans la réalité objective [94]. Elle est à la fois totalement indépendante et parfaitement dépendante : « Elle plante sur toutes les cimes et dans tous les abîmes

91. *Ph. G.*, 79/13 (I 81/11).
92. *Ph. G.*, 183/3 (I 204/2).
93. *Ph. G.*, 183/7 (I 204/6).
94. *Ph. G.*, 183/20 (I 204/20).

le signe de sa souveraineté[95] », — et, dans ce besoin qu'elle éprouve, elle revit, sous un autre mode, en cherchant une assurance immédiate, le rapport au monde qui fut le sien dans les dialectiques de la Certitude sensible et de la Perception[96]. Pourtant, elle ne peut en rester à cette simple « prise de possession » : la Raison « pressent qu'elle est une essence plus profonde, car le pur Je *est*, et doit exiger que la différence, l'*être multiforme,* lui devienne comme ce qui est sien, qu'il s'intuitionne comme l'*effectivité* et se trouve présent comme figure et chose[97] ». Le Je n'aura plus besoin d'affirmer sans cesse son emprise sur le monde quand il aura ainsi prouvé que ce monde n'est autre que lui-même.

Le résultat de ce nouveau parcours, ce sera donc « le complément du résultat du mouvement précédent de la conscience de soi[98] », autrement dit le remplissement par le Jugement infini de la Catégorie vide à laquelle avait abouti cette dialectique. Voilà qui nous permet de prendre un peu de champ, pour considérer, telles qu'elles nous apparaissent actuellement, les relations de ces trois premières sections. Pour échapper à sa division extrême, la Conscience malheureuse, dans le mouvement du renoncement effectif, a « lutté jusqu'à convertir son *être-pour-soi* en une *chose*[99] » ; par là, elle se rangeait à nouveau sous la règle de la Conscience, — sans cesser pour autant d'être elle-même une conscience de soi : cette égalité première du Je et de la chose, c'est la *Catégorie.* Mais, pour donner un contenu à cette affirmation vide, il faut que la Raison laisse se déployer l'unité qu'elle affirme, et cela à partir de l'un et l'autre des termes qui la constituent : la Raison observante réalise ce programme en partant de la considération de la chose (c'est l'aspect selon lequel la conscience « *a* [*la*] *raison* »)[100] ; il restera encore à la Raison, dans la seconde division de cette section, à manifester cette unité à partir d'elle-même (c'est-à-dire sous l'aspect selon lequel elle « *est* [la] raison »)[101].

Avant d'en venir à cette seconde considération, est-il possible de préciser quelque peu le parallélisme structurel entre Raison observante et Conscience ? Le point de départ, avons-nous vu, consiste dans une reprise de l'attitude de la conscience immédiate, sous sa double forme de Certitude sensible et de Perception ; mais la seule notation relative à Force et Entendement

95. *Ph. G.,* 183/24 (I 204/25).
96. *Ph. G.,* 183/3 (I 204/2), 185/22 (I 207/3), 186/37 (I 208/15).
97. *Ph. G.,* 184/1 (I 205/2).
98. *Ph. G.,* 252/24 (I 284/26).
99. *Ph. G.,* 252/27 (I 284/29). Cf. toute la suite de ce paragraphe.
100. *Ph. G.,* 252/33 (I 284/34). Cf. 315/15 (II 11/25).
101. *Ph. G.,* 252/38 (I 285/5). Cf. 315/22 (II 12/3).

tient dans cette formule que nous avons citée : en se cherchant elle-même dans le monde, la conscience rationnelle « cherche sa propre infinité ». Il est vrai que le texte récapitulatif qui ouvre le mouvement de l'Effectuation de la conscience de soi rationnelle par elle-même est plus explicite : « De même que la Raison observante répétait dans l'élément de la catégorie le mouvement de la *Conscience,* à savoir la Certitude sensible, le Percevoir et l'Entendement, de même cette Raison parcourra aussi le double mouvement de la *Conscience de soi,* et, de l'indépendance, elle passera à sa liberté [102] ». Mais nulle autre indication ne nous permet pour l'instant de préciser le rapport du développement actuel à ce troisième temps de la Conscience, pas plus que nous ne pouvons savoir s'il existe une relation entre le développement tripartite de la Raison observante et celui de la Conscience : seul l'examen de l'organisation concrète du contenu pourra tout à l'heure nous mettre éventuellement sur la voie d'une réponse.

La seconde sous-section, nous venons de le voir, reproduit le mouvement qui fut celui de la Conscience de soi [103] : après avoir cherché à s'exprimer elle-même en son indépendance singulière, la Raison en viendra à se rencontrer avec tous dans l'affirmation d'une universalité effective. D'abord « elle n'est consciente de soi que comme d'un individu, et doit, comme un tel individu, demander son effectivité dans l'autre et la produire en lui, — mais ensuite, dans la mesure où sa conscience s'élève à l'universalité, il devient Raison *universelle,* et est conscient de soi-même comme Raison, comme quelque chose de déjà reconnu en et pour soi, qui, sans sa pure conscience, réunit toute conscience de soi [104] ». Ce passage signifie en réalité, comme Hegel le précise immédiatement, le dépassement de la Raison et son assomption dans l'Esprit ; nous aurons donc à reprendre largement ces textes dans le chapitre prochain, en traitant des relations qu'entretiennent les trois premières sections de la *Phénoménologie* avec la quatrième ; mais en fait le déroulement des deux dernières divisions de la Raison nous fait assister à cette affirmation progressive de l'universel, — qui sera déjà explicite, par exemple, à la fin de la figure « Loi du cœur et délire de la présomption [105] ».

Là encore, il n'est pas possible, à ce niveau des corrélations

102. *Ph. G.,* 255/25 (I 289/1).
103. En fait, cette introduction à *L'Effectuation de la conscience de soi rationnelle par elle-même* dessine le mouvement qui sera à accomplir jusqu'au terme de la section « Raison », et l'évocation des deux moments de la Conscience de soi annonce à la fois la deuxième *et* la troisième sous-section.
104. *Ph. G.,* 256/1 (I 289/6).
105. *Ph. G.,* 270/12 (I 307/13).

structurelles, de pousser plus loin le parallélisme. En particulier, l'appel au « double mouvement de la Conscience de soi » laisse sans réponse pour l'instant la question de la signification des dialectiques de la Vie et du Désir : s'agit-il d'une pure introduction à Domination et Servitude (qui resterait donc en dehors de cette reprise des structures de la section « Conscience de soi ») ou d'un texte d'*expérience*, maillon essentiel dans la suite des transformations de la conscience ? L'organisation effective du contenu, que nous allons considérer maintenant, permettra peut-être d'apporter une première réponse ; mais, plus vraisemblablement, il faudra attendre pour cela que nous ayons pu considérer la totalité des récurrences de ces textes.

Un dernier mot à propos de ces structures formelles. Si le texte introduisant à la troisième division majeure de la section « Raison »[106] souligne explicitement qu'en elle s'accomplissent les figures de la Raison observante et de l'Effectuation de la conscience de soi rationnelle, nulle référence plus précise ne permet de pousser ce parallèle, — de sorte que l'on ne peut, comme le tente pourtant W. Drescher (en admettant elle-même qu'il lui faut suppléer au manque d'indications explicites)[107] mettre en corrélation stricte les figures de ce troisième développement avec celles des deux qui le précèdent. Mieux vaut procéder pas à pas, en demeurant dans le domaine des évidences incontestables.

Si nous quittons maintenant le plan des corrélations structurelles pour nous interroger sur l'organisation concrète du contenu, nous ne rencontrons, à ce stade du développement, que fort peu d'indications, — singulièrement en ce qui concerne la Raison observante, qui constitue la part la plus longue et la plus difficile à analyser en toute cette section : une vingtaine de parallèles identifiables, qui, pour la plupart, intéressent la suite du discours en son ordre linéaire, opérant une liaison, à l'intérieur de la figure elle-même, entre une série de tentatives successives, toutes vouées à l'échec, pour établir une relation scientifique entre la conscience rationnelle et le monde qui est sien.

Rien de tout cela ne nous éclaire beaucoup sur le mode selon lequel cette figure reprend et accomplit le mouvement de la section Conscience. On pourrait être tenté de supposer que l'observation de l'organique correspond de façon plus précise à l'attitude de la Perception (avec son approche de la « chose » aux multiples propriétés), que celle de l'inorganique

106. *Ph. G.*, 283/4 sq. (I 322/3 sq.).
107. *Op. cit.*, p. 68, Parallèle VIII.

est plus proche de la Certitude sensible, que la relation entre
intérieur et extérieur rappelle la dialectique correspondante de
Force et Entendement, enfin que la détermination des diverses
lois renvoie pareillement aux tentatives similaires de la dernière
figure de la Conscience : mais au vrai, ces thèmes qui viennent
d'être évoqués s'entrecroisent tout au long du développement,
et il serait souvent malaisé de les isoler pour les mettre en
relation avec des totalités distinctes. En tout cas, aucune notation explicite ne viendrait étayer de tels rapprochements.

Un seul parallèle se trouve instaurer un rapport, souligné
comme tel, entre un passage de cette figure et un autre de la
section « Conscience ». Il se développe au long de quatre paragraphes [108], qu'il vaut la peine de situer et d'analyser sommairement. Nous sommes à l'intérieur de l'observation de l'organique. La conscience rationnelle, dans la certitude qui est sienne
d'être toute réalité, se tourne vers ce monde, et cherche, dans
l'image qu'il lui offre, les traits qui manifestent cette unité effective de l'être et de la pensée ; autrement dit, elle cherche quel
type de rapport doit exister entre l'intérieur et l'extérieur pour
que celui-ci soit réellement l'empreinte objective de celui-là. Pour
cela, il faut de toute nécessité que la Raison puisse lire, dans
le monde qui l'entoure, des relations qui s'organisent avec la
rigueur de véritables *lois*. Mais une aporie nait ici de ce que,
pour être véritablement lois *de l'organique*, ces relations devraient
exprimer, non point la fixité d'un simple rapport quantitatif,
mais le processus ayant un « sens » qui caractérise tout vivant.

C'est ici que s'insère le parallèle évoqué : « La pénétration
(*Einsicht*) dans la différence entre ce légiférer et des formes précédentes éclairera pleinement sa nature. — En effet, considérons
rétrospectivement le mouvement du percevoir [109] et de l'entendement qui, en lui, se réfléchit en soi et détermine par là son
objet... » C'était alors l'entendement qui prenait sur lui la détermination de la loi, s'affirmant en lui-même comme la raison du
passage d'une détermination de la chose dans l'autre ; ici, par
contre, cette relation unitaire est postulée comme existant sous
mode objectif, puisque la Raison et le monde sont posés dans

---

108. Dont le premier début en 207/30 (I 232/30).
109. Il est vrai que la perception, interrogeant sur l'unité et la pluralité
qui définissent conjointement la chose, met en relation l'intérieur et l'extérieur
de celle-ci ; pourtant, il n'est pas question alors de « loi », et moins encore
d'un « légiférer » : c'est seulement dans Force et Entendement que surgit
le premier de ces concepts (114/27, I 123/19). C'est pourquoi le texte que
l'on vient de lire parle du percevoir *et de l'entendement qui agit en lui*.
Voilà qui nous montre qu'il est vain de rechercher ici des corrélations très
précises avec telle ou telle figure isolée : en fait, ce qui est évoqué à travers
la Raison observante, c'est le *mouvement global* de la conscience, lequel
présuppose la totalisation déjà effectuée de ses divers moments.

l'identité de l'universel dont ils sont la diffraction : ce qui est recherché, c'est « la pensée de la loi », et non plus seulement l'organisation sous forme de lois du contenu déterminé qui se présente. Cela signifie que les moments soumis à l'observation devraient être pur passage, fluidité totale, négation absolue ; mais alors, ils ne peuvent subsister comme tels dans l'élément de l'être, — et la Raison, en cherchant à *trouver* dans l'être un tel type de loi, manifeste qu'elle en est demeurée au niveau de l'entendement percevant, apte à saisir seulement des déterminations *fixes* : le rapport de l'organique à lui-même et à la conscience se dégrade en rapport quantitatif [110], tandis que la Raison échappe au concept qui était sien, pour redevenir simple entendement réduit à légiférer abstraitement à partir de lui-même.

Le sens de cette corrélation est net : il permet à la conscience de s'apercevoir du retard qu'elle a pris sur les déterminations réelles de l'expérience en laquelle elle est engagée ; au lieu d'opérer à partir du concept, cherchant à se retrouver comme *processus* rationnel dans le monde objectif, elle en revient pratiquement à une attitude antérieure, réifiant et quantifiant ce qui devrait n'être que pur passage, se conduisant comme simple conscience perceptive privée de pensée. Il lui faut bien plutôt, en s'arrachant à cette expérience passée, accueillir et respecter son objet dans toute sa nouveauté ; ce n'est plus, en effet, l'être immédiat de la Certitude sensible ou de la Perception qui la sollicite, mais sa propre essence apparaissant dans l'effectivité [111] ; et cet objet a plus de dignité qu'elle ne le croit, il est déjà « l'Esprit, le concept existant comme universalité » (*ibid.*).

Un autre passage, dans lequel le parallèle est seulement esquissé, a exactement la même signification. Il se trouve dans le troisième temps de la Raison observante, c'est-à-dire dans « l'observation de la conscience de soi dans son rapport à son effectivité immédiate », et plus précisément dans le mouvement de la physiognomonie naturelle, qui cherche à saisir immédiatement l'intérieur dans son expression extérieure. Hegel précise alors : « L'objet de cet avis (*Meinung*) est d'une espèce telle qu'il est dans son essence d'être en vérité quelque chose d'autre que seulement un être sensible immédiat [112]. » Ce n'est plus le *Dieses* qui est ici considéré, comme terme d'un pur mouvement désignatif : « Ce qui est présent, c'est cet être-réfléchi en soi hors du sensible dans le sensible ; ce qui est objet de l'observer, c'est la visibilité comme visibilité de l'invisible » (*ibid.*). Mais précisément, la Raison aborde cet objet nouveau, accompli dans

110. Cf., en particulier, 209/6 (I 234/15), rapporté à 202/39 (I 227/13).
111. *Ph. G.*, 241/9 (I 283/5).
112. *Ph. G.*, 235/4 (I 265/19).

la vérité de son concept, comme le faisait la conscience à l'égard de l'objet de sa certitude sensible, de sorte qu'elle rapporte l'être-là objectif à un intérieur seulement *visé*[113], défini comme capacité abstraite et non pas comme singularité réelle. Là encore, la Raison manifeste qu'elle n'a pas véritablement dépassé l'attitude qui était sienne comme conscience immédiate, et donc qu'elle n'a pas encore accueilli son objet dans sa nouveauté réelle ; et le constat de ce retard l'oblige à se dépasser dans une expérience nouvelle.

C'est au travers de ces échecs successifs que la Raison s'élève jusqu'à sa propre vérité. Partie de la relation la plus extérieure qui soit, elle découvre, au-delà de la recherche des lois psychologiques, au-delà des dialectiques de la physiognomonie et de la phrénologie, la véritable identité du Soi[114] et de la chose, identité qui s'exprime dans le *Jugement infini*, posé comme résultat[115]. Ce Jugement infini, expression de l'identité, pour la conscience, entre l'Etre (*Sein*) et le Sien (*das Seinige*)[116] est la première forme du savoir ultime grâce auquel la conscience accédera en vérité à la Science en confessant l'égalité de la substance et du sujet ; son importance réelle se dégagera au fil de ses récurrences, avant qu'il n'apparaisse, dans l'équation totale de la *Phénoménologie*, comme une première détermination de l'axe autour duquel s'articule et se déploie tout le contenu de celle-ci. Pour l'heure, il réalise, ainsi qu'il a déjà été noté, le remplissement de la « Catégorie », c'est-à-dire de l'affirmation vide de l'égalité entre l'être et la pensée à quoi avait abouti la section « Conscience de soi ». La Raison observante a rendu possible ce résultat en reversant dans la forme abstraite alors élaborée tout le contenu de la conscience ; maintenant, au terme de ce mouvement régressif, qui procède depuis l'extérieur affirmé comme intériorité jusqu'à l'intérieur saisi dans sa valeur objective et extérieure, la Raison est revenue en elle-même dans la vérité de son être universel : elle a perdu, ainsi que le dira le début du second mouvement, l'*immédiateté* de la certitude qui était sienne d'être toute réalité[117] ; elle retrouve donc, à un autre niveau, l'attitude qui était sienne déjà comme conscience de soi : « la vérité de la certitude de soi-même[118] ».

---

113. *Ph. G.*, 235/15 (I 265/28).
114. *Selbst, i.e.* le Je connaissant, posé, à travers son déploiement et son retour en lui-même, comme universalité objective.
115. *Ph. G.*, 253/4 (I 285/12).
116. *Ph. G.*, 252/40 (I 285/6).
117. *Ph. G.*, 255/7 (I 288/6).
118. C'est là, on s'en souvient, le titre de la section « Conscience de soi » à l'intérieur de la division linéaire continue (IV).

Le mouvement de l'Effectuation de la conscience de soi rationnelle exprime l'objectivité du savoir d'elle-même auquel vient
d'atteindre la Raison. Celle-ci se tourne vers le monde, non plus
pour y « chercher sa propre infinité », mais pour la développer
librement, dans un élément qu'elle a *effectivement* éprouvé
comme sien (le *Sein* comme *das Seinige*). Voilà qui se fera en
laissant se déployer le contenu de ce Jugement infini, contenu
qui, dans la perspective présente, ne peut être autre que celui
de la section « Conscience de soi ». — Effectivement, la première figure que nous rencontrons, celle de *Plaisir et Nécessité*,
comporte un parallèle explicite avec la dialectique du désir ;
mais, cette fois, il devient aisé de marquer la différence entre
l'une et l'autre, car la Raison, définitivement assurée en elle-
même, n'est plus tentée de revenir à une attitude dépassée, — de
sorte que c'est le mouvement d'accomplissement qui s'impose ici
par priorité : « L'opération de la conscience de soi n'est que
selon un moment une opération du *désir* ; elle ne procède pas
à l'abolition de toute l'essence objective, mais seulement à la
forme de son être-autre ou de son indépendance, qui est une
apparence privée d'essence [119]. » Ainsi, l'échec du simple désir,
qui devait capituler devant l'extériorité de la chose ou se résigner
à voir celle-ci disparaître, se change-t-il dans le plaisir effectif,
— lequel, pour la conscience de soi rationnelle, ne peut être que
l'effectuation d'elle-même « dans une conscience qui se manifeste comme indépendante », autrement dit l' « intuition de
l'unité de deux consciences de soi indépendantes [120] ».
  Une nouvelle fois, c'est l'Esprit, comme réalité universelle, qui
apparaît à l'horizon de la conscience. Pourtant, ce résultat
échappe encore, restant tributaire de l'abstraction de la Catégorie
dans laquelle il se déploie [121]. C'est pourquoi surgit une opposition
rémanente, dont le contenu présent est constitué, d'une part
par l'Individualité non pleinement satisfaite, et de l'autre par la
Nécessité abstraite du destin. Les figures suivantes verront donc
leur contenu propre se déployer pareillement avec cette imperfection formelle ; ainsi dans la seconde, où l'affrontement entre
la Loi du cœur et l'Effectivité est mise explicitement en relation
avec cette opposition Individualité / Destin [122]. Pourtant, de l'une
à l'autre, un progrès est accompli, qui fait l'objet d'un nouveau
parallèle : l'individu ne recherche plus seulement un plaisir sin-

---

119. *Ph. G.*, 263/5 (I 298/22).
120. *Ph. G.*, 263/23/(I 299/9).
121. *Ph. G.*, 263/14 (I 299/1).
122. *Ph. G.*, 267/11 (I 303/27).

gulier, mais il s'efforce de faire triompher le bien de l'humanité [123].
Nous entrons donc déjà, ainsi que l'annonçait l'introduction à ce
développement, dans le mouvement de l'Esprit, puisque l'individu
n'est plus opposé à la loi rigide de l'effectivité extérieure, mais
bien plutôt aux autres hommes, aux lois des autres cœurs [124] ;
dans ce mouvement, la conscience en vient à se perdre elle-même,
non plus dans la nécessité vide et morte du destin, mais dans
une nécessité déjà vivante, encore que non pleinement accomplie : celle de « l'individualité universelle [125] ».

Au-delà de la révolte de l'individu, la figure *Vertu et Cours
du monde*, où nous lisons en filigrane l'aventure d'un nouveau
Don Quichotte, étale à nos yeux l'impuissance d'une vertu
abstraite, prête à sacrifier son individualité propre, — et qui
détruit par là même le cours du monde, lequel n'existe que
vivifié par cette individualité : dernière tentative d'une Raison
qui n'a pas encore mesuré ce qu'implique son pouvoir, et qui
cherche encore à se soumettre abstraitement une réalité à laquelle
pourtant nul conflit ne l'oppose désormais ; ayant éprouvé l'inanité de ce mouvement, elle rejoint pleinement son propre
concept, et s'affirme comme « individualité qui pour soi est
réelle en et pour soi ».

Cette dernière partie de la dialectique de la Raison, ainsi que
le souligne le texte récapitulatif sur lequel elle s'ouvre [126], constitue donc l'accomplissement en vérité des figures antérieures,
celle de la Raison observante et celles de l'Effectuation de la
conscience de soi rationnelle. Plus de quête d'elle-même, et plus
d'effort pour s'exprimer activement dans son monde : une calme
possession de sa vérité, un tranquille exercice de sa souveraineté.
A travers cette reprise des deux dialectiques qui la précèdent
immédiatement, c'est évidemment une nouvelle fois tout le
contenu des figures précédentes en particulier celles de la
section « Conscience » qui se trouve réassumé. Hegel le souligne
explicitement dans la première figure de cette sous-section, celle
du Règne animal de l'Esprit. La Raison voit s'abîmer en elle-
même l'œuvre contingente qu'elle produit, et qui ne peut porter
tout le poids de la négativité qui est sienne ; par là est définitivement ruinée toute effectivité en tant qu'opposée à la conscience ; ce qui fait que la Raison se possède elle-même plus
que jamais dans la certitude objective de ce que opération et

123. *Ph. G.*, 267/26 (I 304/10).
124. *Ph. G.*, 269/40 (I 307/1), qui renvoie à 266/36 (I 303/16).
125. *Ph. G.*, 270/12 (I 307/13), qui renvoie à 265/5 (I 301/10) et 266/5
(I 302/17).
126. *Ph. G.*, 283/4 (I 322/3).

être, vouloir et accomplir sont une seule et même réalité : le fondement de cette unité, c'est la « Chose même », « essentialité *spirituelle*... dans laquelle la certitude de soi-même, pour la conscience, est essence objective, *une Chose* (*Sache*) ; l'objet engendré hors de la conscience de soi comme le *sien*, sans cesser d'être objet libre authentique [127] ». — Vient alors le parallèle avec le mouvement de la Conscience : « La *chose* (*Ding*) de la certitude sensible et du percevoir n'a que maintenant pour la conscience de soi et par elle sa signification ; c'est sur ceci que repose la différence entre une *chose* (*Ding*) et une *Chose* (*Sache*). — Un mouvement correspondant à celui de la Certitude sensible et de la Perception sera ici parcouru [128]. »

La section « Conscience », en effet, nous a fait passer, on s'en souvient, par les déterminations objectives du *Dieses*, du *Ding* et de la *Sache* (déjà présente au terme de Force et Entendement) ; mouvement qui déjà n'était point disparition de la richesse sensible, mais son assomption négative dans l'élément de la vérité. Ici, ce même mouvement se trouve repris et pleinement accompli : tous les paragraphes suivants, pratiquement justqu'à la fin de la section « Raison », développent ce parallèle où s'achève la totalisation, dans le concept de la « Chose même » (*Sache selbst*), de ces trois premières sections. La Chose même, en effet, exprime en soi l'unité véritable de l'être et de la pensée, la Catégorie, mais non plus sous mode d'une simple affirmation formelle : en elle se trouve désormais présente la richesse du contenu total qui a été assumé [129]. Plus moyen alors, comme le tente encore la Raison examinant les lois, d'opposer l'universel et le déterminé [130], puisque la Chose même, dans son universalité objective, se rapporte essentiellement à ce particulier dont elle est la vérité [131]. Elle est déjà l'Esprit absolu, et plus immédiatement la « substance éthique simple » — ce Je qui est un Nous — dont la Section suivante va déployer la richesse sous mode objectif, avant que la Religion ne nous introduise dans sa conscience de soi.

Bien des problèmes, au terme de cette première totalisation, demeurent sans réponse. Nous l'avons dit déjà : la signification

127. *Ph. G.*, 295/1 (I 335/30).
128. *Ph. G.*, 295/7 (I 335/36). — Dans l'Introduction générale à la *Science de la Logique* (1812), Hegel affirmera que la *Sache* est *der Begriff der Dinge*, — *i.e.* l'expression du contenu concret dans la vérité de sa considération logique. *Logik*, I 18/23.
129. *Ph. G.*, 301/4 (I 343/2), qui renvoie à 252/23 (I 284/25).
130. *Ph. G.*, 306/21 (I 348/24).
131. *Ph. G.*, 306/16 (I 348/20), qui renvoie à 293/35 sq. (I 334/18 sq.) et 295/25 (I 336/17).

plénière de telle ou telle figure, de tel ou tel mouvement, requiert le parcours intégral de l'œuvre et l'examen de toutes ses récurrences. Sans forcer les étapes, il nous faut donc poursuivre cette lecture : l'unique mouvement dialectique qui a déployé les structures opposées de la Conscience et de la Conscience de soi, avant de manifester leur unité rationnelle, va rebrasser à nouveau la totalité de ce contenu, — non plus sous la raison d'une opposition entre l'universel et le particulier, mais en révélant leur conjonction réelle, dans l'analyse des moments concrets du développement historique ; la conscience qui non seulement *a* la Raison mais *est* la Raison, se pose comme le singulier véritable, « l'individu qui est un monde [132] » ; nous échappons à l'abstraction des « figures de la conscience » pour laisser se déployer les « figures d'un monde [133] ».

132. *Ph. G.*, 315/26 (II 12/7).
133. *Ph. G.*, 315/32 (II 12/13).

CHAPITRE II

L'ESPRIT DANS L'ÉLÉMENT
DE LA CONSCIENCE

« La Raison est Esprit quand sa certitude d'être toute réalité est élevée à la vérité, et qu'elle est consciente d'elle-même comme de son monde, et du monde comme d'elle-même [1]. » Ce texte, sur lequel s'ouvre la section « Esprit », traduit, sous la forme la plus prégnante qui soit, la force de la relation interne qui unit ce nouveau développement de l'œuvre à celui qui vient d'être considéré : la Raison est Esprit quand elle atteint sa propre vérité, ou, ce qui est la même chose, l'Esprit est la Raison accomplie selon la vérité de son être rationnel. Et comme, ainsi que nous l'avons vu, la section « Raison », en réassumant le contenu de la Conscience et de la Conscience de soi, se présente déjà comme une première totalisation de tout le parcours accompli, c'est en réalité à une nouvelle et plus précise détermination du sens unitaire de l'œuvre au travers d'une structure plus élaborée que nous convie l'examen de cette section nouvelle.

Nous avons déjà, au cours du chapitre précédent, souligné la portée réelle, proprement « spirituelle », des dialectiques alors considérées. L'unité complexe qui se trouve ici affirmée s'est en effet dessinée peu à peu au cours de leur déploiement. Par exemple, au début de la Conscience de soi [2], le mouvement qui pousse à leur reconnaissance mutuelle les individus affrontés est déjà pour nous « le concept de l'Esprit ». Qu'est-ce, en effet, que l'Esprit, sinon le dépassement de l'abstraction individuelle dans la confession de l'identité de soi-même et de l'autre, — ou encore la présence de l'universel dans la particularité constitutive de chaque homme ? — Autre étape dans cette naissance de l'Esprit au cours des dialectiques antérieures : le Jugement infini, au terme de la Raison observante. Dans l'égalité reconnue du Soi et de l'objectivité, l'individu confesse que la véritable « effectuation » de ce qu'il est implique l'abandon de sa certitude immédiate, ou plutôt son assomption dans l'élément de l'univer-

---

1. *Ph. G.*, 313/3 (II 9/2).
2. *Ph. G.*, 140/28 (I 154/16). Cf. ci-dessus, p. 90.

salité spirituelle[3] ; ce qui s'entrouvre alors, ce n'est plus seulement l'Esprit comme tel, dans sa généralité la plus vaste, mais déjà la première de ses déterminations, en laquelle l'individu se trouve pleinement accordé au monde humain dans lequel il vit, — « le Royaume du monde éthique ».

Il nous faudra dans un instant relire plus en détail ce texte d'introduction au mouvement de l'Effectuation de la conscience de soi rationnelle. Mais déjà, l'analyse que nous en avons faite nous permet de préciser quelque peu l'attitude qui doit être nôtre en abordant cette nouvelle partie de l'œuvre, si nous entendons demeurer fidèles au mouvement qui l'engendre. Une question ne peut manquer de surgir : puisque la *Phénoménologie de l'Esprit*, comme son titre l'indique, n'a d'autre sens unitaire que d'exposer la « manifestation de l'Esprit » dans sa réalité effective et concrète, quelle signification peut revêtir, à l'intérieur de ce mouvement total, une section particulière qui emprunte pour titre ce concept-clé ? Si nous pouvons déjà répondre que les trois sections antérieures ne sont que des abstractions de l'Esprit que celui-ci va récapituler en lui comme ses propres « moments », qu'en sera-t-il des deux suivantes, et comment comprendre que ce concept ultime laisse encore se poser après lui d'autres déterminations où s'opère son propre dépassement ?

Ce problème, au stade où nous nous trouvons actuellement, est à la fois inévitable et totalement insoluble. Il nous faudra le garder présent à l'esprit tout au long des analyses qui vont suivre, et spécialement au cours des deux chapitres prochains qui devront traiter précisément du rapport de la section « Esprit » à l'ensemble de l'œuvre, et établir l'équation totale de celle-ci. Pour l'heure, de façon plus limitée, c'est des relations de l'Esprit avec la première totalisation réalisée au niveau de la Raison qu'il nous faut traiter.

Haering, on le sait, oppose de la façon la plus nette l'un et l'autre de ces mouvements. Jugeant de la *Phénoménologie* selon le plan de la « Philosophie de l'Esprit » enseignée par Hegel au cours des années qui précédèrent la rédaction de son premier livre, il pense retrouver en elle les trois divisions majeures de ces cours : l'Esprit subjectif (Conscience, Conscience de soi, Raison), l'Esprit objectif (Esprit) et l'Esprit absolu (Religion, Savoir absolu). A la considération de l'existence individuelle succéderait de la sorte celle de la réalité humaine prise dans l'ensemble de ses déterminations sociales et institutionnelles, avant que ne s'imposent les formes supérieures de la culture

3. *Ph. G.*, 256/17 (I 289/23). Ci-dessus, p. 100.

(art, religion, philosophie) dans lesquelles s'accomplissent en plénitude la vie des individus et celle des peuples. — N'insistons pas pour l'instant sur le fait, déjà souligné, qu'une telle division rassemble indûment dans une seule unité de signification les sections « Religion » et « Savoir absolu » ; mais, pour ce qui regarde l'opposition Esprit subjectif / Esprit objectif, il est évident qu'une telle façon de voir simplifie et durcit les relations qui existent entre les quatre premières sections, faisant fi de l'unité effective que notre premier chapitre a déjà permis d'entrevoir, et que celui-ci mettra davantage encore en lumière.

En fait, comme nous l'avons annoncé au cours de la première partie de ce travail, le rapport entre la section « Esprit » et celles qui la précèdent est d'un type très spécial, à raison même de l'unité originale que toutes ensemble doivent constituer. Si Conscience et Conscience de soi, sans cesser de s'attacher à l'intelligence de la même réalité rationnelle qui est leur unique origine et leur commun fondement, se développent dans des directions contraires et complémentaires avant de trouver leur accord véritable dans la détermination de la Raison, la relation entre la Raison et l'Esprit est d'une tout autre nature. Nous verrons, au plan de l'organisation concrète du contenu, que Hegel souligne avant tout l'*accomplissement* que reçoivent, dans ce développement nouveau, les dialectiques inachevées ou les mouvements voués à l'échec dans les sections précédentes, — de sorte que s'impose, non plus l'originalité d'un développement nouveau, mais au contraire l'*unité de signification* qui par là se constitue. En fait, si le mouvement Conscience / Conscience de soi / Raison opère déjà une première réduction totale de la dualité sujet / objet (du point de vue de la conscience) ou substance / sujet (du point de vue de la Science), et exprime ainsi le sens unitaire de l'œuvre, il reste encore à exprimer cette unification à un niveau plus intégratif, qui intéresse le contenu total de l'existence humaine : les termes que ce second parcours mettra en relation seront, d'une part, l'unité signifiante constituée par les quatre premières sections prises comme un seul bloc, et constituant *l'Esprit dans l'élément de la conscience*, et d'autre part la section « Religion », déterminée comme *l'Esprit dans l'élément de la conscience de soi,* — le Savoir absolu jouant à l'égard de cette nouvelle opposition Conscience / Conscience de soi le rôle que remplissait déjà, au premier niveau, la section « Raison » : celui d'être la totalisation ultime des totalisations partielles antérieures. Ainsi, le même mouvement total se développe-t-il deux fois : notre premier chapitre a embrassé la première dans son intégralité ; les chapitres II, III et IV correspondent au second de ces déploiements et, de façon plus précise, le chapitre II concerne la position du premier terme de ce second mouvement. Ces considérations anticipent évidemment sur l'étude à venir ; mais elles sont indispensables, au moins à titre de pierre d'attente, pour donner toute sa force à l'étude des corrélations qui existent entre la section « Esprit » et les trois déjà considérées : ce que Hegel veut construire ici, c'est l'*unité* d'un terme unique — l'Esprit dans sa conscience — qui puisse constituer l'un des deux pôles de l'œuvre envisagée dans sa totalité. Il faut ajouter que de telles réflexions, même si elles débordent l'intelligence actuelle de ce livre, telle que nous l'avons déjà acquise, sont ici pleinement à leur place, puisqu'elles ne font que reprendre les indications que Hegel lui-même, comme nous allons le rappeler dans un instant, juge nécessaire de donner dans l'introduction à la section « Esprit ».

Le plan de cette seconde étape s'impose de lui-même. En étudiant d'abord les corrélations structurelles que Hegel dégage pour elles-mêmes dans les introductions à l'Effectuation de la conscience de soi rationnelle et à l'Esprit, nous nous tiendrons au plan des rapports formels qui s'imposent au niveau du pour-nous ; puis, en examinant les parallélismes de mouvement, nous aborderons le détail de l'organisation du contenu qui joue à l'intérieur du cadre élaboré. A vrai dire, la définition de ces deux directions de recherche à l'aide des concepts de forme et de contenu est parfaitement inadéquate, et il ne faut point la presser outre mesure : en fait, les textes équationnels embrassent déjà tout le contenu, et les corrélations de mouvement impliquent l'existence de relations formelles ; mais les premiers intéressent surtout, dans l'intelligence totalisatrice du philosophe, les rapports entre la situation nouvelle et les figures *passées* qui ont permis de la dégager peu à peu, tandis que les secondes suivent l'expérience elle-même dans son développement *présent,* et préparent en lui la matière d'une nouvelle totalisation.

I. INTRODUCTION A LA SECTION « ESPRIT »

Les quatre pages écrites par Hegel en guise d'introduction à la section « Esprit »[4] ne sont pas d'une seule venue, et les six paragraphes qui les composent répondent à des préoccupations et à des finalités différentes. Le premier n'est guère plus qu'un texte récapitulatif, qui rassemble les moments antérieurs dans la

---

4. *Ph. G.*, 313-316 (II 9-13).

simplicité du résultat présent. Le second correspond proprement à une introduction, étant comme une première description de l'attitude qui sera désormais celle de la conscience. Quant au troisième, il dégage des corrélations, cette fois, véritablement structurelles, montrant comment l'Esprit est depuis l'origine le dynamisme secret qui oriente la conscience, et dispose les étapes de son itinéraire selon un ordre signifiant. Le quatrième paragraphe, en nous introduisant déjà dans le premier temps du développement nouveau, en tire les conséquences au plan des caractéristiques originales des expériences qu'il contient. Et les deux derniers dessinent les grandes lignes de ce développement futur, au niveau de la section « Esprit » elle-même tout d'abord, puis, sous forme d'une esquisse, en nous ouvrant à la signification des deux sections sur lesquelles s'achève l'œuvre.

C'est donc d'abord la liaison directe entre l'Esprit et la Raison qui se trouve soulignée. Hegel énumère les trois temps au cours desquels « l'objet de la conscience, la pure Catégorie, s'est élevé jusqu'au concept de la Raison [5] » : la Raison observante, dans laquelle cette unité de la conscience et de son monde est postulée sous mode objectif ; la Raison active, qui développe cette unité à partir d'elle-même, à partir de la certitude véritable qu'elle a acquis, comme Soi, de sa propre universalité effective ; enfin, la détermination de la Catégorie telle qu'elle est en et pour soi, dans l'exercice de sa souveraineté concrète sur un monde qu'elle a prouvé comme sien. Cette réconciliation entre le singulier et l'universel, ce concept de la Raison déployé comme concept, voilà ce qui constitue l'Esprit dans son surgissement premier. Mais alors, si tel est bien le résultat de l'expérience précédente, si l'unité de la substance et du sujet s'est ainsi réellement posée, à quoi bon un nouveau développement, et qu'y a-t-il à dépasser là où le terme est atteint ? C'est que, en fait, la négativité de ce mouvement demeure conditionnée par l'unilatéralité de l'affirmation sur laquelle elle tombe ; de sorte que la Chose même, tout en étant en et pour soi la position de l' « Individu universel », n'est encore, au plan de la réalité effective, que sa détermination abstraite. L'individu, en sa réalité essentielle, n'est plus en conflit avec le monde, voilà qui est acquis ; mais ce monde, quel est-il ? Tant que nous n'avons pas laissé son contenu se déployer librement, dans la complexité des relations sociales qu'il engendre, il demeure une réalité globale, indistincte, indéterminée, autrement dit une « *essence spirituelle* », « et la conscience de cette essence est un savoir formel

---

5. *Ph. G.*, 313/7 (II 9/6).

de celle-ci qui tournoie autour de son contenu diversifié [6] ».
Car il est vrai que tout le contenu est présent dans ce résultat,
mais de telle sorte pourtant qu'il n'a pas encore manifesté, dans
son auto-mouvement, son égalité avec la conscience elle-même :
« En se plaçant du côté de la substance, celle-ci est l'essence
spirituelle *étant en* et *pour soi* qui n'est pas encore *conscience
de soi-même* [7]. » La section nouvelle sera précisément la position de cette réalité spirituelle *dans l'élément de la conscience,* de
telle sorte que cette essence en vienne à se représenter à elle-
même comme monde effectif [8].

C'est ici qu'il convient, pour préciser cette nouveauté, de relire,
à l'intérieur de la section « Raison », l'introduction à l'Effectuation de la conscience de soi. Ce que nous y rencontrerons, c'est
un simple commentaire anticipé de ce premier paragraphe de la
section « Esprit ». La Raison est Esprit lorsqu'elle atteint à la
certitude « d'avoir son unité avec soi-même dans le doublement
de sa conscience de soi et dans l'indépendance des deux [cons-
ciences de soi] [9] ». Mais ce n'est là que le *concept* de l'Esprit,
tel qu'il peut être dégagé au niveau du pour-nous : car, pour la
conscience elle-même, cette certitude objective se présente encore
comme une tâche à réaliser, comme un intérieur qu'il faut traduire dans l'effectivité concrète. Ainsi doit être comprise l'affirmation que nous avons lue dans le premier paragraphe de la
section « Esprit », et qui montre que la Chose même est déjà
l'essence spirituelle, mais pas encore l'effectivité spirituelle.

En fait, avec les deux dernières sous-sections de la Raison
nous sommes déjà entrés dans le domaine de l'Esprit, nous avons
déjà abordé son royaume ; mais le premier traitement qu'elles
font subir à un concept désormais déterminé dans sa vérité est
un traitement encore abstrait, qui ne peut aboutir qu'à un résultat
encore posé au niveau de la substance : « Cette *substance*
éthique, dans l'*abstraction de l'universalité,* est seulement la loi
pensée [10] », celle-là même qui s'exprime dans les efforts unilatéraux et infructueux de la Raison législatrice et de la Raison
examinant les lois. En fait, considérée dans toute sa richesse, la
substance éthique « est non moins immédiatement *conscience de*

6. *Ph. G.,* 313/24 (II 9/23).
7. *Ph. G.,* 313/31 (II 10/1).
8. *Ibid.* — Cette détermination de la substance spirituelle dans l'élément de
la conscience est à comprendre comme la lente montée du sujet au sein de
de cette substance : au terme de cette section, l'Esprit, devenu *pour lui-même*
monde effectif, pourra s'affirmer dans la réalité propre de sa conscience de
soi (Religion).
9. *Ph. G.,* 255/17 (I 288/17). On voit pourquoi la figure Domination et
Servitude, qui répond déjà à ce concept, peut être présentée, ainsi que nous
l'avons vu, comme la première apparition de l'Esprit.
10. *Ph. G.,* 256/32 (I 290/8).

soi effective, ou elle est *ethos* » (*ibid.*). Cette égalité *éthique* de la conscience singulière et de la conscience universelle, voilà qui se réalisera de façon effective dans « la vie d'un peuple [11] », c'est-à-dire dans la première figure de la section « Esprit » ; jusque-là, nous assistons à une série d'efforts infructueux, — et l'on comprend pourquoi les corrélations que nous rencontrerons au niveau de l'organisation du contenu souligneront le plus souvent que telle figure de l'Esprit achève et accomplit ce que telle autre figure de la Raison avait tenté en vain de réaliser.

Mais si ces expériences ne peuvent aboutir lorsqu'on les envisage ainsi à leur propre niveau, c'est que la Raison, en accédant au seuil de l'ordre éthique, n'a point encore en elle-même (ou n'a plus) ce qui lui permettrait de vivre en lui et de s'y épanouir librement : « La conscience de soi, qui n'est d'abord Esprit qu'*immédiatement* et *selon le concept,* est sortie de ce bonheur consistant à avoir atteint sa détermination et à vivre en elle, ou bien encore elle ne l'a pas encore atteint ; on peut en effet dire aussi bien l'une ou l'autre chose [12]. » D'une part, en effet, c'est comme conscience singulière que la Raison trouve sa vérité dans l'universalité éthique ; mais la prise de conscience de cette singularité signifiera précisément la perte de l'assurance globale, de la « *confiance compacte* [13] », que l'individu trouvait dans sa relation à l'universel comme à sa propre substance : perte nécessaire d'une vérité trop immédiate, qui peut viser l'abstraction rémanente des deux dernières sous-sections de la Raison par rapport à l'Esprit (ce que la conscience doit perdre, ce qu'il lui faut oublier pour accéder pleinement à l'ordre éthique), mais qui laisse déjà deviner en transparence, ou même désigne de façon plus directe, la dissolution à laquelle sera soumise cette substance éthique dans l'Etat du droit ; dans l'un et l'autre cas (mais plus évidemment dans le second), la conscience devra regagner douloureusement ce qu'elle a perdu (et qu'elle ne pouvait pas ne pas perdre). D'autre part (ce qui est dire la même chose de l'autre point de vue), la conscience singulière, en cela même, manifeste qu'elle n'a pas encore atteint à la vérité de l'existence éthique ; en effet, revenue en elle-même hors du mouvement de l'observation, assurée dans l'universalité encore abstraite du Jugement infini, elle ne connaît ce « bonheur », c'est-à-dire son égalité avec l'esprit d'un peuple, que sous la forme d'un devoir-être : la conscience pratique « a la *certitude* de cette unité ; cette unité vaut pour elle comme présente *en soi,* ou encore cette

11. *Ph. G.,* 256/39 (I 290/17).
12. *Ph. G.,* 258/29 (I 292/30).
13. *Ph. G.,* 259/7 (I 293/16).

harmonie de soi et de la choséité est déjà présente, seulement cette harmonie doit devenir *pour elle* par le moyen d'elle-même, ou encore son faire vaut aussi bien comme l'action de la trouver [14] ».

« Si donc la vérité de cette conscience de soi rationnelle est pour nous la substance éthique, pour elle se trouve seulement ici le début de son expérience éthique du monde [15]. » Autrement dit, l'identité de la conscience et de la Science, du sujet et de la substance, ne se trouve pas encore posée comme telle. Et les deux points de vue identiques et opposés dégagés ci-dessus tracent le mouvement qui reste à accomplir pour atteindre à une telle unité. Selon le premier d'entre eux, la conscience a échappé à l'universel, et elle s'efforce de reconquérir ce qu'elle ne possède plus que comme un but lointain, une réalité dont elle est déchue ; selon le second, elle est encore en chemin, menée à l'aveugle vers une vérité qu'elle n'a pas encore expérimentée, et qui n'est présente en elle que comme une exigence abstraite. D'une part, l'universel est posé, et il s'agit de lui redonner vie en l'animant au mouvement de la conscience de soi ; de l'autre, la conscience suit simplement sa route, s'élevant peu à peu au-dessus d'elle-même vers un savoir qu'elle ne connaît pas encore.

Dans la Préface, évoquant ces deux représentations possibles du mouvement total, Hegel montrera que le premier d'entre eux répond mieux aux exigences de l'époque : « Maintenant, dira-t-il, la tâche ne consiste plus tellement à purifier l'individu du mode de l'immédiateté sensible pour faire de lui une substance pensée et pensante, que plutôt dans le contraire : par le fait de sur-primer les pensées fermes et solidifiées, donner effectivité à l'universel et lui infuser l'Esprit [16]. » Et ici, déjà, il affirme de même : « Puisque se trouve plus appropriée à notre temps la forme de ces moments dans laquelle ils se manifestent après que la conscience a perdu sa vie éthique et, la cherchant de nouveau, répète ces formes, ils peuvent donc être représentés ici plutôt selon ce mode d'expression [17]. » Autrement dit, à notre époque, l'universel est déjà présent dans les propositions et les concepts élaborés comme le résultat de l'inquisition philosophique poursuivie au long des siècles, et l'œuvre à réaliser consiste à insuffler à nouveau la vie et la conscience de soi à cet universel pétrifié, en laissant l'individu, qui désespère de ce savoir abstrait, le mani-fester peu à peu comme sien [18] ; ce qu'il fera en laissant se

14. *Ph. G.*, 259/36 (I 294/17).
15. *Ph. G.*, 260/4 (I 294/26).
16. *Ph. G.*, 30/31 (I 30/15).
17. *Ph. G.*, 261/2 (I 296/3).
18. On connaît l'image fameuse dont Hegel usera, en 1816, pour exprimer cette difficulté constituée par l'affrontement aux élaborations systématiques

déployer, sans forcer les étapes, l'expérience en laquelle il est engagé : « La conscience de soi, qui n'est d'abord que le concept de l'Esprit, foule ce chemin en étant déterminée comme étant pour soi l'essence comme esprit singulier ; et son but est par conséquent de se donner une effectuation comme singulière, et de jouir de soi comme singulière dans cette [effectuation] [19]. » Lorsqu'il aura parcouru ce chemin, l'individu sera lui-même un monde, et la réalité qu'il rencontrera et déploiera ne lui vaudra plus seulement comme essence lointaine, mais comme effectivité *spirituelle* immédiate.

C'est cela qu'exprime, et dans les mêmes termes que le texte de la section « Raison » que nous venons d'évoquer, le début du second paragraphe de l'introduction à la section « Esprit » : « L'*essence* spirituelle a déjà été désignée comme la *substance éthique* ; mais l'Esprit est *l'effectivité éthique* [20]. » N'étant plus seulement essence, mais totalité effective, il est à la fois le *Soi* de la conscience pour lequel le monde a perdu « toute signification de quelque chose d'étranger [21] », et la *substance* universelle qui est constituée par l'opération de toutes les consciences de soi (*ibid.*). Ainsi, de quelque côté que l'on aborde désormais cette relation, ce qui s'impose c'est l'unité *effective* de ses termes, qui ne sont plus seulement impliqués l'un dans l'autre au plan de leur analyse conceptuelle, mais se déploient concrètement dans un mouvement de réciprocité constitutive : « Cette substance est aussi bien l'*œuvre* universelle, qui, par l'*opération* de tous et de chacun, s'engendre comme leur unité et leur égalité, car elle est l'*être-pour-soi*, le Soi, l'opérer [...]. C'est précisément parce qu'elle est l'être dissous dans le Soi qu'elle n'est pas l'essence morte, mais est *effective* et *vivante* [22]. »

Ces considérations générales sur l'égalité (en soi) et la différence (au plan de la réalité effective) entre Raison et Esprit introduisent au troisième paragraphe, dans lequel l'Esprit, désormais défini dans sa vérité concrète, peut apparaître comme récapitulant en soi tout le mouvement antérieur : il est en effet « l'essence absolue et réelle qui se soutient soi-même », tandis que « les figures de la conscience considérées jusqu'à présent

déjà existantes : « Si l'entreprise d'édifier une nouvelle ville dans un pays désert comporte ses difficultés, d'autre part, lorsque l'on a pour tâche de donner une nouvelle assise à une ville antique, fortifiée, possédée et habitée depuis longtemps, on trouve il est vrai du matériau, mais à cause de cela des obstacles d'une autre sorte. » *Logik*, II/211.
  19. *Ph. G.*, 261/7 (I 296/9).
  20. *Ph. G.*, 314/5 (II 10/7).
  21. *Ph. G.*, 314/10 (II 10/11).
  22. *Ph. G.*, 314/17 et 28 (II 10/18 et 29).

sont des abstractions de cet Esprit[23] ». En réfléchissant sur la
« méthode » de l'œuvre, sur le mode de progression de son
contenu, nous avons souligné que la nécessité du passage d'une
expérience dans l'autre réside dans le fait que la totalité manifestée au terme est déjà présente aux premières étapes du développement, et dirige le mouvement de la conscience dans son
effort aveugle vers la plénitude du savoir ; désormais, cette
réalité souterraine, à l'action cachée, est devenue suffisamment
claire pour apparaître au grand jour comme la raison véritable
de l'itinéraire parcouru, et pour permettre une relecture de celui-
ci au niveau de son déploiement *réel*. Autrement dit, il devient
évident que les figures considérées jusqu'alors n'avaient pas
leur subsistance véritable en elles-mêmes, mais n'étaient que
les « moments » de l'affirmation de l'Esprit, les étapes successives de son actualisation : « Ici, où est posé l'Esprit ou la
réflexion de ces moments en eux-mêmes, notre réflexion peut les
remémorer rapidement de ce point de vue[24]. » Ainsi va s'opérer,
au niveau de ces corrélations structurelles, la totalisation nouvelle
que doit opérer cette section.

« Ces moments étaient Conscience, Conscience de soi et
Raison » (*ibid.*). Prises pour elles-mêmes, sous la forme où la
conscience les rencontrait, ces attitudes successives se présentaient tour à tour avec une plénitude totale, emplissant tout le
champ du savoir et le déterminant intégralement : ainsi de la
Certitude sensible, décrite comme la connaissance la plus pauvre
et la plus riche ; ici par contre, en cette récapitulation à partir
de l'Esprit, nous les atteignons sous la raison du manque qui
en eux se manifeste, et qui provient de ce que l'Esprit se donne
à connaître en chacun d'eux selon un aspect seulement de sa
richesse entière ; ainsi en va-t-il, par exemple, de l'unilatéralité
des deux premières sections : « L'Esprit est donc *Conscience*
en général, qui comprend en soi Certitude sensible, Percevoir et
l'Entendement, en tant que, dans l'analyse de soi-même, il
retient fermement le moment selon lequel il est à soi effectivité
objective, dans l'élément de l'être, et fait abstraction de ce que
cette effectivité est son propre être-pour-soi. Retient-il fermement au contraire l'autre moment de l'analyse, selon lequel son
objet est son *être-pour-soi*, alors il est conscience de soi[25]. »
Enfin, comme cette opposition de points de vue s'enracine dans
l'unité de ce fondement spirituel commun qui « s'analyse, sépare
ses moments, et séjourne près de ces moments singuliers[26] »,

23. *Ph. G.*, 314/31 (II 11/1).
24. *Ph. G.*, 315/2 (II 11/12).
25. *Ph. G.*, 315/5 (II 11/15).
26. *Ph. G.*, 314/34 (II 11/3).

leur passage réciproque l'un dans l'autre engendre la figure qui est leur unité rationnelle, — de telle sorte pourtant que cette affirmation première demeure tributaire, pour la conscience elle-même, du caractère particulier qu'a revêtu le processus de son surgissement : « Comme conscience immédiate *de l'être-en-et-pour-soi,* comme unité de la Conscience et de la Conscience de soi, l'Esprit est la conscience qui *a [la] Raison,* et qui, comme cet *avoir* l'indique, a l'objet comme déterminé rationnellement, ou par la valeur de la Catégorie, *en soi,* de telle façon cependant que l'objet n'a pas encore lui-même pour cette conscience la valeur de la Catégorie. L'Esprit est alors la conscience, de la considération de laquelle nous venons de sortir [27]. » L'assomption de cette vérité rationnelle au plan de l'effectivité est le passage à l'Esprit reconnu pour lui-même, tel qu'il se donne à connaître dans l'élément de la conscience, c'est-à-dire dans l'objectivité du *monde* éthique : « Lorsque cette Raison, que l'Esprit *a,* est enfin intuitionnée par lui comme une Raison qui *est* la Raison, ou comme la Raison qui en lui est *effective* et est son monde, alors l'Esprit est dans sa vérité ; il *est* l'Esprit, il est l'essence *éthique effective* [28]. »

On le voit, ce texte synthétique ne nous apprend rien de plus que ce que nous savions déjà. Mais il rassemble dans l'unité du mouvement qui les pose les structures des trois premières sections de l'œuvre, exprimant à nouveau le mode selon lequel Conscience et Conscience de soi s'opposent dans leur unilatéralité et se réconcilient ensuite dans leur fondement commun. Nous sommes prêts désormais à aborder les corrélations concrètes au niveau des figures elles-mêmes, et à les lire selon leur signification véritable, c'est-à-dire en prêtant attention à la manière dont chaque expérience nouvelle reprend et accomplit le mouvement qui n'avait pu jusqu'alors se poser que dans l'abstraction d'une rationalité non encore effective : car « ces figures se distinguent des précédentes en ce qu'elles sont elles-mêmes les esprits réels, des effectivités proprement dites, et, au lieu d'être seulement des figures de la conscience, sont des figures d'un monde [29] ».

---

27. *Ph. G.,* 315/13 (II 11/22). Sur cette opposition entre l'avoir et l'être, cf. déjà 252/33 sq. (I 284/34 sq.). Ci-dessus, pp. 99.
28. *Ph. G.,* 315/20 (II 12/2).
29. *Ph. G.,* 315/30 (II 12/10). On voit que cette réflexion sur l'organisation des masses rédactionnelles et sur les relations qu'elles entretiennent les unes avec les autres ne peut faire pleinement justice à la richesse originale que, plus qu'une autre, présente cette section « Esprit », et à l'intérêt que revêt la présentation du *contenu* des expériences qu'elle met en œuvre. C'est ici surtout que la méthode suivie en cette étude révèle son caractère de « réflexion au second degré », qui suppose déjà connue et éprouvée la richesse foisonnante de ces figures, et se propose, non pas de les étudier en elles-mêmes, mais de les *situer* dans la structure du Tout.

II. LE MONDE DE L'ESPRIT VRAI

La première dialectique de *L'Esprit vrai* — à savoir « le Monde éthique, la loi humaine et divine, l'homme et la femme » — s'ouvre sur un parallélisme de mouvement qui nous invite à penser la division de « la substance simple de l'Esprit » sur le modèle de la division de la conscience, et évoque le passage de la Certitude sensible à la Perception : « Comme la conscience de l'être abstrait, de l'être sensible, passe dans la perception, ainsi également la certitude immédiate de l'être éthique réel ; et de même que pour la perception sensible l'être simple devient une chose aux nombreuses propriétés, de même pour la perception éthique le cas de l'agir est une effectivité aux nombreux rapports éthiques [30]. » Entre les deux situations, il y a des ressemblances et des différences, — celles-ci, d'ailleurs, signifiant moins une opposition qu'un dépassement et un accomplissement. Des deux côtés, la division entre la simplicité et la multiplicité « se concentre dans l'opposition essentielle de la singularité et de l'universalité », mais d'une manière plus fondamentale et plus pure dans le cas de la substance éthique, de sorte que ces deux termes y sont déterminés avec une valeur absolument identique, comme des « lois » égales en dignité, alors que, pour la perception sensible, l'universel valait comme l'essentiel, et le singulier (le percevant et le perçu) comme l'inessentiel [31]. Déjà alors, il est vrai, étant donné que l'universalité, comme résultat de la Certitude sensible, était, pour la Perception, « principe en général », *nous* savions qu'étaient aussi universels « les moments se différenciant immédiatement en elle [32] » ; mais maintenant, bien plus encore, il est parfaitement évident que ces deux déterminations de l'universalité et de la singularité « expriment seulement l'opposition superficielle des deux côtés l'un à l'égard de l'autre [33] ». Autrement dit, l'Esprit lui-même, au cours de l'expérience qui s'engage ici, a conscience de ce que les moments qui se distinguent en lui, loin d'exprimer un dualisme quelconque et une perte de son unité, manifestent seulement la richesse de celle-ci.

Viennent ensuite une série de corrélations avec des figures de la section « Raison ». Tout d'abord un point que la lecture

30. *Ph. G.*, 318/12 (II 15/15).
31. *Ph. G.*, 318/18 (II 15/21), et 89/32 (I 93/20).
32. *Ph. G.*, 89/18 (I 93/6).
33. *Ph. G.*, 318/27 (II 16/5).

de l'introduction a déjà permis de souligner : puisque la singularité est déterminée désormais comme conscience de soi universelle, la substance éthique est donc substance *effective*, ou encore « l'Esprit absolu *réalisé* dans la multiplicité de la *Conscience* étant-là » ; cet Esprit absolu « est la *communauté* (*Gemeinwesen*) qui *pour nous*, lors de notre entrée dans la figuration pratique de la Raison en général était l'essence absolue, et ici a surgi *pour soi*-même dans sa vérité comme essence éthique consciente, et comme l'*essence pour la* conscience, que nous avons pour objet [34] ». Parallèle qui, on le voit, est à rattacher aux réflexions sur la structure de l'œuvre telles que nous les avons dégagées ci-dessus.

Plus loin, c'est la division des sexes qui se trouve mise en relation avec le concept de « nature originairement déterminée » tel que le définit la figure du « Règne animal de l'Esprit ». Les deux essences universelles du monde éthique, à savoir la loi divine et la loi humaine, ont leur incarnation concrète dans des consciences de soi distinctes, « parce que l'Esprit éthique est l'unité *immédiate* de la substance et de la conscience de soi, — *immédiateté* qui se manifeste donc du côté de la réalité et de la différence en même temps comme l'être-là d'une différence naturelle [35] ». Cette parfaite singularité, dans l'élément de l'être, du principe universel, rappelle et accomplit ce qu'exprimait déjà à un niveau imparfait, dans « l'Individualité qui se sait pour soi réelle en et pour soi », la singularisation *naturelle* de l'être : « C'est le même côté qui, dans la figure de l'Individualité réelle pour soi-même, dans le concept de l'essence spirituelle, se montrait comme *nature originairement déterminée*. Ce moment perd l'indéterminé qu'il a encore là, et la diversité contingente des dispositions et des capacités. Il est maintenant l'opposition déterminée des deux sexes, dont la naturalité en même temps reçoit la signification de leur détermination éthique [36]. » Autrement dit, l'égalité effective de l'universel et du singulier ne se réalisait, dans la section précédente, que sous une détermination extrêmement générale (la « capacité » concrète qu'a l'individu, en fonction de ce qu'il est, d'effectuer une série d'actions définies), alors que maintenant cette détermination, dans la dichotomie des sexes, est pleinement accomplie, au plan de la naturalité immédiate.

Le monde éthique peut alors se déployer dans l'équilibre vrai de ses moments et de ses masses. Toutes les tentatives antérieures

---

34. *Ph. G.*, 318/35 (II 16/12). Cf. l'introduction à *L'effectuation de la conscience de soi rationnelle*.
35. *Ph. G.*, 327/22 (II 26/21).
36. *Ph. G.*, 327/26 (II 26/25), qui renvoie à 285/26 (I 325/4).

pour conjoindre les concepts fondamentaux ne pouvaient aboutir,
du fait de l'unilatéralité des perspectives en jeu : mais désormais,
« dans ce contenu du monde éthique, nous voyons atteintes les
fins que les précédentes figures de la conscience, dépourvues de
substance, se proposaient [37] ». Sans doute, les dialectiques de
la Conscience et de la Conscience de soi ont permis un premier
rapprochement de la substance et du sujet ; mais si la Raison
est déjà certitude de leur unité, elle n'est précisément que *certitude*, autrement dit elle « vise » et postule cette unité tour à tour
du point de vue de l'objet et du point de vue de la conscience ;
ici, par contre, l'unité de ces mouvements de la Raison observante et de la Raison active se trouve posée dans l'effectivité :
« Ce que la raison appréhendait seulement comme objet est
devenu conscience de soi, et ce que celle-ci avait seulement en
elle-même est présent comme vraie effectivité [38]. »
    Hegel détaille ensuite le mouvement de cet accomplissement.
Et tout d'abord au niveau de la Raison observante : « Ce que
l'observation savait comme un *trouvé*, auquel le Soi n'aurait
aucune part, ce sont ici les mœurs trouvées, une effectivité cependant qui est en même temps l'opération et l'œuvre de celui qui
la trouve [39]. » Si l'Esprit dépasse ainsi la pure passivité de la
raison qui « cherche sa propre infinité », il dépasse pareillement
l'abstraction dont demeure affectée, en sa certitude *intérieure*,
la raison qui tente de réaliser puis de vivre *à partir d'elle-même*
l'unité de l'être et du Sien qui est sa propre définition. Hegel
n'a aucune peine à montrer que toutes les figures appartenant
à ces deux dernières sous-sections de la Raison ne trouvent qu'ici
la vérité de leur signification : « Le singulier, cherchant le plaisir
de la jouissance de sa singularité, le trouve dans la famille, et
la nécessité, dans laquelle le plaisir disparaît, est sa propre conscience de soi comme d'[un] citoyen de son peuple ; — ou bien
cela consiste à savoir la *loi du cœur* comme la loi de tous les
cœurs, la conscience du *Soi* comme l'ordre universel reconnu ; —
c'est la *vertu* qui jouit des fruits de son sacrifice ; elle réalise ce
à quoi elle tend, à savoir d'élever l'essence à la présence effective, et sa jouissance est cette vie universelle. Enfin la conscience
de la *Chose même* est satisfaite dans la substance réelle, qui d'une
façon positive contient et retient les moments abstraits de cette
Catégorie vide. Elle a dans les puissances éthiques un contenu
véritable, qui a pris la place des commandements privés de
substance que la saine raison voulait donner et savoir ; — de
la même manière elle a, par là, un critère d'examen riche de

37. *Ph. G.*, 328/16 (II 27/20).
38. *Ph. G.*, 328/19 (II 27/22).
39. *Ph. G.*, 328/22 (II 27/25).

contenu et déterminé en lui-même — non point des lois, mais de ce qui est fait [40]. »

Toutes ces corrélations, qui ont une signification identique, corroborent le type de liaison entre la section « Esprit » et les sections précédentes que le texte d'introduction nous avait permis de dégager. C'est pourquoi, s'il est vrai que la Raison, en son ordre, exprime déjà un point d'aboutissement et une totalisation du sens, on voit qu'importe davantage encore la totalisation, identique en son essence, mais plus concrète qu'opère ce nouveau mouvement de l'Esprit.

Dans la seconde figure de l'Esprit vrai, c'est-à-dire « l'Action éthique, le savoir humain et divin, la faute et le destin », nous rencontrons encore deux parallèles qui soulignent le progrès décisif accompli depuis les dialectiques de la Raison. Le premier consiste en une simple incise. Puisque chacun des principes éthiques, ainsi que nous l'avons vu, est parfaitement déterminé dans l'élément de l'être, il contient donc en lui-même la raison de son individualisation plénière. La simple conscience de soi qui, au terme de cette dialectique, s'affirmera dans l'abstraction de ses droits singuliers, est le ressort de cette action éthique qui va diviser le monde de l'Esprit vrai ; en effet, chacune est totalement donnée à celui des principes dans lequel elle se fonde comme en son essence, et elle ne peut douter de son « droit », qu'elle est disposée à faire triompher en faisant fi de toute autre affirmation : la conscience de soi, « comme conscience éthique, est la simple et pure direction vers l'essentialité éthique, ou le *devoir*. Aucun arbitraire, et pareillement aucun conflit, aucune indécision ne sont en elle, car la législation et l'examen des lois ont été abandonnés, mais l'essentialité éthique est pour elle l'immédiat, l'inébranlable, ce qui est sans contradiction [41] ». En effet, si la Raison législatrice et la Raison examinant les lois contenaient en germe toutes les décisions arbitraires et tous les conflits possibles (opposition tragique entre le devoir et la passion, opposition comique, dans laquelle l'absolu s'annule lui-même, entre le devoir et le devoir), c'est parce que les moments du concept total (l'universel et le singulier, l'en-soi et le pour-soi) demeuraient encore extraposés sous les formes non pleinement réconciliées de l'objet et du sujet ; de sorte que l'opposition essentielle, la contradiction absolue, qui expriment la richesse de l'esprit concret, ne se présentaient pas en elles sous une forme pure ; mais voilà qui est possible dorénavant, puisque la conscience singulière, sans plus légiférer ni juger, en vient à s'en-

40. *Ph. G.*, 328/25 (II 27/29).
41. *Ph. G.*, 331/21 (II 31/4).

gager de façon radicale dans l'action qu'elle entreprend, en un mouvement où se jouent le gain plénier ou la perte totale d'elle-même.

Si telle est bien l'attitude du sujet, il va de soi que son objet, ou la réalité substantielle, jouit lui aussi d'une plénitude de détermination qui fait de lui, non plus l'opposé de la conscience, non plus même une réalité fixée en elle-même dans son unilatéralité en face de la conscience, mais la simple effectivité de ce qu'est le vouloir subjectif. Voilà qui introduit au second parallèle que comporte cette figure ; Hegel écrit : « La conscience de soi éthique est la conscience de la substance ; l'objet, comme opposé à la conscience de soi, a par suite perdu complètement la signification d'avoir une essence pour soi. De même qu'ont disparu depuis longtemps les sphères dans lesquelles l'objet est seulement une *chose*, ainsi également ces sphères dans lesquelles la conscience tient pour ferme quelque chose hors de soi, et d'un moment singulier fait une essence. Contre une telle unilatéralité, l'effectivité a une force propre ; elle est alliée avec la vérité contre la conscience, et c'est elle qui présente à celle-ci ce qu'est la vérité [42]. » De ce point de vue également, c'est donc un pas décisif qui a été accompli, puisque l'objet n'a plus d'indépendance à faire valoir : le monde de l'Esprit est bien en train de « se prendre », de se fixer dans sa compacité, — autrement dit de s'affirmer en vérité *dans l'élément de la conscience*.

Ces deux premiers mouvements de l'Esprit vrai ont signifié l'accomplissement du contenu antérieur et sa totalisation nouvelle grâce à des corrélations avec la Certitude sensible et la Perception tout d'abord, avec l'ensemble des figures de la Raison ensuite. Dans l'un et l'autre cas, il s'agissait de la réalité sous sa forme objective (sous sa forme « conscientielle »), une première fois dans sa pureté originelle, une seconde fois dans l'affirmation de sa vérité rationnelle. Avec la figure de l'Etat du droit, qui appartient encore à l'Esprit vrai tout en représentant déjà la ruine de celui-ci, nous pénétrons dans le mouvement de scission qu'exprimera en sa pureté la dialectique de l'Esprit devenu étranger à soi ; rien d'étonnant, par conséquent, à ce que nous y rencontrions un long parallèle avec les figures qui, dans la section « Conscience de soi », traduisaient la distance maxima prise par le sujet à l'égard de son propre monde ; mais, plus encore que dans les corrélations précédentes, le mouvement d'accomplissement commandera ici une modification fondamentale et de la situation effective et de l'attitude de la conscience.

42. *Ph. G.*, 333/4 (II 33/7).

On pourrait être étonné de ce qui paraît un retour à une dissociation qui paraissait définitivement dépassée. En fait, ce n'est plus de dissociation qu'il s'agit, et non plus d'une « liberté » abstraite en face d'une réalité à laquelle l'individu se refusait : ce qui est en cause, c'est la richesse même de l'Esprit, déployée dans l'unité fondamentale qui est sienne à présent pour jamais. On peut dire de l'Esprit, entendu comme le monde humain total posé dans sa vérité, ce que Hegel déjà, dans la Raison observante, affirmait de l'esprit singulier dans sa relation au « monde » de son corps : « L'esprit lui-même n'est pas quelque chose d'abstraitement simple, mais un système de mouvements dans lequel il se différencie en moments, tout en restant lui-même libre dans cette différenciation [43]. »

L'effectivité éthique immédiate s'est structurée d'une part selon l'opposition des principes, et d'autre part selon celles des individus dans lesquels ils s'incarnent. De sorte que la « loi » de chaque singulier, qui est d'exprimer l'universalité de l'Esprit vrai, se trouve, semble-t-il, mise en échec par cette confrontation dans laquelle ils trouvent leur limite mutuelle. Le résultat est donc la disparition de cette substance éthique, trop compacte, trop uniformément positive pour exprimer la vérité commune de tous les sujets qui se réclamaient d'elle : « Parce que la substance éthique n'est que l'Esprit *vrai,* le singulier retourne à la *certitude* de soi-même [44]. » Autrement dit, l'esprit individuel, qui croyait pouvoir s'exprimer immédiatement dans *son* monde, n'a reçu de lui que l'image partielle de sa propre positivité ; c'est donc comme tel qu'il est renvoyé en lui-même, pour y approfondir en vérité la loi de son Soi : « Le singulier est cette substance comme l'universel *positif,* mais son effectivité consiste à être *Soi négatif* universel [45]. » Mais ce retour en soi, évidemment, n'est pas le terme du mouvement qui s'amorce ; en vérité, c'est plutôt d'un *détour* qu'il s'agit : après être descendu, à travers les dialectiques de la Culture et des Lumières, jusqu'au plus profond de cette scission de son essence, le singulier, dans l'intelligence nouvelle d'une force qui pourra à nouveau se déployer, en viendra enfin à s'égaler à sa propre substance dans la plénitude de sa détermination négative.

Les premières étapes de ce périple lui font parcourir une fois encore le mouvement qui, dans la section « Conscience de soi », menait l'individu, à travers les expériences du Stoïcisme, du Scepticisme et de la Conscience malheureuse, jusqu'à la déter-

43. *Ph. G.,* 240/3 (I 270/31).
44. *Ph. G.,* 343/7 (II 44/15).
45. *Ph. G.,* 343/9 (II 44/17).

mination plénière de son *pour-soi,* c'est-à-dire jusqu'à la redécouverte, au-delà d'une impossible rupture, de l'*objectivité* de
la conscience de soi. C'est bien d'un « parallélisme de mouvement », dans toute la force du terme, qu'il s'agit ici, puisque la
raison unique du passage d'un terme à l'autre est l'appel au
passage identique déjà réalisé lors de l'établissement de cette
séquence type.

« Ici donc la personnalité est sortie de la vie de la substance
éthique ; elle est l'indépendance *valant effectivement* de la
conscience [46]. » Vient donc tout naturellement l'évocation de
la figure stoïque, pareillement fixée dans une indépendance
abstraite, — mais avec cette différence fondamentale que
l'abstraction totale d'alors a fait place, comme nous venons de
le lire déjà, à la reconnaissance de l'effectivité concrète de la
conscience de soi dans l'ordre éthique. « *La pensée sans effectivité* d'une telle indépendance, qui prend naissance pour soi
par un *renoncement* à l'*effectivité,* s'est présentée antérieurement comme conscience de soi *stoïque* ; de même que celle-ci
est sortie de la domination et de la servitude comme de l'être-là
immédiat de la *conscience de soi,* ainsi la personnalité hors de
l'*Esprit* immédiat, qui est l'universelle volonté dominante de tous
et aussi bien leur obéissance servante. Ce qui pour le Stoïcisme
était l'*en-soi* seulement dans l'*abstraction* est maintenant *monde
effectif* [47]. » Par conséquent, à l'intérieur de la différence fondamentale plusieurs fois soulignée, s'impose ici une parenté d'origine et de mouvement : « Le Stoïcisme n'est pas autre chose que
la conscience qui conduit à sa forme abstraite le principe de
l'État du droit, l'indépendance privée d'esprit ; par sa fuite hors
de l'effectivité, cette conscience atteignait seulement la pensée
de l'indépendance ; elle est absolument pour *soi* en tant qu'elle
ne lie son essence à aucun être-là, mais veut abandonner tout
être-là et ne pose son essence que dans l'unité de la pure pensée.
C'est de la même manière que le droit de la personne n'est lié ni
à un être-là plus riche et plus puissant de l'individu comme tel,
ni encore à un esprit vivant universel, mais plutôt au pur Un
de son effectivité abstraite ou à lui comme conscience de soi en
général [48]. »

Cette première forme que revêt la conscience dans l'État du
droit n'est ainsi définie que par sa situation, à la fois positive et
négative, à l'égard de la conscience stoïque individuelle. Quant
à son propre dépassement, il n'est commandé par nulle autre

46. *Ph. G.,* 343/22 (II 45/4).
47. *Ph. G.,* 343/24 (II 45/6).
48. *Ph. G.,* 343/33 (II 45/14).

considération que par une simple reprise du mouvement alors déployé : « Maintenant, comme l'indépendance *abstraite* du Stoïcisme présentait son effectuation, ainsi cette dernière reproduira le mouvement de la première [49]. » Qu'est-ce à dire ? — La conscience ne peut se maintenir dans une indépendance totale à l'égard de son contenu concret, puisqu'elle sait le monde comme sa propre essence. Mais, comme elle n'a point réalisé pour elle l'unité de ces deux moments, son attitude va consister à passer sans trêve de l'une à l'autre de ces affirmations, de sa dépendance foncière à son indépendance radicale : « La conscience stoïque passe dans la confusion *sceptique* de la conscience, dans un radotage du négatif, qui, sans figure, erre d'une contingence de l'être et de la pensée à l'autre, les dissout il est vrai dans l'absolue indépendance, mais les engendre aussi bien une fois de plus, et n'est en fait que la contradiction de l'indépendance et de la dépendance de la conscience de soi. Pareillement, l'indépendance personnelle du *droit* est plutôt cette égale confusion universelle et cette mutuelle dissolution [...]. Comme le Scepticisme, le formalisme du droit est donc par son concept sans contenu propre [50]. » On se souvient que le Scepticisme, pour Hegel, est l'une de ces attitudes clefs grâce auxquelles on se trouve en danger de tout perdre et en passe de tout gagner, suivant que l'on s'en tient au doute superficiel et paresseux ou que l'on pousse jusqu'à la désespérance du monde et de soi-même. Le réel n'a plus nulle consistance. Mais quel réel ? « Si dans le Scepticisme l'effectivité ainsi déterminée se nomme *apparence* en général et n'a qu'une valeur négative, elle a dans le Droit une valeur positive. Cette valeur négative, consiste en cela que l'effectif a la signification du Soi comme pensée, comme l'universel *en soi* ; quant à cette valeur positive, elle consiste en ceci que l'effectif est *mien* dans la signification de la Catégorie, comme un valoir *reconnu* et *effectif* [51]. » Une fois encore l'abstraction totale d'un contenu posé dans son unilatéralité « objective » fait place à l'abstraction plus radicale encore d'un monde pleinement reconnu dans son essentialité « subjective ». Mais, avec cette ampleur nouvelle et cette portée plus essentielle, c'est bien le même principe qui est ici à l'œuvre : « L'un et l'autre sont le même *universel abstrait* ; le contenu effectif ou la *déterminité* du mien [...] ne sont pas contenus dans cette forme vide et ne la concernent en rien. Il appartient donc à une *puissance propre* [...] [52]. »

49. *Ph. G.*, 344/6 (II 45/27).
50. *Ph. G.*, 344/8 (II 46/2).
51. *Ph. G.*, 344/30 (II 46/22).
52. *Ph. G.*, 344/37 (II 46/29).

Dans la dialectique de la Conscience de soi, ce caractère étranger du contenu essentiel s'exprime dans la scission du monde intérieur, déchiré entre l'en-deçà et l'au-delà ; et la conscience demeure affrontée au « malheur » qu'engendre cette division de sa substance. Ici, cette « puissance propre » ne peut être qu'un Soi, puisqu'elle est nécessairement posée dans l'élément de la Catégorie, autrement dit dans l'identité du monde et de l'Esprit. C'est pourquoi la perte de toute assurance essentielle est ici beaucoup plus radicale : « Nous avons vu antérieurement l'indépendance stoïque de la pure pensée traverser le Scepticisme et trouver sa vérité dans la Conscience malheureuse, — la vérité sur ce qu'il en était de son être-en-et-pour-soi. Si ce savoir ne se manifesta alors que comme la vue unilatérale de la conscience comme telle, ici s'est produite la vérité effective de cette vue. Elle consiste en ceci que ce *valoir universel* de la conscience de soi est la réalité qui lui est devenue étrangère. Ce *valoir* est l'effectivité universelle du Soi, mais une telle effectivité est aussi bien immédiatement son renversement ; elle est la perte de son essence [53]. »

Le parallélisme avec cette troisième figure de la Liberté de la conscience de soi est moins nettement souligné que les deux précédents. Non point que la scission qui la caractérise soit ici moins fortement marquée qu'alors ; tout au contraire, la perte d'elle-même qu'éprouve la conscience est beaucoup plus étendue et plus profonde. Mais il lui faudra du temps, précisément, pour mesurer l'ampleur de cette perte. Toutes les dialectiques qui vont suivre ne sont que l'histoire de cette découverte : l'Esprit est devenu « étranger à lui-même », non plus selon tel ou tel de ses aspects, mais au plus intime de sa réalité essentielle. Nous verrons que Hegel, au terme de cette Section, pourra à nouveau évoquer cette figure de la Conscience malheureuse, qui, alors, mais alors seulement, aura déployé tout ce qu'elle contient : c'est à l'intérieur de l'espace qui s'ouvre maintenant en cette corrélation que la totalité spirituelle va pouvoir se donner à connaître dans l'opposition de ses richesses contrastées.

III. LE MONDE DE LA CULTURE

Dans la seconde division majeure de la section « Esprit » — *L'Esprit devenu étranger à soi ; la Culture* — les corrélations

53. *Ph. G.*, 346/26 (II 48/33).

explicites sont particulièrement nombreuses ; mais elles relèvent presque toutes de ces « faux parallèles » qui assurent simplement la continuité du discours en soulignant la retraduction du contenu, page après page, dans l'élément de sa vérité. Il serait fastidieux de relever ici toutes ces micro-citations, qui n'apportent d'ailleurs aucune lumière sur les structures de l'œuvre ou le sens unitaire du mouvement qui l'anime. Nous nous bornerons aux plus significatifs de ces passages, ceux qui instaurent une relation de section à section, ou tout au moins de cette sous-section à celle qui la précède.

Les premiers paragraphes rappellent quelle était la situation dans la dialectique de la Substance éthique, et définissent en regard le point de départ du mouvement nouveau. L'opposition entre l'essence et le Soi, qui demeurait incluse dans l'unité de la conscience simple, est ici déployée pour elle-même ; le Soi de l'Esprit est l'absolument séparé (dans son existence comme « personne ») : son contenu se tient face à lui comme une effectivité. Pourtant, ce monde, comme essence *spirituelle,* est l'interpénétration de l'être et de l'individualité : son être-là est donc à la fois l'œuvre de la conscience de soi (de toutes les consciences de soi) et une effectivité étrangère, immédiatement présente, dans laquelle la conscience de soi ne se reconnaît pas. Voilà qui impose au Soi un double mouvement : ne pouvant demeurer en lui-même (où il est privé de substance et de réalité), il doit renoncer définitivement à toute aliénation dans ce qui lui est étranger (*Entfremdung*), et acquérir une effectivité grâce à une véritable sortie de soi (*Entäusserung*).

L'ambiguïté de ces deux mouvements imbriqués donne naissance, d'une part à la *conscience pure* (= en se livrant au monde étranger, la conscience disparaît, en même temps que celui-ci), et d'autre part à la *conscience effective* (= unité consciente de l'essence et du Soi). D'où le déploiement corrélatif d'un monde « double », dont les termes se séparent et s'opposent : à la conscience de soi effective répond le royaume de la « présence », tandis que la pure conscience a affaire à la réalité de l'au-delà, au royaume de la « foi ». Le tout de l'Esprit est ainsi devenu une réalité étrangère à soi, dans un déchirement effectif dont la Conscience malheureuse n'était pour nous que la forme abstraite.

D'une telle division (et de sa réconciliation à venir, telle qu'elle s'exprimera au terme de ce mouvement), nous trouvons le « modèle » ébauché dans le mouvement que nous venons de suivre : « Comme le monde éthique, à partir de la séparation de la loi divine et de la loi humaine et de leurs figures, comme la conscience de ce monde éthique à partir de la division dans le savoir et l'inconscience, retournent dans leur destin, dans le *Soi* comme la *puissance négative* de cette opposition, de même aussi ces deux royaumes de l'Esprit devenu étranger à soi retourneront dans le *Soi*[54]. » Sans doute, il ne s'agira plus alors de la « personne », autrement dit du Soi abstrait de l'Etat du droit, mais du « Soi universel, la conscience saisissant le concept[55] » ; pourtant, c'est le même mouvement qui nous a d'abord amenés de l'objectivité jusqu'au Soi, et qui nous fera maintenant découvrir la valeur objective de ce Soi lui-même.

C'est pourquoi les corrélations se multiplient qui mettent en rapport le mouvement actuel avec celui qui a abouti à la personne du Droit. Le Soi, nous le savons, n'a de réalité que dans la mesure où il s'affronte de façon effective à l'universel, à cette totalité qui, pour l'heure, lui demeure encore « étrangère » ; il acquiert, par là, une égalité avec tous dans le royaume de l'effectivité, une égalité passée par le creuset de la négation : « L'universalité sans esprit du Droit accueille en soi n'importe quelle modalité naturelle du caractère comme de l'être-là et les justifie. Mais l'universalité qui a valeur ici est l'universalité *devenue*, et c'est pour cela qu'elle est *effective*[56]. » Désormais, la conformité à l'universel n'est plus seulement objet d'affirmation abstraite : elle est médiatisée par l'extériorisation véritable du Soi.

Par là, d'ailleurs, c'est la substance spirituelle effective elle-même qui se trouve organisée selon l'opposition des moments qui constituent le Soi. En elle, les « essences spirituelles » s'articulent de manière à exprimer son effectivité sous la forme de la conscience de soi. C'est pourquoi l'Esprit, comme âme du tout, comme puissance de différenciation et d'unité, en vient à se diffracter en elle, d'une part comme essence universelle étant en soi (l'Etat du côté de la conscience effective, et le Bien du côté de la pure conscience), et d'autre part comme essence particulière étant pour soi (la Richesse sous le premier aspect et le Mal sous le second). Cette opposition entre l'en-soi de la substance permanente et le pour-soi de la substance se sacrifiant reprend, mais en l'accomplissant dans l'universalité véritable d'un Soi désormais objectif, la séparation entre les deux moments de l'Esprit vrai : « Nous voyons que ces essences correspondent à la Communauté (*Gemeinwesen*) et à la Famille du Monde éthique, mais sans posséder l'esprit privé (*heimisch*) que celles-ci ont ; au contraire, si le destin est étranger à cet esprit, la cons-

---

54. *Ph. G.*, 349/12 (II 52/24).
55. *Ph. G.*, 349/21 (II 53/1).
56. *Ph. G.*, 351/14 (II 55/15).

cience de soi est et se sait ici comme la puissance effective de ces essences [57]. »

Notons encore deux autres parallèles qui vont dans le même sens. Le premier concerne le rapport de la conscience noble avec son essence, c'est-à-dire avec la substance universelle de l'Etat : « Se rapportant à elle de façon positive, elle se comporte négativement à l'égard de ses propres buts, de son contenu particulier et de son être-là, et les fait disparaître [58] ; de la sorte, elle accomplit ce que n'avaient pas pu faire ni la conscience vertueuse [59] ni la personne du Droit [60] : elle est « l'héroïsme du service, — la vertu, qui sacrifie l'être singulier à l'universel, et, ainsi faisant, amène l'universel à l'être-là, — la personne, qui renonce à la possession et à la jouissance de soi-même, agit et est effective dans l'intérêt du pouvoir existant [61] ». Le second parallèle exprime lui aussi l'accomplissement que réalise la situation actuelle au regard de celle de la dialectique précédente. La logique du « service » qui l'enchaîne à l'Etat comme à sa propre essence met la conscience noble en totale dépendance d'une réalité objective qui, possédant elle-même le Soi, est libre d'accorder ou de retenir en caution cet enracinement du sujet en sa propre substance ; de cette dépendance, la distribution de la richesse devient le signe et le moyen. Par là, la conscience atteint au plus absolu déchirement ; car ce qui lui apparaît étranger c'est son propre être-pour-soi, effectivité solidifiée qu'elle doit recevoir d'un autre : son Soi est au pouvoir d'une volonté étrangère. Plus aucun moyen d'échapper, comme il pouvait le faire naguère : « Dans l'Etat du droit, ce qui est au pouvoir de l'essence se manifeste comme un contenu contingent dont on peut faire abstraction, et le pouvoir ne concerne pas le Soi comme tel, mais celui-ci est bien plutôt reconnu. Tandis qu'ici le Soi voit sa certitude de soi, comme telle, être la chose la plus vide d'essence, la pure personnalité être l'absolue impersonnalité [62]. » Aucune échappatoire n'est laissée à l'esprit singulier, qui ne peut plus se retirer dans la conscience de sa propre valeur : la situation est identique, mais elle est infiniment plus urgente et plus radicale.

Au-delà des dialectiques de l'Esprit vrai, le regard porte plus loin encore, pour signifier semblablement et la différence

57. *Ph. G.*, 354/13 (II 59/6).
58. *Ph. G.*, 360/10 (II 66/14).
59. *Ph. G.*, 279/29 (I 318/7).
60. *Ph. G.*, 346/6 (II 48/13).
61. *Ph. G.*, 360/13 (II 66/18).
62. *Ph. G.*, 368/15 (II 75/23).

profonde et le mouvement d'accomplissement qui relient les figures actuelles à celles des sections précédentes. On pourrait évoquer tout d'abord l'ensemble, évidemment intentionnel, de reprises verbales qui, au début de la détermination du monde de la Culture[63], exprime la réassomption d'expériences bien déterminées : Domination et Servitude à travers, précisément, le terme de « culture », — le Règne animal de l'Esprit grâce au vocabulaire de « substance », « être originairement déterminé », « but », être-là », « moyen[64] », « caractère[65] », « genre[66] », — termes que, pour une bonne part, nous avons déjà rencontrés, au niveau du pour-nous, dans le texte d'introduction à la section « Esprit », qui expose justement la relation de celle-ci avec les dialectiques de la Raison[67]. Ainsi se trouve suggéré (mais non affirmé) un parallèle entre Maître et esclave / Règne animal de l'Esprit / Culture, — sans que soient nullement abolies les différences de niveau entre ces trois figures.

Deux autres corrélations négatives marquent la distance prise par rapport à une attitude antérieure désormais dépassée. — Au début de la dialectique *La foi et la pure intellection*, nous trouvons une détermination des objets qui peuplent le monde de l'au-delà. Pour nous, ou en soi, ce monde est celui de la pure pensée ; mais la conscience, qui était immergée dans l'effectivité du royaume de la Culture, reste conditionnée, dans le passage qu'elle opère, par ce point de départ : au lieu d'accéder à l'élément de la pensée pure, elle transpose l'effectivité qui était sienne ici-bas en lui donnant une figure dans le monde de l'au-delà ; la pensée se dégrade alors en représentations, et le monde de la foi se trouve rempli d'objets qui se présentent faussement comme des effectivités : voilà qui distingue cette situation d'un certain nombre d'attitudes précédentes dans lesquelles l'essence se présentait au contraire comme l'ineffectif : « Une telle essence doit être différenciée essentiellement de l'*en-soi* qui est l'essence de la conscience *stoïque* ; pour celle-ci valait seulement la *forme de la pensée* comme telle, qui a un contenu quelconque étranger à elle, extrait de l'effectivité ; mais pour cette conscience [*i.e.* celle du monde de la foi] ce n'est pas la *forme de la pensée* qui compte ; — de même cette essence est distincte de l'*en-soi* de la conscience vertueuse, pour laquelle l'essence se trouve bien en rapport avec l'effectivité, pour laquelle elle est essence de l'effectivité même, mais essence qui n'est d'abord qu'ineffective ;

63. *Ph. G.*, 351/19 sq. (II 55/20 sq.).
64. *Ph. G.*, 285/17 sq. (I 324/22 sq.).
65. *Ph. G.*, 287/9 (I 326/30).
66. *Ph. G.*, 295/40 (I 336/31).
67. *Ph. G.*, 314/5 (II 10/7).

— pour cette conscience [*i. e.* ici], l'essence, bien qu'au-delà de l'effectivité, vaut cependant comme essence effective. De même le Juste en soi et le Bien de la Raison législatrice et l'Universel de la conscience examinant les lois n'ont pas la détermination de l'effectivité [68]. » Pareille reprise de la situation antérieure au niveau de son effectivité accomplie se retrouve dans un parallèle global entre la pure intellection et la Raison : la pure intellection « en vient à sursumer toute dépendance *autre* que celle de la conscience de soi, qu'il s'agisse de ce qui est effectif ou de l'étant-*en-soi*, et à le réduire au *concept*. Elle n'est pas seulement la certitude de la raison consciente de soi d'être toute vérité ; mais elle *sait* qu'elle est cela [69] ».

Toutes ces notations ont, on le voit, une signification semblable. Elles n'indiquent pas des rapprochements nets, déterminés, précis, entre une figure et une autre figure corrélative : elles marquent plutôt le mouvement d'ensemble qui, dans le déploiement nouveau d'une forme identique (bien que jouant sous mode plus prégnant, plus radical) opère une nouvelle totalisation du contenu antérieurement déployé. Dans cette série d'évocations sans ordre bien défini, dont l'ensemble répond à une nécessité sans que chacune puisse être tenue pour pleinement signifiante, quelques sommets émergent, plus souvent cités, à cause de l'intégration partielle qui déjà se trouvait réalisée en eux. Le dernier paragraphe de Foi et pure intellection en évoque à nouveau quelques-uns : Règne animal de l'Esprit [70], Chose même [71], Jugement infini [72]. En fait, ainsi que nous l'avions noté, ce Jugement infini, au terme de la Raison observante, est déjà la vérité totale, mais comme simple affirmation formelle, sous la forme abstraite d'une pure identité à soi ; les dialectiques suivantes de la Raison ont commencé de lui donner un contenu différencié : mais celui-ci demeurait unilatéral, puisque l'universalité de la Raison y était encore enracinée dans une certitude individuelle ; c'est précisément à ce plan que Hegel ne cesse maintenant, par des touches successives, de signifier l'accomplissement qui s'est opéré.

Accomplissement au niveau du contenu tout d'abord : c'est désormais la totalité du monde humain et historique, politique, institutionnel, culturel, moral, et même religieux déjà [73], qui se trouve requis pour que la conscience puisse s'apparaître à elle-même en vérité. Au niveau de la forme ensuite : au début de

68. *Ph. G.*, 376/40 (II 85/8).
69. *Ph. G.*, 382/10 (II 91/25).
70. *Ph. G.*, 382/38 (II 92/19).
71. *Ph. G.*, 383/3 (II 92/23).
72. *Ph. G.*, 383/12 (II 92/32).
73. *Ph. G.*, 377/29 (II 86/3).

la dialectique sur *Le combat des « Lumières » avec la superstition*, Hegel souligne que le pouvoir de pénétration et de dissolution universelle de la *reine Einsicht* est sans commune mesure avec celui mis en œuvre par la conscience dans les tentatives qu'elle a menées jusque-là : « les divers modes du comportement négatif de la conscience, pour une part du Scepticisme, pour une part de l'Idéalisme théorétique et pratique[74], sont des figures subordonnées au regard de celle de la *pure intellection* et de son expansion : les *Lumières* ; en effet, elle est née de la substance, sait le pur *Soi* de la conscience comme absolu, et se mesure avec la pure conscience de l'essence absolue de toute effectivité[75]. » Rien d' « étranger » ne tient plus devant cette négation radicale, devant cette transparence à lui-même de l'Esprit dans son propre monde.

Les Lumières donnent à ce mouvement de pure pénétration sa véritable ampleur. Après s'être dressées contre le monde de la foi pour dénoncer la fausse effectivité des représentations qui le peuplent, elles se développent en une doctrine positive qui définit un nouveau rapport entre l'essence singulière et l'essence absolue[76]. Le premier moment en est la position de cette essence absolue comme « un *vacuum* auquel aucune détermination, aucun prédicat ne peut être attribué[77] » ; le second est constitué par l'affirmation de « la *singularité* en général, de la conscience et de tout être, exclue d'une essence absolue, comme *absolue être-en-soi-et-pour-soi*[78] » ; l'attitude de l'esprit singulier, dans ce retour en lui-même, l'apparente au mouvement de la Certitude sensible : « La conscience qui, dans sa toute première effectivité, est *certitude sensible* et *visée*, retourne ici à ce point hors de tout le chemin de son expérience, et est de nouveau un savoir du *pur négatif d'elle-même* ou de *choses sensibles*, c'est-à-dire *dans l'élément de l'être*, qui se tiennent indifférentes en face de son *être-pour-soi*. Toutefois elle n'est plus ici conscience naturelle immédiate, mais elle est devenue telle pour soi. Tout d'abord livrée en proie à toute la confusion dans laquelle elle est plongée par son déploiement, reconduite maintenant à sa première figure par la pure intellection, elle l'a *expérimentée* comme le *résultat*. *Fondée* sur l'intellection de la nullité de toutes les autres figures de la conscience, et par conséquent de tout au-delà de la certitude sensible, cette certitude sensible n'est plus un avis, mais

74. L'Idéalisme théorétique correspond à la Raison observante, et l'Idéalisme pratique à l'Effectuation de la conscience de soi rationnelle. Sur la liaison entre Idéalisme et Scepticisme, cf. 181/2 (I 202/14).
75. *Ph. G.*, 385/9 (II 95/13).
76. *Ph. G.*, 398/16 (II 111/4).
77. *Ph. G.*, 397/15 (II 109/30).
78. *Ph. G.*, 397/26 (II 110/4).

elle est plutôt l'absolue vérité [79]. » Enfin, le troisième moment détermine la relation véritable entre l'absolu et le singulier ; puisque l'absolu est le vide, tout le contenu de la relation provient de l'effectivité sensible ; mais l'accomplissement de la forme comme négation elle-même absolue permet de penser ce contenu selon l'égalité de l'en-et-pour-soi et du pour-un-autre : dans ces pures déterminations formelles enfin rassemblées, l'objet devenu transparent se définit maintenant de façon exhaustive par le concept d'*Utilité*.

L'Utile est ainsi le résultat de toute cette sphère. Hegel souligne, dans un texte récapitulatif, qu'il rassemble en lui-même les vérités partielles des deux mondes de la Culture et de la Foi [80]. Plus lointainement, il accomplit ce que la conscience immédiate, demeurant prisonnière de la perception contradictoire de la chose, n'avait pu réaliser : l'appréhension du réel *à la fois* dans sa simplicité et sa richesse diversifiée. Le « retour » à la certitude sensible est ici significatif ; nous l'avons déjà rencontré une fois, dans la Raison observante et dans ce qui fut son aboutissement : le Jugement infini. Il est le signe d'un mouvement achevé, d'un terme enfin possédé dans sa vérité *originelle,* — l'accomplissement d'une structure par l'égalité devenue du mouvement qui l'a engendrée avec son point de départ. Jugement infini, Utilité, ce sont là les deux premières figures qui récapituleront le devenir de l'Esprit dans l'élément de la conscience, lorsque, à l'intérieur du Savoir absolu, s'imposera l'ultime retour à la certitude immédiate [81].

Mais, pour l'instant, cette réconciliation de la certitude et de la vérité dans l'Utile, parce qu'elle est le résultat de la fusion en un des deux « mondes » que représentent les royaumes de la Culture et de la Foi, se pose encore sous mode objectif ; la conscience de soi, quant à elle, ne peut être déterminée par cette catégorie de l'Utilité : il lui faut donc exprimer pour elle-même à son tour la vérité de sa propre certitude, — et ce sera l'affirmation du Soi pleinement négatif de la liberté absolue, c'est-à-dire de la figure dans laquelle l'esprit sait que « le monde lui est uniquement sa volonté [82] ». — L'égalité des moments de l'Utile et du Soi absolu aboutit à une « parfaite compénétration

79. *Ph. G.,* 397/30 (II 110/8).
80. *Ph. G.,* 412/30 (II 128/1).
81. Certes, ce ne sont pas les deux seules fois où nous avons trouvé mention de la Certitude sensible : on se souvient, par exemple, de la corrélation soulignée entre cette figure et le début du Monde éthique (318/11, II 15/14). Mais, alors, la Certitude sensible était évoquée comme point de départ d'un mouvement (avec la nécessité qui est sienne de « passer » dans la Perception) ; ici, au contraire, comme encore dans le cas du Jugement infini, la Certitude sensible est terme du mouvement, repos, attitude simple redécouverte en vérité.
82. *Ph. G.,* 415/18 (II 131/24).

de la conscience de soi et de la substance [83] », tout à la fois au plan de l'objet et à celui du sujet ; non point cependant de telle sorte que nous soyons renvoyés à la fusion immédiate de l'individu et de son monde qui caractérisait le début de l'Esprit vrai : en effet, tout au long du mouvement de leur opposition, les termes en présence ont acquis une portée et une profondeur radicalement nouvelles : ils sont devenus, d'une part le monde comme volonté universelle, et de l'autre la conscience de soi comme Soi simple et absolu. Au cours des dialectiques de la Culture, la conscience de soi revenait toujours à elle-même, hors de son aliénation, nantie de quelque positivité : honneur, richesse, langage, ciel de la foi, Utilité de l'*Aufklärung* [84] ; ici, au contraire, son lot est le pur néant, la dissolution totale, le négatif absolu. Pourtant, dans cet anéantissement radical, elle ne disparaît point, puisqu'une telle négation de son effectivité ne lui survient pas de l'extérieur, comme d'un principe « étranger » (ainsi qu'il en allait dans l'engloutissement du Monde éthique, ou dans la spoliation dont était victime la conscience déchirée [85]) ; elle est l'œuvre de la volonté universelle, pur négatif sans doute, mais avec lequel la conscience de soi doit bien confesser son égalité : c'est donc par elle-même comme universelle que la conscience de soi se sait niée dans sa singularité ponctuelle. Ainsi s'affirme-t-elle à nouveau en elle-même, mais cette fois dans son universalité *réelle* : elle ne cherchera plus à se faire reconnaître comme singulière, mais seulement comme pur savoir et pure volonté. — Mouvement ancien, et pourtant tout nouveau : nous avions déjà vu le royaume de l'effectivité passer dans ceux de la foi et de l'intellection : de même l'Esprit sort-il ici de son effectivité, mais pour aborder maintenant à une terre nouvelle où se réconcilient les mondes opposés : la certitude réelle de lui-même.

IV. LE MONDE DE LA MORALITÉ

L'Esprit s'est d'abord fié aveuglément au monde qu'il confessait comme sien : mais il ne s'est retrouvé en lui que comme

---

83. *Ph. G.*, 420/35 (II 138/11).
84. *Ph. G.*, 421/14 (II 139/6). Renvois respectifs, pour chacun de ces termes, aux passages suivants : 360/23 (II 66/26), 367/5 (II 74/10), 370/6 (II 77/22), 377/26 (II 86/1), 410/32 (II 125/32).
85. *Ph. G.*, 421/26 (II 139/17), qui renvoie à 345/40 (II 48/8) et à 369/5 (II 76/18).

l'effectivité évanouissante du mort ou la personne abstraite de l'Etat du droit [86]. Il a donc échappé à soi pour s'extérioriser dans ce monde trop compact et le façonner selon la puissance de sa propre négation. Désormais, puisque « l'objet est, pour la conscience de soi elle-même, la certitude de soi, le savoir [87] », il devient clair, non seulement pour nous, mais pour la conscience même, que sont véritablement dépassées les oppositions partielles caractéristiques des deux premières divisions de l'Esprit.

Le troisième moment, *L'Esprit certain de soi-même, la Moralité*, comporte beaucoup moins de corrélations avec des figures antérieures que n'en contenaient les deux premiers ; de plus, ces corrélations ne portent guère au-delà des limites de la section « Esprit » elle-même. Voilà qui n'est point pour nous étonner : le Monde éthique et la Culture constituant comme les deux termes d'une nouvelle opposition qui résume toutes celles des développements passés, force était de manifester que rien du contenu antérieur n'échappait à ces déterminations totalisatrices ; désormais, au contraire, l'Esprit certain de soi possède là, dans ces deux premiers temps, tout ce qui est requis pour sa propre affirmation, et point ne lui est besoin d'évoquer directement un contenu plus lointain, puisque l'Esprit immédiat et l'Esprit devenu étranger à soi le lui présentent déjà sous un mode plus concrètement élaboré.

Regardons d'abord ces quelques allusions, dont la portée n'est guère considérable, aux sections précédentes. La première se situe vers la fin de la dialectique de la Duplicité. La conscience morale a tout d'abord déployé, l'un après l'autre, les trois postulats que la certitude de son universalité réelle l'amènent à poser : harmonie de la moralité et de la nature, de la moralité et de la sensibilité, existence d'un législateur universel. Mais chacune de ces affirmations est contradictoire et se change immédiatement en son contraire, puisque la conscience morale ne peut s'empêcher de considérer son objet, c'est-à-dire le monde moral développé selon ces trois postulats, tour à tour comme produit par elle-même (puisqu'il n'est autre chose qu'elle-même entendue comme réalité effective), et comme existant en dehors d'elle-même (extérieur à cette conscience jusqu'en la nécessité qui le relie à elle). Cette série de contradictions virevoltantes fait que s'écroule toute prétendue essence morale absolue et pure (3ᵉ postulat), et la conscience morale, renonçant à sa « vision du monde », se trouve renvoyée en elle-même, affron-

86. *Ph. G.*, 423/4 (II 142/3).
87. *Ph. G.*, 423/19 (II 142/17).

tée à nouveau à son imperfection fondamentale, — au conflit moralité / nature, à la pluralité des devoirs dont chacun résulte d'une multiplicité de rapports moraux : « En effet, chaque cas est la concrétion de multiples rapports moraux, comme un objet de la perception en général est une chose aux multiples propriétés [88]. » Il y a, sans nul doute, une situation semblable, mais de façon si lointaine que Hegel ne précise pas, comme il le fait ailleurs, en quoi la comparaison s'applique et en quoi elle ne s'applique pas ; il passe aussitôt au résultat, qui est tout autre que celui auquel aurait mené un parallélisme strict : ce n'est point ici la conscience qui prend sur elle-même l'unité qui fait défaut à l'objet, — au contraire, puisque la conscience morale n'est pas pure, c'est que sa réalité, dont elle est certaine, se trouve bien dans une *autre* essence : non plus dans une essence pure, au-delà d'elle-même, mais dans une essence effective ; la moralité devient rapport (et unité) entre le pour-soi de la première conscience et l'effectivité en soi de la deuxième : ainsi l'effectivité libre est-elle réintroduite dans le rapport moral. Il ne reste plus à la conscience qu'à fuir l'hypocrisie consistant à faire valoir alternativement l'un ou l'autre des moments parcourus ; alors, les recueillant en elle, et s'affirmant elle-même dans la simplicité de sa certitude morale, elle est la « bonne conscience » (*Gewissen*) qui réconcilie en soi l'abstraction du savoir et l'effectivité du faire.

Plus importante (et aussi plus évidente) est la relation, déjà soulignée par la parenté de leurs titres respectifs, entre cette dialectique de « L'Esprit certain de soi-même » et celle de « L'individualité qui pour soi est réelle en et pour soi ». De part et d'autre, il s'agit du sujet véritable revenu en lui-même au terme de son extériorisation, et se déployant dans la plénitude de ses déterminations objectives. Il y a pourtant deux différences fondamentales : ce n'est plus l'individualité qui est en jeu, mais l'*Esprit* universel, — et cet Esprit a désormais égalisé son savoir de soi avec sa propre vérité [89] : il et *certain* de lui-même. — S'il y a parallèle, la relation qu'il instaure est donc une relation d'accomplissement. Ici se vérifie ce que nous disions plus haut : ce contenu lointain n'est désormais présent qu'à travers la transformation profonde que lui font subir les premières dialectiques de l'Esprit. Hegel l'affirme avec beaucoup de vigueur dans une corrélation assez fortement soulignée : « Considérons rétrospectivement, dit-il, la sphère avec laquelle surgis-

---

88. *Ph. G.*, 442/40 (II 166/20).
89. C'est là ce qui distingue la « bonne conscience » de « tout ce qui se présentait dans les figures précédentes ». Cf. 453/10 et 18 (II 178/30 et 36).

sait en général la *réalité spirituelle* : l'expression de l'Individualité est l'*en-et-pour-soi*, tel était son concept. Mais la figure qui exprimait immédiatement ce concept était la *conscience honnête*, qui s'affairait autour de la *Chose même abstraite*. Cette *Chose même* était alors *prédicat* ; mais ce n'est que dans la Bonne conscience qu'elle est *sujet*, sujet qui a posé en lui tous les moments de la conscience, et pour lequel tous ces moments, substantialité en général, être-là extérieur et essence de la pensée, sont contenus dans cette certitude de soi-même[90].» Autrement dit, la « réalité spirituelle » était déjà présente dès la figure de la Chose même, mais de telle sorte que son accomplissement plénier, au plan de la forme comme à celui du contenu, requérait son passage par les mouvements de l'Esprit vrai, par ceux de l'Esprit devenu étranger à lui-même et par les premières dialectiques de la Moralité ; au plan de la forme, la Chose acquiert ainsi la valeur du Soi, et, de prédicat, devient sujet ; à celui du contenu, « tous les moments de la conscience », réassumés dans le Monde éthique, dans les univers opposés de l'Effectivité et de la Foi, et dans la figure de l'Esprit moral, se trouvent versés dans la forme abstraite de la Chose même pour constituer sa richesse : « La substantialité en général, la *Chose même* l'a dans le Monde éthique, l'être-là extérieur dans la Culture, l'essentialité se sachant soi-même de la pensée dans la Moralité ; et dans la Bonne conscience elle est le *sujet* qui sait en lui-même ces moments[91].» Et Hegel termine cette comparaison en reprenant les deux termes extrêmes pour eux-mêmes : « Si la conscience honnête n'attrape toujours que *la Chose même vide*, la Bonne conscience par contre l'atteint dans sa plénitude, que celle-ci a moyennant la Bonne conscience. Elle est cette puissance parce qu'elle sait les moments de la conscience comme *moments*, et, comme leur essence négative, les domine[92].»

Dernière corrélation avec l'une des figures des sections antérieures, mais corrélation qui passe elle aussi par le prisme que constituent les premiers développements de l'Esprit : parallèle entre la Belle âme et le mouvement de la Conscience malheureuse. Nous avons noté plus haut[93], dans le développement à propos de l'Etat du droit, que la mention de la Conscience malheureuse ouvrait alors l'espace spirituel dans lequel allait pouvoir se déployer et se « cultiver », en sa division essentielle,

90. *Ph. G.*, 451/9 (II 176/9).
91. *Ph. G.*, 451/19 (II 176/19).
92. *Ph. G.*, 451/23 (II 176/23). Dans cette même perspective, Hegel note que, au plan formel, le fait que leur devoir soit indifférent à l'égard de tout contenu était un « résultat déjà acquis à propos de l'examen des lois », *i.e.* dans l'ultime figure de la Raison : 453/24 (II 179/6).
93. Ci-dessus, p. 128.

toute la réalité véritable assumée par le Soi universel. Et, depuis lors, nous avons vu s'affirmer la « compénétration » toujours plus intime de la substance et du sujet, au point que la conscience de soi, désormais, assurée en sa puissance négative, se tient face à l'objet qui est son essence comme en face d'un autre soi-même : il est « le parfaitement transparent, il est *son Soi*, et sa conscience n'est que le savoir de soi. Toute vie et toute essentialité spirituelle sont revenues dans ce Soi et ont perdu leur diversité à l'égard du Je lui-même [94] ». C'est le moment de la lumière ultime, et c'est aussi, à cause de cela même, celui du danger suprême. Quel est, en effet, cet autre d'elle-même face auquel se tient la conscience, et quelle va être son attitude à son égard ? Ou bien la conscience peut le respecter dans son altérité libre, ou bien elle peut ne le considérer que comme un moment évanouissant de sa propre affirmation. Dans le premier cas, elle posera l'Esprit dans sa vérité dernière, et ce sera la parfaite reconnaissance des consciences de soi dans la figure du Mal et de son pardon ; mais il lui faut d'abord exorciser la seconde attitude, qui tend toujours à surgir à nouveau. En quoi consiste celle-ci ? En ce que les « moments de la conscience » (ceux-là mêmes qu'évoquait la corrélation précédente, à savoir la substantialité en général de l'Esprit vrai, l'être-là extérieur du monde de la culture, et l'essence de la pensée de la moralité) ne sont considérés que comme « des abstractions extrêmes, dont aucune ne reste debout, mais se perd dans l'autre et l'engendre [95] ». C'est alors l'échappement à toute réalité dans le vain redoublement intérieur de la conscience de soi : « C'est l'échange de la conscience malheureuse avec soi, mais qui se passe pour elle-même à l'intérieur de soi, et qui est conscient d'être le concept de la Raison que celle-ci n'est qu'*en soi* [96]. » Elle se perd au mirage de sa propre pureté ; car « il lui manque la force de l'extériorisation, la force de se faire soi-même une chose et de supporter l'être [97] » ; « dans cette pureté transparente de ses moments, elle devient une malheureuse *Belle âme*, comme on la nomme, elle s'obscurcit peu à peu en soi, et elle s'évanouit comme une vapeur sans figure qui se dissout dans l'air [98] ».

Accepte-t-elle, au contraire, de se livrer à l'extériorité dans le mouvement de l'action effective, et de « se manifester » ainsi elle-même en sa vérité, elle traduit alors dans l'être-là la dualité qui demeure sienne lorsqu'elle cherche un contenu à l'expression

94. *Ph. G.*, 462/18 (II 188/37).
95. *Ph. G.*, 462/24 (II 189/3).
96. *Ph. G.*, 462/25 (II 189/4).
97. *Ph. G.*, 462/38 (II 189/17).
98. *Ph. G.*, 463/12 (II 189/29).

du pur devoir. Ainsi divisée, la Bonne conscience apparaît comme le mal, plus encore comme l'hypocrisie, puisqu'elle sait son opposition à l'universalité effective dans l'instant même où elle s'affirme comme effectivement universelle. Pour revenir à son égalité avec elle-même (une égalité désormais absolue, parce que *reconnue* comme telle dans le monde spirituel), il faut qu'elle soit démasquée, et qu'elle se reconnaisse comme duplicité. Dans le « oui » de la réconciliation, où se trouve pardonnée la faute ainsi avouée, l'Esprit, dans la liberté de ses moments qui demeurent pourtant transparents les uns aux autres, accède à la pleine maîtrise de sa réalité : il est sorti de l'élément compact de la simple conscience pour s'affirmer comme conscience de soi.

Revenons pour un instant au début de cette dernière figure de l'Esprit. Hegel nous y proposait une relecture de toute la section sous la raison de l'affirmation progressive du véritable Soi : « Ce *Soi de la Bonne conscience,* écrit-il, l'Esprit immédiatement certain de soi comme de la vérité absolue et de l'être, est le *troisième Soi,* qui est venu pour nous hors du troisième monde de l'Esprit, et qu'il faut comparer brièvement avec les précédents [99]. » Le premier Soi est celui qui s'est présenté dans l'Etat du droit, comme la résolution des contradictions de l'Esprit vrai. « Son être-là est l'*être-reconnu* [100] » ; c'est-à-dire que, renonçant à toute effectivité, il se contente d'affirmer simplement une universalité qui demeure sans contenu : « La personne *vaut,* et elle vaut sous mode immédiat [101]. » L'universel en lui est présent, mais de telle manière qu'il coïncide sans plus avec le singulier dans son être-là immédiat : « Le Soi et l'universalité n'ont ni mouvement ni rapport mutuel ; l'universel est sans séparation en lui et n'est pas le contenu du Soi, et le Soi non plus n'est pas rempli par soi-même [102]. » Le second Soi a surgi au terme du monde de la Culture, dans la dialectique de la Liberté absolue. Cette fois, l'universel n'est plus absorbé dans le singulier, car l'harmonie postulée n'a point résisté à l'expérience faite sur elle, et l'essence se pose pour elle-même, dans son altérité. Mais ce surgissement le rend totalement relatif par rapport au sujet duquel il est issu ; il n'a plus, bien sûr, étant tout pénétré du négatif, la rigidité compacte d'un monde « étranger » : « Il reste essence purement spirituelle, être-reconnu, ou volonté et savoir universels, est *objet* et contenu du Soi et son effectivité universelle. Mais il n'a pas la forme de l'être-là libre du Soi ; il ne parvient

99. *Ph. G.,* 445/33 (II 170/2).
100. *Ph. G.,* 445/39 (II 170/8).
101. *Ph. G.,* 446/2 (II 170/10).
102. *Ph. G.,* 446/5 (II 170/13). Pour l'apparition de ce premier Soi, cf. 343/18 (II 44/25).

par conséquent dans ce Soi à aucun accomplissement et à aucun contenu, à aucun monde [103]. » Quant au troisième Soi, c'est celui de la Bonne conscience (Gewissen) : il conjoint la certitude du premier (gewiss) à l'effectivité du second. Renonçant à des affirmations simplement alternées (la liberté de son essence universelle d'une part, la stricte relation de cette universalité à la conscience d'autre part), cette Bonne conscience les réconcilie en elle-même : « Dans sa certitude de soi elle a le contenu pour le devoir auparavant vide, aussi bien que pour le droit vide et le vouloir universel vide ; et puisque cette certitude de soi est aussi bien l'immédiat, elle a l'être-là même [104]. »

Cette relecture permet d'embrasser d'un coup d'œil le sens de toute la section. Remarquons d'abord que chacun de ces Soi surgit au troisième temps de la sous-section à laquelle il correspond, c'est-à-dire en ce point où, comme nous l'avons souligné à propos de l'état du droit, la dialectique bascule tout entière dans la situation nouvelle qui est en train de naître : le Soi de la personne « se présente comme la vérité du Monde éthique [105] », mais il exprime déjà en lui-même (dans l'impossibilité qui est sienne de se réaliser) la division et l'impuissance du monde de la Culture ; le Soi de la liberté absolue, à son tour, « est le monde de la Culture parvenu à sa vérité [106] », mais cette vérité est la naissance de la conscience morale (ou, en termes historiques : la vérité de la Révolution française est le système kantien) ; ainsi en va-t-il encore dans le troisième cas, celui du Soi universel et libre de la Bonne conscience : celui-ci est la vérité du Monde moral, et, comme tel, nous offre déjà une image de ce qu'est l'Esprit dans sa conscience de soi (Religion) [107].

Un autre signe de l'accomplissement de l'Esprit comme conscience dans cette ultime figure est le retour, indiqué à la fin de ce texte sur les trois Soi, à l'immédiateté de la certitude de soi. Comme pour les figures du Jugement infini et de l'Utilité, cette mention nous montre ici que le mouvement en vient à se recueillir en lui-même dans la vérité de son point de départ. Ce « retour » se trouve aussi souligné très fortement, au début de cette figure de la Bonne conscience, dans un parallèle fort curieux

103. Ph. G. 446/13 (II 170/20). Ce second Soi était apparu en 414/35 (II 131/2).
104. Ph. G., 446/24 (II 170/31).
105. Ph. G., 445/38 (II 170/7).
106. Ph. G., 446/9 (II 170/17).
107. Une autre lecture unifiée de cette section pourrait se faire sous la raison du Langage nouveau dans lequel, à chaque étape, se donne à connaître l'universel en ses déterminations successives. Comme il ne s'agit pas vraiment d'un parallèle, nous nous contentons d'indiquer ici les passages dans lesquels Hegel souligne les moments successifs de cette totalisation : 362/18 (II 69/7) ; 370/6 (II 77/22) ; 458/30 (II 184/29).

(qui n'est pas un parallèle à proprement parler, puisqu'il évoque un mouvement global et indéterminé que l'on ne trouve nulle part comme tel dans l'œuvre). Hegel y explique, en prenant un exemple, comment le *Gewissen* conjoint immédiatement son savoir moral à l'effectivité de l'être ; il y a « simple conversion de l'effectivité comme d'un cas *dans l'élément de l'être* dans une effectivité *exécutée* (*getan*) [108] ; et il éclaire ce mouvement à l'aide d'une comparaison : « Comme la certitude sensible est immédiatement recueillie ou plutôt convertie dans l'en-soi de l'Esprit, ainsi cette conversion est également simple et non médiatisée, un passage à travers le pur concept sans altération du contenu, qui est déterminé par l'intérêt de la conscience ayant une connaissance de lui [109]. » En cette identité *immédiate* du connaître et de l'opérer, la chose en vient vraiment à être sue comme le Soi (ainsi que le dira le Savoir absolu en réassumant ces trois figures), non plus seulement dans l'immédiateté de son être (Jugement infini) ou dans sa détermination (Utilité), mais encore comme *essence* ou *Intérieur* [110] : c'est bien là que l'Esprit, tel qu'il existait dans l'élément de la conscience, en vient à s'affirmer dans l'intériorité de la conscience de soi.

---

108. *Ph. G.*, 477/16 (II 171/24).
109. *Ph. G.*, 447/20 (II 171/28). Cf. le passage de la Préface, proche de celui-ci, analysé ci-dessous pp. 253-254.
110. *Ph. G.*, 551/37 (II 296/32).

CHAPITRE III

L'ESPRIT DANS L'ÉLÉMENT
DE LA CONSCIENCE DE SOI

Lorsqu'ils réfléchissent sur les articulations de l'œuvre et sur ses structures essentielles, les commentateurs, ainsi que nous l'avons souligné plusieurs fois, insistent volontiers sur la rupture que représentent à leurs yeux les développements de la section « Esprit » par rapport au contenu antérieur et à son mouvement ; par contre, le passage à la section « Religion », très souvent, n'a point à leurs yeux le même relief ; et il est vrai que, si l'on cherche à retrouver avec rigueur dans la *Phénoménologie de l'Esprit* les divisions majeures du « Système » de Iéna, l'on peut soutenir avec vraisemblance que la distance est plus grande entre l'Esprit subjectif et l'Esprit objectif qu'entre ce dernier et l'Esprit absolu. Mais les analyses menées jusqu'ici suffisent déjà à démontrer la fragilité d'une telle vision des choses. Il est exact, sans doute, qu'entre la Raison et l'Esprit s'opère un clivage extrêmement profond : nous passons des figures de la conscience aux figures d'un monde, et des attitudes de l'individu au mouvement de l'histoire humaine universelle. Mais ce « passage » s'opère à la faveur, non point d'une modification de la perspective première, mais de son approfondissement : c'est l'individu lui-même, objet de la première totalisation au niveau de la Raison, qui, au terme de l'expérience faite sur lui, manifeste son universalité, et se révèle *en lui-même* comme « un monde [1] ». C'est pourquoi l'analyse, en un sens, ne quitte pas le plan originel où elle se déployait dès l'abord : les deux consciences qui échangent le « oui » de la réconciliation accomplissent la pleine « reconnaissance » spirituelle dont l'exigence avait été déjà pleinement posée au terme de la dialectique de la Vie.

Cette unité fondamentale des quatre premières sections s'est imposée avec une entière évidence dans la lecture des corrélations qui a été opérée au cours du chapitre précédent. Rappelons ici leur caractéristique essentielle : elles ne constituent pas, pour la plupart, des parallèles proprement dits qui indiqueraient la résurgence d'un mouvement ou d'un niveau d'intelligibilité,

---

1. *Ph. G.*, 315/26 (II 12/7).

mais elles soulignent presque toujours l'*accomplissement* effectif de ce qui fut tenté en vain dans l'une des figures précédentes. Et ces indications concrètes, au niveau du contenu, ne font que corroborer celles que Hegel lui-même nous donne, au plan d'une réflexion plus directement structurelle, dans les introductions à l'Effectuation de la conscience de soi rationnelle et à l'Esprit. De sorte qu'il est conforme à l'économie de l'œuvre d'enfermer dans un seul mouvement signifiant les deux totalisations que constituent, d'une part l'Esprit universel tel qu'il s'exprime dans l'individu élevé à la rationalité, et d'autre part le sujet singulier qui se découvre, à l'intérieur d'un peuple, engagé en un processus de reconnaissance universelle : toutes deux constituent ensemble l'Esprit dans l'élément de la conscience, c'est-à-dire dans l'objectivité de son être-là substantiel.

Tout change avec l'entrée dans la section « Religion ». La relation de ce nouveau développement avec ceux qui le précèdent ne se donne plus à connaître sous la forme d'un « accomplissement », mais plutôt d'une sorte d'opposition, — comme la détermination d'un *autre* moment de la totalité spirituelle. Non pas que les corrélations explicites avec des figures appartenant à des sections antérieures y soient plus rares : elles sont au contraire plus nombreuses que jamais ; mais leur sens est bien différent : il s'agit le plus souvent d'un jeu de correspondances entre deux totalités structurées de façon identique. On se demande : quel est l' « esprit effectif » qui correspond à tel moment du développement de la Religion ? Autrement dit : quelle est la période historique dans laquelle la substance du monde s'est trouvée suffisamment structurée, suffisamment accomplie dans son existence comme sujet pour permettre à l'Esprit de se manifester en elle sous telle et telle forme ? C'est là ce que, dans notre typologie des parallèles, nous avons appelé des « contrepoints », donnant à entendre cette superposition harmonique de deux thèmes, de deux registres d'expression qui soient à la fois différents et en exacte consonance.

Comment, dans une première approximation, caractériser et la continuité et la nouveauté qu'implique une telle perspective ? Nous passons d'une écriture horizontale à une écriture verticale. En suivant la logique de l'Esprit qui s'extériorise dans l'élément objectif de sa propre conscience (c'est-à-dire de son être-là substantiel), nous avons atteint, dans la figure du Mal et de son pardon, un point de réconciliation ultime, au-delà duquel il n'est plus d'obstacle à la libre communication des sujets les uns par rapport aux autres ; en ce sens, la fin de la section « Esprit », beaucoup plus que celle de la Raison, présente le terme accompli d'un mouvement qui s'est déployé jusqu'à ses dernières conséquences ; nous verrons, dans la lecture du Savoir absolu, que cette figure exprime déjà, et pour la première fois dans le cours de la *Phénoménologie,* la réconciliation véritable de l'Esprit avec lui-même. Mais si la totalité est ici présente, son *sens* ne s'est point encore fait jour. L'homme, il est vrai, s'est réconcilié avec l'homme, sous cette forme que leur reconnaissance mutuelle n'est plus un au-delà de leur savoir immédiat : dans le « oui » qu'ils échangent, chacun éprouve conjointement la certitude de lui-même et de l'autre ; mais le contenu effectif de cette forme parfaite n'est pas encore manifesté. Entre eux, désormais plus proches, l'espace spirituel s'est à ce point distendu qu'il devient le lien de la révélation totale : « Le *Oui* de la réconciliation [...] est le Dieu se manifestant au milieu d'eux qui se savent comme le pur savoir[2]. » Mais que signifie donc cette « manifestation » ?

Arrivé à ce terme, le mouvement doit donc s'inverser. En parlant de façon très approximative, on pourrait dire que l'Esprit, jusqu'alors, ne s'est donné à connaître que de façon indistincte, par le truchement des éléments objectifs qu'il s'assimilait, et derrière lesquels il nous était loisible de suivre le mouvement de son affirmation progressive ; mais sa voix, nous ne l'avons pas encore entendue. Il était « la sourde agitation[3] », « l'agitation inconsciente[4] », qui, dans les profondeurs encore scellées de la substance, élaborait la trame du monde véritable encore à naître ; il faut maintenant qu'il se manifeste pour ce qu'il est, et qu'apparaisse dans sa force propre le dynamisme qu'il a caché jusqu'alors dans l'auto-déploiement de son propre contenu. Mouvement inverse *et* parallèle, ainsi qu'on peut le voir, — mouvement qui va dégager, au-dessous du devenir précédent (c'est pourquoi nous avons parlé d'écriture verticale), ce qui en lui n'était présent qu'en filigrane : son fondement réel, la raison de son développement. En d'autres termes encore, l'Esprit, dans son existence propre, *dans sa conscience de soi,* va révéler progressivement qu'il opère en lui-même et de son propre chef la même renonciation à une solitude abstraite qu'il a poussé l'individu à réaliser de son côté.

Le rapport de la section « Religion » à ce qui la précède est

2. *Ph. G.,* 472/40 (II 200/10).
3. *Ph. G.,* 406/26 (II 120/29) ; 407/19 (II 121/30) ; 409/11 (II 124/9). M. Hyppolite traduit *Weben* par « tissage », ce qui exprime bien l'élaboration progressive d'une réalité sous-jacente ; mais la dernière des citations, dans laquelle *Weben* se trouve conjoint à *Bewegen,* contraint de recourir au sens primitif ; remuer, agiter. La signification, d'ailleurs, est bien la même : l'Esprit est le dynamisme qui *meut* en secret les figures de la conscience, qui les déploie en elles-mêmes et les relie les unes aux autres.
4. *Ph. G.,* 409/27 (II 124/22).

donc d'un tout autre type que la relation entre l'Esprit et les trois premières sections. Par contre, un « modèle » de ce rapport nous est fourni à l'intérieur de la première totalisation, et c'est la relation qui oppose les moments de la Conscience et de la Conscience de soi avant de les rassembler dans la Raison. Nous avons remarqué alors que le mouvement se déployait en deux analyses partielles, l'une qui mène de la Conscience à la Conscience de soi, et l'autre qui ramène cette Conscience de soi à l'aperception simple du réel saisi dans son égalité rationnelle avec le sujet qui l'appréhende. C'est le même mouvement qui, au plan de la totalité, se dessine ici : à l'Esprit dans l'élément de la conscience fait suite la détermination de l'Esprit dans l'élément de la conscience de soi, avant que le Savoir absolu n'exprime à ce niveau ultime la même totalisation des moments divers que la Raison avait déjà réalisée au niveau de l'individu et de sa valeur universelle. Ce qui ne veut pas dire que la Religion n'offrira de corrélations qu'avec les dialectiques de la section « Conscience de soi », — mais qu'elle se manifestera comme conscience de soi vis-à-vis des quatre premières sections prises globalement comme la conscience de l'Esprit [5]. C'est ce qu'affirme Hegel dans le tout premier paragraphe de l'introduction à la Religion : « Dans les figurations [traitées] jusqu'ici, qui se différencient en général comme *Conscience, Conscience de soi, Raison* et *Esprit*, la *Religion* aussi s'est bien présentée comme conscience de l'*essence absolue* en général, — mais seulement du *point de vue de la conscience* qui est consciente de l'essence absolue ; mais ce n'est pas l'essence absolue *en-et-pour-soi* elle-même, ce n'est pas la conscience de soi de l'Esprit qui s'est manifestée dans ces formes [6]. »

I. INTRODUCTION
A LA SECTION « RELIGION »

Cette introduction à la section « Religion [7] » représente sans doute le texte le plus explicite et le plus élaboré de Hegel à

5. S'il est vain de chercher à comprendre la *Phénoménologie* en la confrontant simplement au Système de la Philosophie de Iena, il le serait plus encore d'évoquer, à propos de ces trois premiers chapitres de notre développement, les trois totalisations kantiennes que sont les idées régulatrices du Moi, du Monde et de Dieu. Chez Kant, elles constituent des totalités ultimes, irréductibles les unes aux autres, tandis que, par exemple, la relation Raison/Esprit dans l'œuvre de Hegel, montre que les deux sont en rapport d'inclusion, de telle manière que jamais le singulier ne puisse être isolé de sa relation constitutive à la totalité historique.
6. *Ph. G.*, 473/3 (II 203/2).
7. *Ph. G.*, 473-480 (II 203-211).

propos des *structures* autour desquelles s'organise, à ses yeux, l'œuvre et son contenu. Le Savoir absolu lui-même, s'il donne l'intelligence de l'enchaînement signifiant d'un certain nombre de figures remarquables, et livre par là l'équation du livre dans son déploiement total, n'offre pas au même titre une réflexion sur les relations formelles qu'entretiennent entre elles les différentes masses de l'œuvre, — figures, sous-sections, sections. L'exposé de ces corrélations structurelles constitue, en trois paragraphes très denses, le centre de ce texte. Il est précédé de sept paragraphes, qui réassument les éléments de la Religion épars dans les sections précédentes (cinq paragraphes) et annoncent les dépassements qui demeurent à opérer dans la présente section (deux paragraphes). Enfin, deux autres paragraphes reprennent, au terme, cette insuffisance de la Religion elle-même, et manifestent le chemin qui l'amènera à s'accomplir en vérité dans le savoir de l'Esprit absolu.

Hegel rattache à la considération de la Religion tout ce qui, dans les sections précédentes, ressortit à l'appréhension de l'Intérieur ou du Supra-sensible ; ainsi déjà, dans Force et Entendement, la réalité énoncée par la conscience comme le fondement de la chose — de l'unité et de la pluralité qui la constituent — est comme une première approximation de l'Esprit tel qu'en lui-même ; mais il ne se manifeste pas encore, à ce moment-là, comme un Soi, et n'est que le pur universel qui n'a pas conscience de lui-même comme Esprit [8]. Avec la figure de la Conscience malheureuse, dans la section « Conscience de soi », nous sommes, s'il est possible, encore plus loin du but, puisque l'esprit singulier s'y épuise dans une vaine poursuite d'un au-delà qui demeure hors de ses prises [9]. Déjà, dans un texte sur lequel nous aurons à revenir, Hegel avait parlé de cette Conscience malheureuse comme de la « figure du mouvement sans substance de la conscience elle-même [10] » ; en fait, l'esprit se dissout dans cette aspiration vide et cet effort infructueux, coupés de toute effectivité. Quant aux figures de la Raison, étant donné qu'elles se cantonnent dans l'exploration ou l'élaboration de la réalité immédiate, elles ne prêtent, par définition, aucune attention à un supra-sensible, quel qu'il soit.

Avec les dialectiques de l'Esprit, par contre, nous retrouvons, toujours plus profonde et plus accentuée, cette faille dans l'univers des apparences qui prépare et permet la manifestation de la Réalité absolue. Dans le Monde éthique, le Destin est l'uni-

8. *Ph. G.*, 473/11 (II 203/10).
9. *Ph. G.*, 473/16 (II 203/15).
10. *Ph. G.*, 377/30 (II 86/5).

versel indéterminé, encore privé du Soi et du savoir de lui-même, qui préfigure la puissance de l'Esprit dans sa conscience de soi ; quant au mort, qui est le singulier disparu (et qui est donc posé négativement comme universel), il se trouve évidemment doté d'un Soi, mais d'un Soi tout à la fois privé de signification positive et en dépendance étroite à l'égard de la réalité particulière en laquelle il s'enracine [11]. Le Royaume de la foi a tenté de dégager le sens positif de cette réintégration du Soi dans la substance [12] ; mais, contrairement à la religion véritable, entendue comme « conscience de soi de l'essence absolue », la foi n'est que « la *fuite* du monde effectif [13] », de sorte que son contenu demeure totalement abstrait, posé dans l'élément de la pure pensée : « l'*essence* est devenue étrangère à son *être-là* », elle est « posée dans l'élément de la pure conscience au-delà de l'effectivité [14] » ; il n'est pas étonnant dès lors que cette foi ne puisse tenir contre les attaques d'une raison éclairée qui a sur elle l'avantage de demeurer fermement fixée dans son effort d'intelligence du monde effectif [15] : celle-ci ne peut qu'abandonner à nouveau à sa vacuité totale l'au-delà inconnaissable qu'a déserté le Soi [16]. Dernière étape, enfin : dans l'univers de la Moralité, le contenu positif du savoir religieux (les trois postulats kantiens) resurgit à la faveur du mouvement qui a fondu en un le Monde abstrait de la foi et celui de l'effectivité ; mais la puissance négative de l'*Aufklärung* qui l'accueille ne cesse de faire éclater l'impuissance et la contradiction de cette aspiration vaine qui cherche à se faire passer pour un savoir réel ; seule la renonciation à cette prétention permet au contenu essentiel de réintégrer le Soi effectif : c'est alors la substance absolue comme telle qui accède à la conscience de soi [17].

Une telle réassomption du contenu antérieur semble procéder de façon arbitraire, selon un mouvement de sélection qui recueille certains éléments, positifs ou négatifs, et ne tient nul compte des autres. En fait, comme va nous le montrer l'équation structurelle que présente ensuite cette introduction, c'est bien la totalité des quatre sections précédentes qui commande le développement de la Religion (ayant d'abord été commandée par elle). Mais auparavant, pour suivre de plus près le texte lui-même, il nous faut jeter les yeux vers l'avant, et considérer le mouvement qui reste à accomplir en cette section nouvelle. Au terme de la dialectique

11. *Ph. G.*, 473/28 (II 204/1).
12. *Ph. G.*, 474/16 (II 204/17).
13. *Ph. G.*, 350/19 et 22 (II 54/9 et 11).
14. *Ph. G.*, 377/40 et 34 (II 86/14 et 9).
15. *Ph. G.*, 378/2 (II 86/17).
16. *Ph. G.*, 474/24 (II 204/24).
17. *Ph. G.*, 474/29 (II 204/29).

de l'Esprit, la confession réalisée et le pardon reçu opèrent la réconciliation de l'essentialité et de l'effectivité : dans cette reconnaissance de lui-même *par son autre,* l'esprit peut contempler *ce qu'il est* réellement ; figure posée dans l'être-là, et qui pourtant exprime vraiment le Soi : l'Esprit a donc surmonté la dualité qui l'affecte comme conscience, et il existe vraiment, dans l'unité de ses moments distincts, comme conscience de soi. Mais ce terme demeure tributaire de l'unilatéralité du mouvement où il s'engendre ; ce qui s'exprime de la sorte : la transparence totale de l'être au Soi est telle que son indépendance (ou sa liberté) demeure plus pensée que réelle, et c'est comme effectivité encore abstraite que se présente ici la conscience de soi de l'Esprit. Autrement dit : la Religion, échappant à l'unilatéralité de l'Esprit dans sa conscience, tombe à son tour dans l'unilatéralité d'une conscience de soi qui ne fait plus vraiment droit à la loi d'opposition de la conscience ; l'être-autre, non respecté dans sa « liberté », trop aisément absorbé, se pose donc à nouveau en dehors du Soi, en dehors de la Religion : d'où une opposition nouvelle entre cette Religion et la Vie telle qu'elle se déploie dans le monde effectif. Sans doute, *nous* ne pouvons douter de l'unité réelle de ces moments divers ; mais cette unité doit se manifester concrètement, grâce au passage de chacun des termes l'un dans l'autre, — l'un de ces moments étant celui de l'Incarnation, dans lequel l'Esprit en-et-pour-soi, existant dans sa conscience de soi, se pose à nouveau comme conscience en révélant son identité avec son être-autre effectivement indépendant : alors sera possible l'affirmation de la vérité ultime au niveau de l'Esprit absolu, grâce à la suppression de la forme rémanente d'une représentation privée de liberté.

Les trois paragraphes suivants soulignent des corrélations proprement structurelles, qui permettent de déterminer par avance le développement de la Religion, en le mettant en rapport avec le déploiement de « l'Esprit dans son monde » (ou de « l'*être-là* de l'Esprit ») [18], c'est-à-dire avec l'organisation des quatre premières sections. Ce parallèle est mené successivement à un double niveau : le premier considère « le devenir de la Religion en général », en l'envisageant selon ses masses essentielles, ses divisions majeures [19], et le second entre plus avant dans le détail de l'organisation concrète pour rejoindre « les déterminités de la Religion même » dans leurs rapports aux « côtés singuliers » des sections précédentes [20].

18. *Ph. G.,* 476/15 (II 207/2).
19. *Ph. G.,* 476/14 (II 207/1) à 477/22 (II 208/14).
20. *Ph. G.,* 477/22 (II 208/14) à 479/9 (II 210/9).

L'Esprit dans son monde s'est présenté à nous à travers une série de « moments » dont l'organisation exprime le syllogisme de la totalité absolue dans l'élément objectif de la conscience. Ces moments, à proprement parler, sont constitués par les sections elles-mêmes, c'est-à-dire par la Conscience, la Conscience de soi, la Raison et l'Esprit, — ce dernier étant entendu ici comme « Esprit immédiat qui n'est pas encore la conscience de l'Esprit [21] » ; mais chacun d'eux ne peut être pensé hors de son organisation propre, c'est-à-dire en dehors de la « détermination singularisée » qu'il acquiert en chacune des figures qui se différencient en lui : « Ainsi, par exemple, dans la Conscience se distinguaient la Certitude sensible et la Perception [22]. » Nous sommes de la sorte en présence de trois registres d'expression, de trois traductions, imbriquées les unes dans les autres, de la réalité spirituelle dans son être-là :

— l'enchaînement signifiant de ces moments successifs constitue l'Esprit comme Totalité, dans la détermination de l'*universel ;*
— chacun de ces quatre moments, pris pour lui-même, exprime un point de vue, une détermination *particulière* de cette Totalité ;
— enfin, les figures que contiennent ces moments présentent, chacune pour elle-même, l'effectivité concrète et *singulière* de cette Totalité.

De la sorte, conclut ce texte, « l'Esprit descend de son *universalité,* à travers la *détermination,* jusqu'à la *singularité* [23] ». Sous la première et la troisième de ces formes, il a « effectivité proprement dite [24] », et, par conséquent, il possède « la forme de la pure liberté à l'égard d'autre chose, [forme] qui s'exprime comme temps [25] », alors que chacun des moments particuliers,

---

21. *Ph. G.,* 476/21 (II 207/7). — Cet « Esprit immédiat » est distingué de l' « Esprit total » (*der ganze Geist*) constitué par la récapitulation des Sections antérieures *telle qu'elle se trouve opérée, précisément, dans la section « Esprit »* : l'Esprit immédiat n'est autre, par conséquent, que l'Esprit vrai, c'est-à-dire l'Ordre éthique, ou encore l'Esprit dans son surgissement premier, tel que l'expose la première sous-section de cette partie de l'œuvre ; ou plus précisément, c'est l'ensemble de cette Section, mais en tant qu'elle permet de passer de cet Esprit immédiat à l'Esprit conscient de lui-même comme Esprit : *Ph. G.,* 476/21 (II 207/7), et surtout 315/27 (II 12/7).
Bien qu'elle se trouve, sous sa forme immédiate, connumérée avec les autres sections, la section « Esprit » est donc privilégiée, puisqu'*en elle,* grâce au jeu de récapitulation des moments antérieurs, la totalité spirituelle est bien présente en sa conscience ; des sections précédentes, le contenu ne sera plus évoqué qu'à travers ce jeu d'assomption et d'élévation grâce auquel l'Esprit s'est ainsi arraché à son immédiateté pour se déployer comme totalité dans l'élément de la conscience.
22. *Ph. G.,* 476/38 (II 207/24) et 477/3 (II 207/27).
23. *Ph. G.,* 477/6 (II 207/30).
24. *Ph. G.,* 476/33 (II 207/18) et 477/11 (II 208/3).
25. *Ph. G.,* 476/34 (II 207/19) et 477/12 (II 208/4).

n'étant précisément qu'un « moment », n'a pas d'être-là différent de celui des autres, et n'a donc aucune existence temporelle [26]. Remarque importante, sur laquelle nous devrons revenir,
au cours de notre troisième partie, en traitant des rapports entre
Logique et Chronologie ; pour l'instant, elle nous confirme dans
la certitude déjà acquise que c'est la figure, et non pas la section,
qui est réellement concrète et porte tout le poids du mouvement
dialectique ; et elle nous explique comment les analyses de deux
sections (par exemple Esprit et Religion) peuvent se superposer
en exprimant des points de vue divers sur une *même* période
historique.

Un schéma peut nous aider à comprendre cette organisation
syllogistique de l'Esprit universel dans son monde :

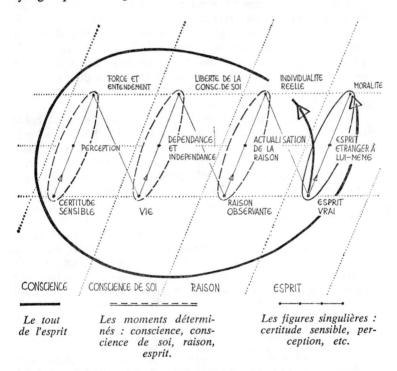

Le tout de l'esprit	*Les moments détermi-nés : conscience, cons-cience de soi, raison, esprit.*	*Les figures singulières : certitude sensible, per-ception, etc.*

La ligne continue qui relie les figures entre elles signifie leur
enchaînement linéaire, en sorte que « chacune contienne en elle
les précédentes [27] », tandis que leur disposition en lignes brisées

26. *Ph. G.*, 476/28 et 35 (II 207/13 et 20).
27. *Ph. G.*, 477/12 (II 208/4).

permet de saisir leur regroupement ternaire à l'intérieur des diverses unités médiates que constituent les sections, et prépare pour la suite leur rassemblement par niveaux horizontaux et la moisson de corrélations qui s'ensuit pour chacune des trois sous-sections de la Religion. La section « Esprit », enfin, reçoit ici un traitement spécial, — étant elle-même cette « Totalité » constituée par la récapitulation des trois moments précédents (cf. ci-dessus, p. 152, note 21).

Reste maintenant, avant d'en venir au second niveau d'analyse, à tirer les conséquences, au plan du « devenir de la Religion en général », de cette organisation de l'Esprit dans son monde. C'est là l'objet des premières lignes du paragraphe suivant : « Si donc la Religion est l'accomplissement de l'Esprit dans lequel les moments singuliers de celui-ci, Conscience, Conscience de soi, Raison et Esprit, *retournent* et sont *retournés* comme dans leur *fondement,* alors ils constituent ensemble l'*effectivité étant-là* de l'Esprit total, qui n'*est* que comme le mouvement de différencia-tion et de retour en soi de ces côtés siens. Le devenir *de la Religion en général* est contenu dans le mouvement des moments universels [28]. »

Hegel, en ce passage, n'en dit pas plus long, et il enchaîne aussitôt sur la deuxième analyse structurelle. Mais, quelques pages plus loin, commentant le plan qu'il donne alors de toute la section, il précise la détermination dans laquelle se pose cha-cun des développements qu'elle contient (à savoir la Religion naturelle, la Religion de l'art et la Religion manifestée) : « Si dans la première l'Esprit est en général dans la forme de la conscience [29], dans la seconde dans celle de la conscience de soi, alors il est dans la troisième dans la forme de l'unité des deux ; il a la figure de l'*être-en-et-pour-soi* [30]. » On peut donc en conclure, semble-t-il, à ce niveau encore abstrait d'une organi-sation générale, que les trois sous-sections de la Religion vont répondre respectivement aux sections « Conscience » (en-soi

---

28. *Ph. G.*, 477/14 (II 208/6). A noter qu'il ne faut point trop presser, dans ce passage comme aussi dans le paragraphe précédent, le vocabulaire employé pour caractériser les diverses déterminations en jeu. « Les « moments » qui, dans le syllogisme total, relèvent de la *particularité* (ou encore de la « détermination ») sont dits ici tour à tour « moments singuliers » et « mo-ments universels ». Il est vrai que leur rôle de médiation fait d'eux des singuliers à l'égard du tout et des universels par rapport aux figures qui se différencient en eux.

29. On peut entendre aussi : « Si... l'Esprit en général est dans la forme de la conscience... », — l'Esprit en général désignant alors l'ensemble des quatre premières sections, qui le constituent effectivement dans son être-là universel.

30. *Ph. G.*, 480/22 (II 211/15).

de l'Esprit en général), « Conscience de soi » (pour-soi), et « Raison/Esprit » (en-et-pour-soi) [31] :

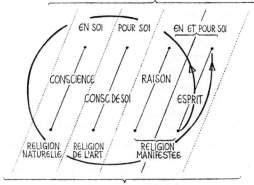

Telle est la première série de corrélations structurelles que nous indique ce texte. Elle concerne « le devenir de la Religion en général », c'est-à-dire la relation entre ses trois divisions majeures et les sections précédentes prises dans leur unité, comme des « moments » cohérents du contenu total. Mais il est

31. Ce schéma risque, pour une part, de fausser les perspectives réelles en durcissant les corrélations et les oppositions. Par exemple, s'il est vrai que la Raison se trouve déjà du côté de la Totalité et peut donc être mise, en même temps que l'Esprit, sous la détermination en l'en-et-pour-soi, il est vrai aussi que la différence de niveau est très profonde entre l'une et l'autre de ces sections : ce que tente d'exprimer le trait qui les sépare ici, — ainsi que la courbe enveloppante, qui montre comment l'Esprit ne se détermine qu'en récapitulant tout le contenu des sections antérieures (y compris la Raison). Cf. p. 152, note 21. Si l'on voulait exprimer de façon très rigoureuse les déterminités logiques de ces sections « Raison » et « Esprit », il faudrait dire que la première expose l'en-et-pour-soi de l'Esprit dans son en-soi, mais seulement *en-soi* (ou pour-nous), tandis que la seconde exprime cet en-et-pour-soi de l'Esprit dans son en-soi de telle sorte qu'il est cela aussi *pour soi-même*. Cf. *Ph. G.*, 24/16 (I 23/5).
Par ailleurs, si les trois sous-sections de la Religion correspondent bien aux trois déterminations de l'en-soi, du pour-soi et de l'en-et-pour-soi, il faudrait exprimer que leur rapport aux premières Sections n'est pas direct, et ne se fait qu'à travers le prisme de leur assomption dans l'Esprit :

une autre série de rapports possibles, entrant davantage dans le détail, et qui permet à chacun des trois développements de la Religion de réassumer, à l'intérieur de chacune des sections, la ou les figures qui correspondent à la détermination du concept qu'il exprime. La raison de cette nouvelle organisation tient en ce que la Religion doit élever l'Esprit dans sa conscience de soi depuis le savoir de ce qu'il est en soi jusqu'au savoir de ce qu'il est en et pour soi, tout comme chacune des sections précédentes élevait l'une des déterminations de la conscience de l'en-soi à l'en-et-pour-soi ; de sorte que s'imposera, cette fois, une correspondance horizontale, qui dépècera chacun des « moments » antérieurs pour recomposer différemment son contenu selon les étages successifs de son déploiement : « Si donc à l'Esprit parvenu au savoir de soi (*dem sich wissenden Geiste*) appartiennent en général Conscience, Conscience de soi, Raison et Esprit [32], alors appartiennent aux figures *déterminées* de l'Esprit parvenu au savoir de soi les formes *déterminées* qui se déployaient à l'intérieur de la Conscience, de la Conscience de soi, de la Raison et de l'Esprit, en chacune particulièrement. La figure *déterminée* de la Religion [33] se saisit, dans les figures de chacun de ses moments, pour en faire son esprit effectif, de celle qui lui correspond. L'*Unique* déterminité de la Religion se saisit de tous les côtés de son être-là effectif et leur imprime cette empreinte commune [34]. »

Une fois encore, un schéma peut nous aider à comprendre cette structure :

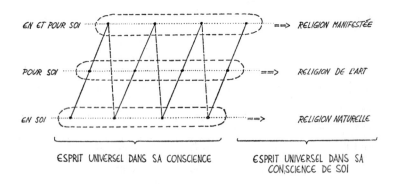

EN ET POUR SOI · ==> RELIGION MANIFESTÉE

POUR SOI · ==> RELIGION DE L'ART

EN SOI · ==> RELIGION NATURELLE

ESPRIT UNIVERSEL DANS SA CONSCIENCE   ESPRIT UNIVERSEL DANS SA CONSCIENCE DE SOI

---

32. Comme ci-dessus, on peut aussi rattacher *überhaupt* à *Geist,* et traduire : « Si donc à l'Esprit en général parvenu au savoir de soi appartiennent... »
33. *I. e.* la Religion naturelle, la Religion de l'art et la Religion manifestée.
34. *Ph. G.*, 477/38 (II 208/29).

Cette représentation graphique suit simplement à la lettre la description très précise que Hegel nous donne ici : « Si donc l'Unique série considérée jusqu'ici marquait en elle par des nœuds, au cours de son progrès, les retours en arrière, mais se dégageait de ces nœuds pour poursuivre dans une marche linéaire une, elle est désormais comme brisée en ces nœuds, les moments universels, et fractionnée en beaucoup de lignes, qui, rassemblées en un unique lien, se réunissent en même temps de façon symétrique, de sorte que les différences semblables dans lesquelles chaque ligne particulière se constituait en figures (*sich gestaltete*) à l'intérieur d'elle-même coïncident [35]. »

Remarquons que cette nouvelle organisation diffère de la précédente sur deux points essentiels. Le premier est que, plus que l'autre, elle inclut dans le mouvement qu'elle esquisse la réassomption du *contenu* comme tel de l'Esprit dans sa conscience. Elle ne reprend plus seulement, en faveur de la Religion, les déterminations formelles des « moments » antérieurs saisis dans leur particularité anhistorique (nous avons vu que les sections, comme telles, ne sont nullement extraposées dans le temps), mais elle descend dans toute la richesse des déterminations singulières que recèlent les figures ; autrement dit, et Hegel insiste plusieurs fois sur ce point [36], ce qu'alors elle découvre et fait sien, c'est « l'esprit effectif déterminé » qui correspond, comme fondement historique, à chaque moment déterminé du concept qu'elle exprime : c'est là exactement le type de corrélations que nous avons montré ci-dessus être propres à cette section « Religion ». On voit comment, en cette ligne de recherche, nous pouvons espérer trouver des éléments qui nous éclairent sur les rapports entre Logique et Chronologie dans la *Phénoménologie*.

La seconde différence tient en ce que l'une des organisations aboutit à un rapport statique de l'Esprit tel qu'en lui-même à sa réalité effective, tandis que l'autre manifeste davantage le dynamisme qui est le sien à l'égard de son objectivité substantielle. Dans ce dernier cas, en effet, la conscience de soi de l'Esprit n'est pas seulement la résultante actuelle d'un mouvement tout entier posé dans le passé : au contraire, nous voyons l'Esprit se constituer peu à peu comme conscience de soi en investissant de façon active les figures antérieures, en les « pénétrant » de sa déterminité unique, en « se saisissant » d'elles pour s'approprier leur contenu. En effet, la substance du déploiement de l'Esprit dans son être-là s'est affirmée pour elle-même et a

35. *Ph. G.*, 478/28 (II 209/23).
36. *Ph. G.*, 477/37 (II 208/28) ; 478/23 et 27 (II 209/18 et 21).

« surgi au dehors ; elle est la profondeur de l'Esprit certain de soi-même, qui ne permet pas au principe singulier de s'isoler et de se constituer soi-même comme tout, mais, rassemblant et tenant unis en soi tous ces moments, elle progresse dans cette richesse totale de son esprit effectif, et tous les moments particuliers de cet esprit prennent et reçoivent en soi en commun la même déterminité du tout [37] ». L'Esprit de la Religion est celui de la Totalité, qui se prouve et s'affirme comme tel en imposant au monde effectif, qu'il sait comme son propre contenu, le sceau de son universalité ; c'est donc une *nouvelle lecture* de la totalité historique qui va pouvoir ici se déployer, — une lecture plus adéquate, puisque faite, si l'on peut dire, du point de vue du Tout, qui est le véritable moteur de son devenir : « L'*Unique* déterminité de la Religion se saisit de tous les côtés de son être-là effectif et leur imprime cette empreinte commune [38]. »

Ce deuxième type de parallèles structurels semble donc répondre davantage aux caractéristiques de la section « Religion », d'une part à l'activité que l'Esprit doit y manifester en tant que conscience de soi, et d'autre part à cette seconde lecture qu'il lui faut y effectuer de la réalité historique (détermination des « contrepoints ») : le libre mouvement de la conscience de soi s'inscrit en filigrane *au-dessous* du mouvement aveugle de la conscience. Mais cette dernière remarque exprime aussi que ce second schéma, loin d'exclure le premier, l'appelle bien plutôt et doit se conjuguer avec lui : la prévalence d'une reprise par

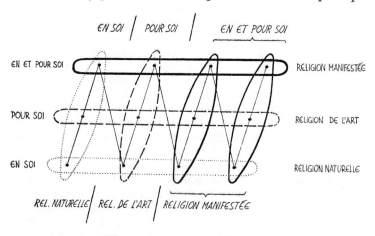

37. *Ph. G.*, 478/17 (II 209/13).
38. *Ph. G.*, 478/6 (II 209/2).

niveaux *horizontaux* a pour corrélatif la reconnaissance d'un type d'écriture *vertical* qui définit les différents plans où la réalité se donne à connaître, selon les harmoniques plus ou moins riches, plus ou moins profondes, de ses significations diverses. Ce qui fait que nous pouvons, recouvrant les deux schémas, nous attendre théoriquement, pour chacune des trois sous-sections de la Religion, à une double série de corrélations qui rassemblent les déterminations semblables dans l'ordre horizontal *et* dans l'ordre vertical (*voir figure page précédente*).

La Religion naturelle, par exemple, devra normalement réassumer et le contenu total de la section « Conscience » (premier trait vertical, vers la gauche, tiré du premier schéma), et chacun des premiers temps des quatre sections en cause (trait horizontal inférieur, correspondant au deuxième schéma) : dans l'un et l'autre cas, la réalité visée y est atteinte en effet sous la modalité de l'en-soi, qui sera celle, précisément, de la Religion naturelle. Quant à la Religion de l'art, puisque l'Esprit dans sa conscience de soi se manifeste en elle comme pour-soi, elle reprendra le mouvement de la section « Conscience de soi » (qui est la section déterminée comme pour-soi dans le premier schéma), ainsi que tous les deuxièmes temps, rassemblés en faisceau, de chacune des sections considérées (qui sont également dans la détermination du pour-soi, selon le deuxième schéma). Enfin, la Religion manifestée, qui est la Religion dans son en-et-pour-soi, correspondra aux sections « Raison » et « Esprit » (c'est-à-dire à l'Esprit comme en-et-pour-soi dans sa conscience — premier schéma) et aux troisièmes temps de chacune de ces sections (qui sont aussi, dans leur ordre propre, au niveau de l'en-et-pour-soi — deuxième schéma) [39].

La comparaison de ce schéma total avec les parallèles explicites que nous rencontrerons au niveau du contenu sera du plus haut intérêt, tant pour l'intelligence de la totalisation ultime opérée dans le Savoir absolu que pour la détermination de la nature de l'œuvre, — de sa valeur au regard de la Logique d'une part, et d'une Philosophie de l'histoire d'autre part. Mais auparavant il nous faut, en lisant les deux derniers paragraphes de cette Introduction à la Religion, reconnaître ce que Hegel annonce dès maintenant à propos de ce dépassement nécessaire.

« La différence qui a été faite entre l'esprit *effectif* et l'Esprit

---

39. Compte tenu, évidemment, des nuances apportées ci-dessus à propos de la première série de corrélations : différence de niveau entre Raison et Esprit au sein de l'unique détermination de l'en-et-pour-soi, — et réassomption du contenu des premières sections à travers la récapitulation qu'en réalise l'Esprit. Cf. p. 155, note 31.

(*ihm*) qui se sait comme Esprit, ou entre lui-même comme conscience et comme conscience de soi, est sursumée dans l'Esprit qui se sait selon sa vérité, sa conscience et sa conscience de soi se sont égalisées [40]. » Cet Esprit dans lequel la vérité est identique à la certitude [41] et l'effectivité posée dans une identité parfaite au Soi, c'est l'Esprit absolu, dont l'ultime section exprimera le savoir. Mais pour l'heure, cet Esprit, s'il accède déjà réellement au savoir de lui-même, ne le fait encore que sous mode immédiat ; autrement dit, comme nous l'avons déjà lu dans la première partie de cette Introduction, « il a pour soi, *représenté* comme *objet*, la signification d'être l'Esprit universel qui contient toute essence et toute effectivité ; mais il n'est pas dans la forme de l'effectivité libre ou de la nature se manifestant sous mode indépendant [42] ». Sans doute, étant donné qu'il existe comme conscience, et puisqu'il a recueilli dans le Soi qui le constitue la totalité de son être-là, il s'objective bien par rapport à lui-même dans l'élément de l'être ; mais sa relation à cette « figure », trop transparente au Soi pour être vraiment libre, implique encore, à cause de cela même, une inadéquation entre l'essence et la conscience [43] ; de sorte que chaque « figure » religieuse, si elle exprime bien, en un sens, la totalité de l'Esprit, le fait encore dans la forme inadéquate de la représentation ; cette forme ne sera sursumée que quand l'Esprit aura parcouru l'ensemble des figures distinctes (et donc partielles) qu'il pose à l'intérieur de sa pure unité (et donc dans une égalité absolue) ; alors il aura pouvoir, en son absolue simplicité, de déployer hors de lui une Nature qui ne soit autre que lui-même posé dans sa libre subsistance [44].

La section « Religion » constitue de la sorte l'exemple le plus achevé du mode selon lequel l'Esprit se révèle tout au long de la *Phénoménologie*, se donnant à connaître de façon réelle, mais encore dans la forme de l'objectivité [45], c'est-à-dire dans la forme inadéquate de la succession temporelle. C'est pourquoi il existe bien une *histoire* des formes religieuses, — histoire dont il est possible de dresser le bilan et de deviner le sens progressivement dévoilé. Il s'agit, bien sûr, d'une histoire « effective »,

40. *Ph. G.*, 479/10 (II 210/10).
41. *Ph. G.*, 479/30 (II 210/28).
42. *Ph. G.*, 475/8) II 205/16).
43. *Ph. G.*, 479/29 (II 210/27-28).
44. *Ph. G.*, 480/4 (II 210/40). Cette réflexion sur l'insuffisance de la figure religieuse en tant que telle surgira de nouveau, et de façon éminente, à propos de la personne du Christ : celle-ci, surdéterminée par l'Absolu, ne peut, à cause de cela même, se déployer librement au sein de l'existence naturelle ; c'est aussi pourquoi, au terme du Savoir absolu, le dépassement de cette forme inadéquate permettra à l'Esprit de se poser enfin *comme Nature*. Cf. ci-dessous, p. 192, note 16, et p. 262, note 62.
45. *Ph. G.*, 480/30 (II 210/24).

puisque son fondement (son « élément ») n'est autre que l'unité consciente, sous une modalité logique déterminée, de la substance et du Soi ; c'est pourquoi Hegel parle des trois étapes de cette histoire comme des « effectivités de l'Esprit[46] » : l'Absolu se manifeste d'abord dans son identité à la réalité immédiate, puis comme le Soi qui investit totalement de sa puissance négative cette « naturalité » immédiate, avant de se déployer librement dans l'identité (enfin devenue manifeste) de son universalité essentielle et de sa singularité effective. Mais parce que cette manifestation s'opère en suivant le mouvement des déterminations unilatérales du concept[47], elle se déploie encore selon un mouvement d'intégration linéaire tel que le contenu total n'est point présent dès la première figure : dans l'unité de l'Esprit qui les investit toutes, les figures se distinguent donc l'une de l'autre et se posent comme réellement différentes. C'est aussi la raison pour laquelle la dernière de ces figures, parce que la vérité totale qu'elle exprime enfin est le *résultat* de toutes ces figurations partielles, ne présentera pas encore ce Tout dans sa pureté conceptuelle, mais seulement comme une « *figure vraie*[48] ». C'est dire que ces trois moments (Religion naturelle, Religion de l'art, Religion manifestée) permettront seulement à l'Esprit posé dans sa conscience de soi de passer de son affirmation de lui-même sous la modalité de l'en-soi à la pleine détermination de ce qu'il est en et pour soi, mais sous cette forme non encore pleinement accomplie de la conscience de soi. — Nous allons suivre ce mouvement en reprenant chacune de ses étapes.

II. LA RELIGION NATURELLE

Dans les neuf pages de la Religion naturelle, nous ne trouvons que trois parallèles explicites, un au début de chacun des développements majeurs : L'Essence lumineuse, La Plante et l'animal, L'Artisan. Mais ces corrélations revêtent une force singulière. La première met très normalement en relation ce premier temps de la Religion immédiate avec les développements correspondants dans les sections « Conscience » et « Conscience de soi ». Voici en quels termes elle se trouve présentée : « Dans la pre-

46. *Ph. G.*, 480/10, 13, 19 (II 210/5, 8, 13). Ce niveau d' « effectivité » avait déjà été atteint, *dans la détermination complémentaire de l'en-soi*, au début de la section « Esprit » : 314/6 (II 10/8).
47. *Ph. G.*, 480/22 (II 210/15).
48. *Ph. G.*, 480/28 (II 211/21).

mière division immédiate de l'Esprit absolu qui se sait soi-même,
sa figure a cette détermination qui survient à la *conscience immédiate* ou à la certitude *sensible.* L'Esprit s'intuitionne dans la
forme de l'*être,* non pas pourtant de l'être sans esprit rempli
des déterminations contingentes de la sensation, qui appartient
à la Certitude sensible, mais c'est l'être rempli par l'Esprit. Cet
être inclut aussi bien en soi la forme qui advenait à la *conscience
de soi* immédiate, la forme du *Maître* à l'égard de la conscience
de soi de l'Esprit se retirant de son objet [49]. » A l'égard de la
Certitude sensible se trouvent donc soulignées tout à la fois
des ressemblances et des différences. La « détermination », en
effet, est identique : elle consiste, dans le cas de la conscience
religieuse, à se rapporter à soi-même dans l'élément de l'être
de telle manière que cette appréhension demeure définie comme
une saisie intuitive immédiate ; mais l'être en question n'a plus
la pauvreté de l'ici et du maintenant : il inclut en fait la totalité
du déploiement de l'Esprit dans son être-là, et se trouve visé
dans toute la plénitude spirituelle qu'il a acquis peu à peu au
cours du déploiement des quatre premières sections ; c'est donc
la totalité de l'Esprit se manifestant dont le contenu se trouve
ici en cause, — la totalité de l'Esprit considérée sous la raison
formelle d'une certitude et d'une intuition immédiates.

A cette évocation, Hegel ajoute celle de la figure dans laquelle
s'exprimait la conscience de soi immédiate, — référence normale
puisqu'il s'agit ici de déterminer ce qu'est, sous mode *immédiat,*
l'Esprit universel dans sa conscience de soi : c'est pourquoi,
dans l'être-là total qui constitue sa substance, cet Esprit conscient
de soi recueille et fait sienne « la forme du Maître », l'attitude
qu'exprimait celui-ci dans son monde. Cette corrélation pose
pourtant des problèmes complexes. Remarquons tout d'abord
que la référence vise la figure du *Maître* comme tel, et non point
la dialectique Domination et Servitude dans la totalité de ses
articulations. Nous avions dit, en son temps, que l'économie de
la section « Conscience de soi », avec le « double mouvement »
qui la constitue [50], ne livre pas à première lecture la plénitude de
sa signification. En fait, nous comprenons maintenant que les
deux termes mis en présence dans le premier mouvement qu'elle
comporte (à savoir la figure du Maître et celle de l'Esclave),
bien que leur signification respective ne se révèle que dans le
jeu de leurs rapports mutuels, demeurent pourtant formellement
distincts, de sorte que chacun d'eux peut être évoqué pour lui-
même, comme un pôle autonome autour duquel se rassemble

49. *Ph. G.,* 483/27 (II 215/1).
50. Evoqué comme tel en 255/29 (I 289/4). Cf. aussi 177/1 (I 197/17).

et se définit un moment particulier du mouvement total. Cette disjonction, au vrai, apparaissait déjà au début du second mouvement de cette section « Conscience de soi » (dans l'introduction à la Liberté de la conscience de soi), puisqu'alors nous avons vu le sens, si l'on peut dire, déserter la figure du Maître pour se poser du côté de celle de l'Esclave [51]. Dans ce cas, le Maître représente la conscience de soi dans son immédiateté première (ou la conscience qui est immédiatement et abstraitement pour soi), tandis que l'Esclave désigne l'attitude de la conscience de soi qui accepte de se mesurer aux choses, de descendre dans la réalité substantielle et de séjourner en elle ; on peut dire encore que le Maître, alors, exprime le rapport initial de la conscience de soi avec la Vie (rapport qu'il exprime concrètement en acceptant de jouer son existence jusqu'au bout dans la lutte à mort) : il est la traduction concrète, singularisée, « figurée », de ces mouvements de besoin et de jouissance (dialectique du Désir), de mort et de renaissance (dialectique de la Vie), dont les premières pages de la Section « Conscience de soi » donnent l'épure abstraite sous mode d'introduction [52].

La première figure de la Religion naturelle exprime donc l'immédiateté de la conscience de soi qui était le propre de la figure du Maître, si pleinement un avec son essence objective que rien ne l'en peut détacher, rien et pas même la peur de la mort. Est-ce le sens de la dernière phrase que nous avons citée, selon laquelle l'être-là dans lequel l'Esprit conscient de soi se connaît et se donne à reconnaître sous mode immédiat « inclut en soi... la forme du Maître *à l'égard de la conscience de soi de l'Esprit se retirant de son objet* » ? Ce retrait peut désigner l'attitude de l'esclave renonçant à une liberté dont le prix serait la mort, et manifestant par là la distance qu'il conserve, dans sa conscience de soi, à l'égard de son essence. Le développement de cette attitude sera, dans le « second » mouvement, l'affir-

---

51. *Ph. G.*, 151/5 (I 167/3).
52. D'un certain point de vue, le texte sur le Désir et sur la Vie peut être compté comme le premier temps de cette section, le second étant constitué par Domination et Servitude, et le troisième par la dialectique de la Liberté de la conscience de soi. Ceci dans la perspective d'une évocation globale du mouvement de la Conscience de soi. Au contraire, lorsque, comme ici, il s'agit d'une réassomption du *contenu* concret, c'est l'expression en *figures* qui l'emporte, et les trois temps de la Conscience de soi deviennent : Maître, Esclave, Liberté de la conscience de soi. — A noter une autre division possible, qui se trouve simplement amorcée dans la dialectique de l'Etat du droit (343/27, II 45/9) : Domination et servitude, « comme être-là immédiat de la Conscience de soi », représenterait le premier temps de cette section, et la conscience stoïque, comme arrachement à cette immédiateté, en représenterait le second temps. — Le sens précis des dialectiques du Désir et de la Vie, le type particulier d' « expérience » qu'elles mettent en jeu, ne pourraient ressortir qu'au terme d'un commentaire détaillé de ces pages qui n'entre point dans la visée limitée de notre étude actuelle.

mation d'une liberté mutilée, à travers les dialectiques du Stoïcisme, du Scepticisme et de la Conscience malheureuse ; et ce
sont elles, de toute évidence, qui sont visées à travers un texte de
l'introduction à la Raison qui n'est pas sans évoquer celui que
nous cherchons à comprendre ici : l' « objet de la conscience de
soi *libre* » y est décrit comme un objet « *qui se retire des autres,*
lesquels valent encore *à côté* de lui [53] ». Ici, au contraire, l'Esprit
est totalement et immédiatement engagé dans la substance où il
s'appréhende comme conscience de soi, — au point que cette
identité immédiate détermine l'abstraction (normale en ce premier temps) de cette expression objective de lui-même, où le Soi
ne se retrouve plus comme Soi dans une essence encore translucide, sans « liberté » authentique (comme l'était, au fond, la
liberté fallacieuse du Maître, laquelle resurgit, dans les dialectiques suivantes, à l'intérieur de celle de l'Esclave, pour signifier
son non-accomplissement véritable). L'Esprit n'est alors que
« la pure *essence lumineuse* de l'aurore qui contient et remplit
tout, et qui se conserve dans sa substantialité sans forme [54] ».
Ce n'est que plus loin, dans la figure de l'Œuvre d'art vivante,
lorsqu'elle aura été façonnée par la puissance négative de l'arti-
san-esclave, que cette essense immédiate perdra son abstraction
pour acquérir l'effectivité d'une conscience de soi vraiment
libre [55].

Les deux autres parallèles que nous rencontrons dans la
Religion naturelle posent beaucoup moins de problèmes. Ils
mettent en relation les dialectiques de La Plante et l'animal et
de L'Artisan avec les moments correspondants de la section
« Conscience » : Perception et Entendement. — Voici le premier : « L'Esprit conscient de soi-même, qui hors de l'essence
sans figure est allé en soi-même ou a élevé son immédiateté au
Soi en général, détermine sa simplicité comme une multiplicité
de l'être-pour-soi, et est la religion de la *perception* spirituelle,
dans laquelle il se désagrège en une pluralité innombrable d'esprits plus faibles et plus forts, plus riches et plus pauvres [56]. »
Nul appel, on le voit, au *mouvement* qui de la Certitude sensible
a conduit la conscience jusqu'à l'universel conditionné de la
chose perçue ; mais la simple mention, au début de ce développement nouveau, d'un parallélisme des situations, développé
en une sorte de table des correspondances : l'essence sans figure
est comme la totalité rassemblée des ici et des maintenant indé-

53. *Ph. G.*, 176/31 (I 197/8). Mis à part le dernier, les soulignements
indiqués ici ne se trouvent pas dans le texte de Hegel.
54. *Ph. G.*, 484/3 (II 215/14).
55. *Ph. G.*, 503/8 (II 238/7).
56. *Ph. G.*, 485/3 (II 216/16).

terminés, assumés dans l'universel ; le retour de l'Esprit en soi-même est analogue à la position de l'acte du percevoir, premier embryon du sujet ; quant à la pluralité diversifiée des « esprits », elle correspond à la multiplicité des propriétés à l'intérieur de la chose, avec, comme alors, les deux aspects de repos et de lutte (ici, dans la religion des plantes, puis dans la religion des animaux). Nulle autre allusion explicite dans le texte qui suit ; mais le second paragraphe, qui traite du rôle de l'artisan, évoque, par son mouvement et son vocabulaire, la figure de l'esclave, ce qui corrobore l'interprétation proposée ci-dessus au sujet de la corrélation entre l'Essence lumineuse et le Maître. Il est vrai que ce paragraphe est un texte charnière, qui appartient déjà pratiquement au troisième temps de la Religion naturelle, puisque Hegel lui-même prend soin de souligner que, dès cet instant, « l'Esprit entre dans une autre figure [57] ».

Le troisième parallèle est encore plus elliptique, en même temps que la relation devient plus extrinsèque. Il est difficile, en effet, de prétendre que l'attitude de l'Artisan, dont l'activité opérationnelle à l'égard de lui-même et de son objet est soulignée d'entrée de jeu [58], reprend exactement celle, plus passive, plus immédiatement d'ordre cognitif, de la dialectique Force et Entendement. Il est vrai que Hegel parle ici de « travail instinctif, comme celui des abeilles qui fabriquent leurs alvéoles [59] », ce qui maintient la perspective d'un mouvement aveugle, assez proche de la simple expansion de la conscience encore privée de retour sur soi ; néanmoins la différence demeure profonde, et fait que la reprise est ici bien lointaine et extérieure : « La première forme, parce qu'elle est l'immédiate, est la forme abstraite de l'entendement, et l'œuvre n'est pas encore en elle-même remplie par l'Esprit. Les cristaux des pyramides et des obélisques, les connexions simples de lignes droites avec des surfaces planes et des relations égales des parties, dans lesquelles l'incommensurabilité du cercle est éliminée, tels sont les travaux de cet artisan de la stricte forme [60]. » Encore cette évocation ne s'applique-t-elle qu'aux tout premiers travaux de l'artisan, puisque très vite il dépasse cette « forme abstraite de l'entendement » pour donner effectivité à une « forme plus animée [61] ».

Ces trois corrélations permettent donc d'assurer, sous mode plus ou moins prégnant, une reprise de la section « Conscience », dans la totalité de son développement ; c'est à quoi la première

57. *Ph. G.*, 485/33 (II 217/17).
58. *Ph. G.*, 486/16 (II 218/10).
59. *Ph. G.*, 486/19 (II 218/13).
60. *Ph. G.*, 486/21 (II 218/15).
61. *Ph. G.*, 487/24 (II 219/26).

série de parallèles structurels exposée dans l'introduction à la
Religion nous permettait de nous attendre. Quant à la seconde
table des corrélations, celle qui procède par regroupements horizontaux, elle ne reçoit ici qu'un commencement d'illustration,
avec la mention de la figure du Maître à propos de la dialectique
de l'Essence lumineuse. Il est normal qu'aucune corrélation
directe n'ait été exprimée avec le moment de la Raison observante, puisque, nous le savons, la Raison, à cause de l'immédiateté du mouvement qu'elle déploie, « ne contient aucune religion [62] ». L'absence de toute référence au Monde éthique paraît,
à première vue, moins explicable ; c'est là, à nouveau, un problème complexe, que seul l'examen des récurrences prochaines
nous permettra d'aborder à son véritable niveau.

III. LA RELIGION DE L'ART

C'est précisément sur un long parallèle avec le moment de
la substance éthique que s'ouvre le second temps, celui de la
Religion de l'art. Comment expliquer cela, puisque cet « Esprit
vrai » (le monde grec) représente, à l'intérieur de la quatrième
section, le moment de l'en-soi ? Est-ce que son contenu, de ce
fait, ne devrait pas cohérer davantage, si l'on en croit la table
des parallèles structurels exposée par Hegel lui-même, avec la
dialectique de la Religion naturelle ? Comment comprendre le
fait que cette corrélation ne surgisse qu'au niveau de la Religion
de l'art, c'est-à-dire du pour-soi ? Pour répondre à ces questions,
il nous faut d'abord lire le texte dans lequel ce rapprochement
se trouve souligné.

Dans la Religion naturelle, l'Esprit dans sa conscience de
soi est *objet* à lui-même dans l'extériorité de la conscience ;
autrement dit, il se contemple dans l'unité immédiate de son Soi
avec l'être-là qu'il investit de sa présence. Le développement de
cette figure, depuis l'abstraction et la substantialité sans forme
de l'essence lumineuse jusqu'à la production par l'artisan de
la figure humaine dans la statue qu'il édifie, exprime le retour
de cette extériorité « dans la forme de la conscience même [63] »,
c'est-à-dire dans l'élément de la conscience de soi : « Dans cette
œuvre cesse le travail instinctif qui, en face de la conscience
de soi, engendrait l'œuvre sans conscience ; en effet, en elle, à

62. *Ph. G.*, 473/23 (II 203/21).
63. *Ph. G.*, 490/4 (II 223/3).

l'activité de l'artisan qui consiste dans la conscience de soi s'oppose un intérieur également conscient de soi et qui se dit. Il s'est élevé dans son travail jusqu'à la division de sa conscience, dans laquelle l'esprit rencontre l'esprit [64]. » Autrement dit, l'œuvre qu'il produit est désormais dotée d'un intérieur ; elle a une signification propre, un Soi, qu'il est possible d'interroger, avec lequel on peut entrer en dialogue : « En tant que la figure a gagné la forme de l'activité consciente de soi, l'artisan est devenu travailleur spirituel [65]. »

La situation nouvelle étant ainsi caractérisée, Hegel, en une démarche seconde, se demande à quel moment de l'Esprit dans son être-là elle correspond, c'est-à-dire en quelle période historique elle a été vécue et s'est donnée à connaître comme telle (recherche du « contrepoint ») : « Si nous nous demandons après cela quel est l'esprit *effectif* qui a dans la Religion de l'art la conscience de son essence absolue, il se trouve que c'est l'Esprit *éthique* ou l'Esprit *vrai* [66]. » On peut être tenté de donner de cette affirmation, présentée ici comme une évidence qui va de soi, une explication d'ordre purement historique : n'est-ce point dans le monde grec, décrit dans cette dialectique de l'Esprit vrai, que virent le jour les œuvres d'art (constructions, statues, épos, jeu théâtral, langage de la tragédie et de la comédie) sur lesquelles Hegel va faire porter son analyse dans les pages qui suivent ? Mais il resterait à expliquer la non-correspondance de cette considération avec le pur mouvement du concept, et la distorsion que celui-ci subit dans le traitement qui lui est ainsi imposé. En vérité, la réponse est plus complexe que cela, et elle va nous permettre d'entrer dans une intelligence plus précise de la nature des parallèles qui structurent l'œuvre, à tout le moins à ce niveau de son développement.

La première remarque de Hegel, le point de départ de sa réflexion, va à manifester sous mode positif la convenance, par rapport à l'épanouissement de l'art conscient de lui-même, de cette substance éthique entendue dans sa déterminité la plus universelle, sans distinction en elle de moments plus précis. A ce premier niveau d'appréhension universelle, on peut dire en effet que le propre de cette substance est qu'elle est apte à exprimer l'intériorité effective de la conscience, puisque chacun des sujets en elle a son essence : « Cet esprit n'est pas seulement la substance universelle de tous les singuliers, mais en tant qu'elle a pour la conscience effective la figure de la conscience, cela signifie que elle, qui a individualisation, est sue par eux comme leur

64. *Ph. G.*, 489/14 (II 221/23).
65. *Ph. G.*, 490/8 (II 223/5).
66. *Ph. G.*, 490/10 (II 223/9).

propre essence et œuvre [67]. » On peut dire alors que la substance, dans son égalité effective avec la conscience singulière qui trouve en elle son fondement, vient à sa rencontre lorsque d'aventure cette conscience, après s'être chargée de toute la plénitude de l'Esprit conscient de soi, s'efforce d'exprimer, dans ce monde qui est sien, la totalité qui l'habite. Il est évident alors, et Hegel le souligne dans les lignes suivantes, que cet esprit effectif n'a rien de commun avec le monde dans lequel s'exprimait la Religion naturelle ; dans ce monde, en effet, le Soi de la conscience de soi, loin de pouvoir se donner à connaître de façon adéquate, ou bien était absorbé par l'essence lumineuse sans figure, ou bien s'éparpillait sans cohérence en une multitude d' « esprits » opposés entre eux, rassemblés seulement dans l'ordonnance abstraite d'un organisme social privé de liberté. Seul peut correspondre au mouvement de l'art un esprit qui est « le peuple libre, dans lequel les mœurs constituent la substance de tous, substance dont tous et chaque singulier savent l'effectivité et l'être-là comme leur volonté et leur opération [68] ».

L'affirmation est, on le voit, d'une netteté totale, dans son paradoxe même : l'esprit effectif qui correspond au pour-soi de la Religion, c'est l'en-soi que constitue l'Esprit vrai déployé comme monde. Pourtant, Hegel ne s'en tient pas là, et il nous faut le suivre dans une détermination plus exacte de cette corrélation. Car la substance éthique, comme telle, représente un « monde », un monde soulevé par une évolution permanente, un monde qui a une naissance, un plein déploiement, et qui en vient finalement à s'écrouler dans sa division intérieure : est-ce que la religion de l'art trouve également la « matière » de son affirmation dans toutes ces phases distinctes ? Prend-elle ce monde tel qu'il est, exprimant simplement la plénitude de la conscience de soi de ce monde, ou n'est-elle pas plutôt le dynamisme intime qui l'entraîne vers son terme ? En ce cas, ne pourrait-on dire qu'elle correspond plus spécialement à telle ou telle phase de son évolution, — à ce qui, dans l'en-soi qu'il est, constitue la naissance progressive de son pour-soi ?

C'est ce que Hegel suggère en montrant qu'il ne peut y avoir de correspondance immédiate entre l'un et l'autre de ces termes ; en effet, « la religion de l'esprit éthique est son élévation au-dessus de son effectivité, le retour *hors de sa vérité* dans le pur *savoir de soi-même* [69] ». Affirmation capitale, que Hegel développe en un long paragraphe ; elle révèle que la religion de l'art s'affirme

67. *Ph. G.*, 490/13 (II 223/12).
68. *Ph. G.*, 490/25 (II 223/25).
69. *Ph. G.*, 490/29 (II 224/1).

dans la dissolution même de cet esprit éthique dans lequel elle trouve pourtant son effectivité. — Ce qui constitue le fondement du monde éthique, dans sa spécificité, c'est l'égalité immédiate du singulier et de l'universel ; voilà qui donne un univers compact, sans faille, dans lequel l'action de chacun est réellement coextensive à l'essence de tous. Dans cette mesure, il n'est point de place en lui pour ce type d'attitude religieuse partielle que Hegel exprime en ce second temps de la Religion, attitude caractérisée précisément par le fait que la conscience de soi n'a point encore rejoint pleinement son expression substantielle. D'ailleurs, il est caractéristique que les deux formes de religion rencontrées dans le Monde éthique (la religion du *destin* et celle de l'*esprit disparu*) impliquent toutes deux une rupture de l'équilibre qui est essentiel à l'affirmation de ce monde dans sa perfection originelle ; voilà qui avait été déjà souligné dans l'Introduction à cette section [70] ; ici, nous retrouvons la même idée sous une autre forme : « En tant que le peuple éthique vit dans l'unité immédiate avec sa substance et n'a pas en lui le principe de la singularité une de la conscience de soi, sa religion ne surgit dans sa perfection que lorsqu'il *se détache* de sa *subsistance* [71]. »

C'est donc à l'instant de sa dissolution, lorsqu'elle en vient à perdre son « *immutabilité* tranquille en face de l'absolu mouvement de la conscience de soi [72] », que l'essence éthique peut porter le poids de la révélation du Soi de l'Esprit, — et donc exprimer une attitude religieuse. A son niveau, cela se traduit par la perte d'elle-même et son retour dans le Soi abstrait de l'Etat du droit : « Le perfectionnement de l'ordre éthique jusqu'à la libre conscience de soi et le destin du monde éthique sont donc l'individualité qui est allée en soi, l'absolue légèreté de l'esprit éthique qui a résolu en soi toutes les différences solides de sa subsistance et les masses de son articulation organique, et, complètement sûr de soi, est parvenu à l'allégresse sans limites et à la plus libre jouissance de soi-même [73]. » Résultat qui, comme tout résultat, peut être appréhendé sous la raison de l'accomplissement qu'il opère ou sous celle de la disparition qui le rend possible : « Cette certitude simple de l'Esprit en soi est réalité ambiguë : calme subsistance et solide vérité aussi bien qu'inquiétude absolue et la disparition de l'ordre éthique [74] » ; mais en fait, c'est cette dernière explication qui a prévalu et qui prévaut ici : « En effet, la vérité de l'esprit éthique n'est tout

---

70. *Ph. G.*, 473/28 (II 204/1).
71. *Ph. G.*, 490/31 (II 224/3).
72. *Ph. G.*, 491/4 (II 224/8).
73. *Ph. G.*, 491/21 (II 224/25).
74. *Ph. G.*, 491/28 (II 225/1).

JOHN C. THOMAS

d'abord encore que cette essence substantielle et cette confiance, dans lesquelles le Soi ne se sait pas comme singularité libre, et qui par conséquent dans cette intériorité ou dans la libération du Soi s'abîme en son fondement (*zu Grunde geht*)[75]. » Dès lors, la conclusion s'impose, qui éclaire, en reprenant ses termes, l'affirmation initiale de ce paragraphe : « Quand donc la confiance est rompue, la substance du peuple brisée en soi, alors c'est que l'Esprit, qui était le moyen terme des extrêmes sans subsistance, est désormais sorti dans l'extrême de la conscience de soi qui se saisit comme essence. Celle-ci est l'Esprit certain en soi qui se lamente de la perte de son monde et qui maintenant, à partir de la pureté du Soi, produit son essence, *élevée au-dessus de l'effectivité*[76]. »

Le parallélisme instauré en ce début de la Religion de l'art ne vise donc point l'essence éthique comme telle considérée dans sa totalité compacte et sans faille, mais (et l'on pourrait presque dire : au contraire) l'instant de sa disparition, de son engloutissement dans le Soi de la personne, et dans l'activité que celui-ci va développer à travers l'univers de la Culture, — où l'Esprit cherche à recomposer l'égalité perdue avec sa propre substance. C'est aussi bien à ce mouvement de l'Esprit dans un monde qui lui est devenu étranger et à l'activité religieuse de l'artiste que peut s'appliquer le jugement que nous venons de lire : l'Esprit est « dans l'extrême de la *conscience de soi* se saisissant comme essence », et il s'efforce, à partir de cette pureté du Soi, de « *produire son essence* », laquelle n'est plus simplement offerte dans son unité immédiate avec la conscience de soi (Monde éthique, attitude religieuse naturelle), mais doit être conquise et façonnée par elle. — « C'est dans une telle époque que surgit l'art absolu[77]. » Auparavant (= Religion naturelle), l'art n'était qu'un travail instinctif, en dépendance étroite de la matière dans laquelle il s'exprimait : il n'avait pas « sa substance dans l'ordre éthique libre[78] » ; plus loin (= Religion manifestée), l'art se dépassera lui-même, n'engendrant plus seulement la substance née du Soi, mais le Soi lui-même présent dans la substance (Incarnation) ; ici, en ce monde médiat, prévaut le mouvement de l'art en toute sa pureté, car l'Esprit, libéré de l'être-là immédiat, existe *en lui-même* comme pure forme : il peut donc développer, en lui et à partir de lui, toute réalité[79].

---

75. *Ph. G.*, 491/31 (II 225/5).
76. *Ph. G.*, 491/36 (II 225/9). Ce soulignement n'est pas dans le texte de Hegel.
77. *Ph. G.*, 492/4 (II 225/18).
78. *Ph. G.*, 492/6 (II 225/21).
79. *Ph. G.*, 492/16 (II 226/1).

Toutes ces considérations nous engagent à ne point simplifier abusivement la situation en l'enfermant à l'intérieur de coordonnées trop rigides. En fait, il est vrai que, sous un aspect, les développements de la Religion de l'art correspondent à ceux du Monde éthique, — et il est vrai également (plus vrai peut-être) qu'ils se trouvent accordés avant tout à ce qui, dans ce Monde, opère progressivement, sa transformation d'abord, sa disparition ensuite : n'est-ce pas normal, puisque l'Esprit *dans sa conscience de soi* est le principe *actif* qui organise la substance universelle pour en faire peu à peu un monde spirituel ? On peut donc dire que l'esprit effectif de la Religion de l'art, c'est ce qui, *dans* l'en-soi de l'essence éthique, trahit déjà son pour-soi à l'œuvre, présent en lui dès l'origine comme le dynamisme de son auto-mouvement.

Voilà qui laisse à Hegel, si l'on peut dire, une « masse de manœuvre » suffisante pour lui permettre de ne sacrifier aucune des harmoniques du mouvement qu'il déploie. Par exemple, au début de la Religion manifestée, dans un texte récapitulatif qui réassume, en fonction de la perspective nouvelle, les moments antérieurs, il réaffirme une perspective tout à fait semblable à celle que nous venons de développer : « La Religion de l'art, écrira-t-il alors, appartient à l'esprit éthique que nous avons vu ci-dessus disparaître dans l'Etat du droit, c'est-à-dire dans la proposition : *Le Soi comme tel, la personne abstraite, est essence absolue* [80] » ; mais cela ne l'aura pas empêché, dans le troisième temps de cette Religion de l'art, c'est-à-dire dans l'Œuvre d'art spirituelle, de déployer un vaste parallèle, au double plan du contenu et de la forme, entre la détermination religieuse de l'univers de la tragédie et les moments qui structurent le développement de la substance éthique elle-même : le cercle des dieux, auparavant dispersé, se rassemble dans l'opposition simple des « puissances » qui s'étaient alors affirmées, et qui reçoivent ici, en retour, leur ultime individualisation (droit divin/droit humain, caractère féminin/caractère masculin) ; de même, l'attitude du héros face à ces dieux se partage selon l'une ou l'autre des déterminations formelles que nous avions alors rencontrées : celle du savoir ou celle du non-savoir [81].

On voit l'inanité, ou tout au moins le caractère très approximatif, d'une table des parallèles qui, comme celle présentée par Wilhelmine Drescher, se contente d'indiquer des relations globales, trop hâtivement définies. En réalité, il n'y a jamais simple

80. *Ph. G.*, 522/22 (II 259/25).
81. *Ph. G.*, 512/33 et 513/16 (II 249/17 et 29).

correspondance d'une totalité homogène à une autre totalité homogène, pour la très simple raison que chacune des masses du développement est un monde en mouvement, traversé de courants contraires qui expriment sa richesse intime, et qui préparent, à travers le déroulement de l'expérience actuelle, le surgissement d'une figure et d'une situation *nouvelles*. Voilà ce que nous voulions signifier en disant qu'il existe plusieurs lectures possibles du réel, à divers niveaux de profondeur ; par exemple, au plan de la totalité, auquel nous nous trouvons maintenant, il y a pour le moins deux types de lecture : celui de la section « Esprit », celui de la section « Religion » ; et ces deux mouvements ne se recouvrent pas exactement, chacun d'eux s'organisant en des unités originales dont les limites ne s'ajustent pas nécessairement les unes aux autres. Chacun d'entre eux a son rythme propre, développe ses propres catégories, et s'articule à l'intérieur de lui-même, dans son auto-mouvement, selon des « nœuds » qui n'ont point toujours, ici et là, la même importance ni la même signification. Ainsi, aucune religion ne correspond vraiment à l'Esprit éthique comme Esprit éthique, c'est-à-dire comme un univers compact et clos sur lui-même ; mais cela n'empêche point de reprendre ses déterminations, puisque celles-ci expriment déjà *en lui* l'au-delà de lui-même, la scission du Soi véritablement spirituel qui le mène vers sa perte *et* son accomplissement. C'est donc bien une manière de réécrire l'histoire dans l'histoire, en manifestant le dynamisme réel de son évolution ; ainsi que nous l'avons lu à propos des réflexions structurelles contenues dans l'Introduction à la section « Religion », l'unique déterminité religieuse, qui exprime le Tout dans le moment de son activité, pénètre activement les moments du développement antérieur, pour manifester leur poids véritable, et révéler ce que d'eux-mêmes ils ne pouvaient livrer : l'Esprit qui en eux se donne à connaître.

Nous avons omis, dans ce texte introductif à la Religion de l'art, un passage qui, à l'intérieur de la relation au Monde éthique, découvre, à un niveau plus fondamental, la reprise, dans la section « Conscience », du mouvement de la Perception. Parallèle normal, puisque Religion de l'art et Perception appartiennent toutes deux, dans leurs dialectiques respectives, au second temps, à celui du pour-soi. Voici le texte : « La multiplicité des droits et des devoirs, comme l'action limitée, sont, dans l'Ethique, le même mouvement dialectique que la multiplicité des choses et de leurs déterminations, — un mouvement qui ne trouve son repos et sa solidité que dans la simplicité de l'esprit certain de soi[82] ». Sans le viser directement, ce texte en évoque un autre, que nous avons analysé dans le chapitre précédent, et qui indique précisément une corrélation entre l'apparition des « multiples rapports éthiques » et celle des propriétés intérieures à la chose de la Perception[83]. On voit qu'il s'agit là de trois mouvements qui se déroulent effectivement selon le même tracé : le concept simple exprime tout d'abord sa richesse intérieure en se divisant en deux termes dont chacun se trouve investi, à cause même de cette origine, de la force du Tout ; le dialogue qui en résulte, et l'échange de déterminations qu'il engendre, reconduit le concept dans son fondement simple, c'est-à-dire dans un Soi qui se pose en lui-même à un nouveau niveau de profondeur. — Ce parallèle, comme déjà ceux que nous avons rencontrés dans la Religion naturelle, présente donc une simple corrélation formelle, importante sans doute pour souligner la résurgence, d'un bout de l'œuvre à l'autre, d'un mouvement dialectique unitaire, mais qui ne pose point les mêmes questions complexes que les parallèles indiquant une reprise du contenu, lesquels concernent plus directement les rapports entre Logique et Histoire.

Toutes les autres corrélations (une quinzaine) que nous rencontrons dans le cours de la Religion de l'art sont fort loin d'avoir la même importance. Presque toutes situent l'un des trois moments qu'elle comporte (l'Œuvre d'art abstraite, l'Œuvre d'art vivante, l'Œuvre d'art spirituelle) dans une relation d'accomplissement à l'égard de tel ou tel passage de la Religion naturelle. Par exemple : dans la sculpture et l'architecture, la forme n'est plus, comme naguère, le simple cristal de l'entendement, et non plus un mélange des formes de la nature et de la pensée[84] ; ou bien : la lumière de la conscience illumine maintenant la figure du dieu, lequel jusqu'alors était purement intérieur, — tandis que, de son côté, la figure humaine se sépare de la figure animale[85] ; ou encore : de même que les esprits des peuples, devenus conscients de leur essence dans un animal particulier, s'étaient d'abord opposés les uns aux autres avant de se réunir tous ensemble, de même, accomplis maintenant en leur beauté spirituelle, vont-ils se réunir en un seul Panthéon, sous l'égide du langage[86]... — Toutes ces mentions (comme aussi celle, déjà

---

82. *Ph. G.*, 491/16 (II 224/20).
83. *Ph. G.*, 318/16 (II 15/20).
84. *Ph. G.*, 493/20 (II 227/13), qui renvoie à 486/21 (II 218/15) et à 487/23 (II 219/25).
85. *Ph. G.*, 493/33 (II 227/24), qui renvoie à 488/28 (II 220/32) et à 488/7 (II 220/12).
86. *Ph. G.*, 506/19 (II 241/25), qui renvoie à 485/24 (II 217/8). Comme dans la section Esprit, le *langage* constitue, à chacune des étapes traversées, l'élément récurrent dans lequel la réalité, sous mode plus ou moins prégnant,

analysée plus haut, qui montre comment l'essence lumineuse abstraite acquiert ici une effectivité) [87] ont la même signification : souligner que tout le contenu des moments antérieurs se trouve assumé dans la vérité nouvelle qui depuis s'est fait jour. Voilà qui n'intéresse point l'économie de l'œuvre dans son ensemble : c'est l'expression, identique à chacun de ses moments, de la continuité linéaire qu'elle déploie au travers de ses structures diverses.

Si nous comparons maintenant le diagramme de ces parallèles du second temps de la Religion avec ce que la table des rapports structurels exposée dans l'introduction à cette section nous permettait d'attendre, nous constatons que la prédominance d'une reprise « verticale » constatée dans la Religion naturelle a fait place ici à une réassomption d'ordre « horizontal », puisque les corrélations les plus marquantes visent la Perception, et surtout cet intermédiaire entre le Monde éthique et celui de la Culture que constitue le mouvement de l'Etat du droit. Nous n'avons rencontré, en particulier, aucune allusion à aucun passage à la section « Conscience de Soi », dont la Religion de l'art devait pourtant répéter le dessin. Contentons-nous de remarquer ces faits, sur lesquels il est encore trop tôt pour porter un jugement ; mais il est évident qu'ils ont trait à un problème que ces pages, on s'en souvient, souhaitent pouvoir éclairer quelque peu : celui des relations entre le développement logique (peut-être plus purement présent dans les premières sections) et le contenu concret, chronologique (qui entre en lice plus pleinement avec la section « Esprit ») d'une Histoire qui est à la fois l'objet passif de la compréhension et le révélateur du sens. L'examen des parallèles contenus dans la troisième sous-section va nous permettre d'acquérir de nouvelles données à ce propos.

IV. LA RELIGION MANIFESTÉE

La Religion manifestée traduit le mouvement grâce auquel l'Esprit absolu, dans la plénitude de sa conscience de soi libre, en vient à s'exprimer de façon adéquate dans la réalité immédiate qu'il investit de sa présence. Elle est donc réconciliation de ce qui constitue la Religion naturelle et la Religion de l'art,

se prouve et se donne à connaître comme universelle : cf. 496/6 sq. (II, 230/ 15 sq.) ; 505/32 (II 241/2) ; 507/28 (II 243/12).
87. *Ph. G.*, 503/8 (II 238/7).

c'est-à-dire de la substantialité de l'Esprit et de son activité comme sujet[88]. Dans le déroulement linéaire de la dialectique *ascendante* suivie au travers des deux premières phases, l'Esprit a d'abord été reconnu en son élément le plus extérieur, le plus lointain, le plus impersonnel ; et nous avons vu cette extériorité faire retour à la plénitude du Soi conscient de lui-même, au fur et à mesure que s'est affirmée en elle l'activité libre du sujet spirituel : artisan, artiste, poète, acteur. On voit qu'en vérité cette assomption de la substance dans le sujet est bien plutôt la *descente* du sujet véritable dans cette réalité substantielle qu'il manifeste comme sienne ; toute l'histoire de la Religion, depuis ses premiers linéaments, est celle de la *Menschwerdung* de l'essence divine (de son « humanisation », ou de son « incarnation »)[89].

Dans l'introduction à ce troisième temps de la Religion, Hegel reprend de la sorte le sens de tout le devenir antérieur. Il écrit : « Cette incarnation de l'essence divine part de la statue, qui n'a en elle que la figure *extérieure* du Soi, alors que l'*intérieur,* son activité, tombe en dehors d'elle ; dans le culte, par contre, les deux côtés sont devenus une seule chose, dans le résultat de la Religion de l'art cette unité, dans sa perfection, est en même temps aussi passée à l'extrême du Soi[90]. » C'est en effet dans le dernier moment de la Religion de l'art, c'est-à-dire dans la dialectique de la Comédie, que l'essence divine abstraite, manquant encore d'effectivité, s'est totalement dissoute dans la figure de l'individualité humaine : revêtu de son masque, l'acteur dénonce la prétention comique du divin à l'autonomie ; puis, déposant ce masque et revenant à la vie courante, il se découvre, en tant qu'homme, comme le véritable Soi[91].

L'homme, en sa conscience de soi, se pose donc comme la seule vérité : « Dans l'esprit qui est parfaitement conscient de soi dans la singularité de la conscience, toute essentialité s'est enfoncée[92] » ; voilà qui recouvre l'essence naturelle — demeure[93], ornement[94], offrande consommée[95], mystère du pain et du vin[96] —, aussi bien que l'essence éthique, — peuple comme Etat[97] et comme famille[98], pensée rationnelle avec les idées de

88. *Ph. G.*, 521/3 (II 258/2).
89. *Ph. G.*, 521/3 (II 258/6).
90. *Ph. G.*, 521/8 (II 258/6).
91. *Ph. G.*, 518/5 (II 254/22).
92. *Ph. G.*, 521/14 (II 258/12).
93. *Ph. G.*, 487/23 (II 219/25).
94. *Ph. G.*, 487/30 (II 219/32).
95. *Ph. G.*, 501/4 (II 235/30).
96. *Ph. G.*, 504/26 (II 239/28).
97. *Ph. G.*, 318/30 (II 16/7).
98. *Ph. G.*, 319/30 (II 17/17).

bien et de beau dans lesquelles elle s'exprime [99] : tout ce contenu
se trouve investi maintenant dans la conscience de soi, totalement
relatif à elle, ramené à sa mesure ; mais en retour, cette conscience de soi est élevée jusqu'à cette totalité dont elle est le
fondement et qu'elle accueille en elle : « *Le Soi est l'essence
absolue* [100]. »

Cette certitude nouvelle, exclusive de tout autre, sonne le
glas du paganisme et de son ciel peuplé de dieux. Est-ce pour
autant l'apparition de la religion véritable ? Non point encore,
car si la route est libre désormais pour la révélation du vrai
Dieu, la tentation est grande, pour l'homme investi de pouvoirs
nouveaux, de se fermer à cette manifestation et de s'enclore dans
sa plénitude retrouvée. C'est pourquoi il lui faudra repasser
par des étapes purifiantes que nous connaissons déjà bien :
Stoïcisme, Scepticisme, Conscience malheureuse, — et faire
l'épreuve à nouveau de la vacuité de son Soi. Où sommes-nous ?
Encore dans la Religion de l'art, ou déjà dans la Religion révélée ? En vérité, nous sommes dans cet espace intermédiaire
où l'une bascule dans l'autre, où le mouvement qui allait de
la réalité immédiate vers Dieu s'inverse pour aller maintenant
de celui-ci vers celle-là. Rien d'étonnant, par conséquent, à
ce que la corrélation développée en ces premières pages nous
ramène une fois encore à cette charnière entre le paganisme
et le christianisme que constituent l'époque romaine et sa traduction comme moment du concept dans l'Etat du Droit.

« Cette proposition : *le Soi est l'essence absolue*, appartient,
comme il est clair par soi, à l'Esprit non religieux, à l'Esprit
effectif ; et il faut se rappeler quelle est la figure de cet Esprit
qui l'exprime [101]. » La raison de ce rappel tient en ce que cette
figure « contiendra le mouvement et la conversion de cette proposition, qui abaissent le Soi au prédicat et élèvent la substance
au sujet [102] » ; de la sorte, il n'y aura plus aliénation et perte du
Soi dans l'objectivité du monde (comme dans la Religion naturelle), et non plus simple traduction imparfaite de l'un dans
l'autre (comme dans la Religion de l'art), mais égalité effective
de la conscience de soi avec son expression substantielle, — ou
encore de l'essence divine avec l'essence humaine : « Prenons
les deux propositions : si, dans celle de la première substantialité,
le sujet ne fait que disparaître, et si dans la seconde le sujet
n'est que prédicat, et si donc dans chacune les deux côtés sont
présents avec l'inégalité opposée de la valeur, ce qui est atteint

99. Pour toutes ces corrélations, cf. *Ph. G.*, 518/23 (II 255/5).
100. *Ph. G.*, 521/17 (II 258/14).
101. *Ph. G.*, 521/23 (II 258/20).
102. *Ph. G.*, 521/26 (II 259/2).

par là c'est que se produit l'unification et la compénétration des deux natures, et qu'en ce mouvement les deux natures, avec une valeur égale, sont aussi bien *essentielles* qu'elles sont aussi seulement des *moments* ; par là l'Esprit est aussi bien *conscience de lui-même comme de sa substance *objective,* que *conscience de soi* simple, demeurant en soi [103]. »

C'est le paragraphe suivant qui précise quelle est la figure de l'Esprit effectif dont la reprise permet ici cette purification réciproque et cette égalisation des termes en présence. Le texte nous confirme que le mouvement exposé ici réalise le *passage* entre la Religion de l'art et la Religion révélée, puisque c'est à partir de la première que le problème se trouve repris : « La Religion de l'art, lisons-nous, appartient à l'esprit éthique que nous avons vu ci-dessus disparaître dans l'Etat du droit, c'est-à-dire dans la proposition : *le Soi comme tel, la personne abstraite, est essence absolue* [104]. » Nous avions déjà lu ce texte ci-dessus, lorsque, au début de l'exposé des corrélations de la Religion de l'art, nous cherchions en quel sens celle-ci pouvait correspondre au premier temps de la section « Esprit ». Maintenant, au-delà de cette dialectique, le parallèle peut être abordé dans sa richesse et sa complexité véritables ; en effet, ce qui est visé ici, ce sont à la fois les dialectiques lointaines de l'Etat du droit *et* la traduction nouvelle qu'en a donnée précisément la Religion de l'art dans l'élément de la conscience de soi, — ainsi qu'en témoigne la mention du « Panthéon » dans le texte suivant : « Dans la vie éthique le Soi est plongé dans l'esprit de son peuple, il est l'universalité *remplie.* Mais la *singularité simple* se soulève hors de ce contenu, et sa légèreté [105] la purifie jusqu'à la personne, jusqu'à l'universalité abstraite du droit. Dans cette dernière, la *réalité* de l'Esprit éthique est perdue, les esprits sans contenu des Individus nationaux sont rassemblés dans un Panthéon, non pas dans un Panthéon de la représentation dont la forme impuissante laisse faire chacun [comme bon lui semble], mais dans le Panthéon de l'universalité abstraite, de la pure pensée, qui les supprime et donne en partage l'être-en-et-pour-soi sans esprit, à la personne singulière [106]. » — Autrement dit, au-delà de la reprise partielle et unilatérale qui en fut faite dans la Religion de l'art, nous cherchons à rejoindre ici, dans son radicalisme extrême, l'affirmation pure de l'Esprit en lui-même, dans une abstraction totale à l'égard de son contenu [107], la « conscience

103. *Ph. G.,* 522/11 (II 259/14).
104. *Ph. G.,* 522/22 (II 259/25).
105. Cf. *Ph. G.,* 491/23 (I 224/27).
106. *Ph. G.,* 522/25 (II 259/28). — Cf. 506/19 (II 241/25).
107. *Ph. G.,* 522/38 (II 260/5).

ineffective » : « Elle n'est donc que la stoïque *indépendance de la pensée*, et celle-ci trouve, traversant le mouvement de la conscience sceptique, sa vérité dans cette figure qui fut nommée la *conscience de soi malheureuse* [108]. »

Cette sorte de conscience malheureuse de l'Esprit absolu s'oppose terme à terme à la conscience heureuse de la comédie : celle-ci absorbé la substance en elle-même, alors que celle-là éprouve sa radicale séparation à l'égard de l'essence ; l'homme de la comédie sait que les dieux n'ont aucune existence, et, assuré en lui-même, se rit de leur autonomie prétendue, alors que l'homme religieux douloureusement divisé en lui-même sait qu'il n'a nulle consistance hors de cet au-delà auquel il n'a pourtant nul accès. Mais l'entrée dans le mouvement de la Religion manifestée exige que ces deux figures ne soient pas seulement saisies dans ce rapport d'opposition, mais aussi dans une relation de complémentarité [109] : l'Esprit absolu ne surmontera sa solitude qu'en acceptant de se mesurer aux déterminations de la conscience humaine, et celle-ci, surtout, pour échapper à la force dissolvante de son rire universel, devra expérimenter ce que confesse, pour sa part, la conscience malheureuse : « *Dieu est mort* [110]. »

Or cette unité et cette complémentarité se sont déjà posées dans le mouvement relatif de ces deux figures, et il suffit de la prise de conscience qui vient d'être opérée pour que la récapitulation de ce rapport véritable puisse être faite maintenant. Voici ce qu'écrit Hegel à ce propos : « Dans l'Etat du droit, le Monde éthique et sa religion ont donc sombré dans la conscience comique, et la conscience malheureuse est le savoir de cette perte *totale* [111]. » On voit à quelle fusion des plans superposés nous assistons ici, à quelle lecture synoptique, ou plutôt synthétique : la déterminité religieuse, ici, pénètre si bien la substance spirituelle dont elle représente la conscience de soi, elle réalise si bien la reprise de ses propres présupposés, qu'elle se révèle après coup, *à l'intérieur de cette substance,* comme le fondement de son auto-mouvement, le lieu de sa disparition et de son dépassement. — La conscience qui se dit heureuse est en fait une conscience malheureuse, puisqu'en elle tout s'est abîmé, et qu'elle éprouve par conséquent la perte totale de son essence. Rien ne vaut plus pour elle de ce qui jusqu'alors avait valeur : oracle, statue, hymne, pain et vin, fêtes, épopée

108. *Ph. G.,* 523/3 (II 260/10). — Cf. 343/26 (II 45/8), 344/9 (II 46/2), 346/28 (II 48/35).
109. *Ph. G.,* 523/14 (II 260/19).
110. *Ph. G.,* 523/25 (II 261/3).
111. *Ph. G.,* 523/26 (II 261/4).

ou tragédie, — autant de fruits disparus avec le monde qui les portait : seul en demeure le souvenir [112].

Les œuvres d'art demeurent ; mais le rapport à elles n'est plus celui de la religion, il est celui de la culture. Pourtant, paradoxalement, cette perte du monde effectif dans la conscience de la comédie, et l'égalité qui en résulte pour celle-ci avec la conscience malheureuse, tout en signifiant la disparition définitive d'un certain type de religion (la religion du Monde éthique, avec sa double forme, universelle et singulière : le destin et l'individu disparu), ouvrent la voie à la révélation véritable de l'Esprit : l'Esprit est en effet plus que les figures qui disparaissent en lui, puisque, nouvelle expression d'un « destin » qui échappe à son abstraction initiale, il les recueille et les confie à l'intériorisation du souvenir [113]. Il est donc normal de confesser dans toutes les productions de l'art comme des extériorisations successives de l'essence absolue [114] ; c'est déjà l'Esprit dans la plénitude de sa conscience de soi qui s'est présenté à nous, comme chose d'abord [115], puis comme le langage pur de l'hymne [116], comme l'unité immédiate précisément avec la conscience de soi universelle, puis comme unité médiate avec cette même conscience dans le culte [117], comme belle corporéité [118], comme représentation d'un monde d'essences absolues [119], enfin comme pure certitude de soi-même [120]. A ces figures proprement religieuses, il faut ajouter l'effectivité vide du Monde du droit, la personne abstraite du Stoïcisme (le pur Soi), l'inquiétude de la conscience sceptique : tout cela exprime la présupposition et l'attente de la naissance de l'Esprit absolu [121]. La douleur de la conscience malheureuse, c'est-à-dire la certitude éprouvée de la perte du monde en sa réalité substantielle, pénètre toutes ces figures : elle est la douleur même de l'enfantement du concept [122]. Le rassem-

---

112. *Ph. G.*, 523/29 (II 261/6). Tous ces termes reprennent les moments successifs dans lesquels s'est exprimée la Religion de l'art.
113. *Ph. G.*, 524/29 (II 262/6) : « ... der Geist des Schicksals... ist die *Er-Innerung* des in ihnen noch *veräusserten* Geistes ». — C'est là le second emploi de *Erinnerung*, après 507/36 (II 243/19), dans la dialectique de l'Œuvre d'art spirituelle : même mouvement d'intériorisation (et d'accession à la vérité de l'Esprit) pour la substance immédiate. Quant au verbe *veräussern* (qui ne se trouve qu'en ce passage), il exprime le déchirement et l'état de dispersion totale qui affectait ici l'Esprit, dans une extériorité où il se perdait de façon radicale.
114. *Ph. G.*, 524/39 (II 262/15).
115. *Ph. G.*, 493/11 (II 227/4).
116. *Ph. G.*, 496/1 (II 230/11).
117. *Ph. G.*, 498/33 (II 233/14).
118. *Ph. G.*, 505/8 (II 240/12).
119. *Ph. G.*, 507/8 (II 242/24).
120. *Ph. G.*, 520/4 (II 256/26).
121. *Ph. G.*, 525/12 (II 262/26).
122. *Ph. G.*, 525/19 (II 262/33).

blement de tous ces moments dispersés, la saisie du mouvement unitaire qui les a engendrés tour à tour, voilà qui conditionne et prépare immédiatement la reconnaissance de l'extériorisation ultime de l'Esprit absolu, — de son Incarnation.

Le concept qui surgit de la sorte est réconciliation des moments unilatéraux que nous avons parcourus : « Il a en lui les deux côtés qui ont été représentés plus haut comme les deux propositions inverses : l'une est celle-ci, que la *substance* s'extériorise hors d'elle-même et devient conscience de soi, l'autre inversement que la *conscience de soi* s'extériorise hors de soi, et se fait choséité ou Soi universel. Les deux côtés sont de cette manière venus à la rencontre l'un de l'autre, et par là a pris naissance leur unification vraie [123]. » En ces « deux propositions », on n'a nulle peine à reconnaître, de façon directe et immédiate, les attitudes respectives de la conscience heureuse et de la conscience malheureuse, telles qu'elles viennent d'être décrites en des termes presque identiques à ceux utilisés ici [124] ; mais, à travers elles, c'est tout le contenu des sections antérieures qui resurgit ici, appréhendé sous la double raison formelle qui définit la richesse et la tension intime de la conscience de soi comme telle : la totale immanence de la substance au Soi, et l'affirmation abstraite d'un Soi coupé de son essence. Ce sont là deux attitudes opposées, aussi dissemblables qu'il est possible d'imaginer ; mais elles sont aussi, nous venons de le voir, dans une exacte corrélation, puisqu'elles se dépassent et s'accomplissent l'une dans l'autre. Au vrai, l'une et l'autre sont des *moments* complémentaires, et ce n'est qu'ainsi qu'elles peuvent déterminer conjointement l'Esprit dans sa conscience de soi.

Car ce n'est encore, ne l'oublions pas, que la conscience de soi de l'Esprit qui se trouve déterminée par cette identification de la conscience heureuse et de la conscience malheureuse. Toutes deux se réunissent dans une commune « opposition » à l'Esprit tel qu'il existe dans sa conscience. Opposition ? Le terme est inadéquat ; car, au contraire, voici que la totalité reconstituée au niveau du Soi absolu nous ramène à l'immédiateté de la traduction de soi-même dans l'être-autre : l'Incarnation est précisément l'apparition, dans l'élément de la conscience, de l'Esprit déployé dans la plénitude de son Soi. Mouvement nécessaire, puisque, même dans la modalité du pour-soi, l'Esprit demeure totalité, et doit par conséquent s'exprimer comme en-soi ; et cela, il ne lui suffit pas de le savoir, mais il faut qu'il le réalise : car « de l'*en-soi pensant* ou du *savoir de la nécessité* sont diffé-

123. *Ph. G.*, 525/24 (II 263/4).
124. *Ph. G.*, 523/17 (II 260/22).

renciés l'*en-soi immédiat* ou la *nécessité qui est*, — une différence qui, en même temps, n'est pourtant pas située hors du
concept, puisque l'*unité simple* du concept est l'*être immédiat*
lui-même ; le concept est aussi bien ce qui s'extériorise soi-
même ou le devenir de la *nécessité intuitionnée*, qu'il est en elle
près de soi, et la sait et la conçoit [125] ». Le plein accomplissement de l'Esprit dans son pour-soi implique donc son retour à
l'immédiateté de l'en-soi. Comment pourrait-il en être autrement,
dès lors que ce Soi de l'Esprit est né lui-même, pour nous, de la
mutation interne de la substance spirituelle et de son accession à
la conscience ? : « L'*en-soi immédiat* de l'Esprit qui se donne
la figure de la conscience de soi ne signifie rien d'autre sinon
que l'esprit effectif du monde est parvenu à ce savoir de soi ;
c'est seulement alors que ce savoir entre aussi dans sa conscience,
et comme vérité [126]. » Le texte ajoute : « Comment cela est
arrivé s'est déjà montré plus haut » ; plus haut, c'est-à-dire dans
le texte que nous venons de lire, qui porte mention des présuppositions de la révélation plénière de l'Esprit dans la Religion
manifestée [127].

L'Incarnation, par conséquent, reprend et achève le mouvement total de la Religion ; exprimant la présence de Dieu dans
l'immédiat, elle se pose face à une conscience qu'elle détermine
comme l'exacte antithèse (et le complément) de la conscience
malheureuse [128]. En effet, le Soi de l'Esprit n'est plus alors une
réalité « pensée ou représentée » (Religion naturelle), et non
plus une réalité « produite » (Religion de l'art) [129] : « Mais
ce Dieu est intuitionné immédiatement comme Soi, comme un
homme effectif singulier ; c'est ainsi seulement qu'il *est* conscience de soi [130]. » Reste que l'immédiateté même de son apparition pose la nécessité d'un dépassement de la figure singulière
en laquelle il s'exprime : la mort du Christ est la condition de
sa résurrection dans l'être-là enfin universel de la communauté
des croyants. Résultat lui-même partiel, en tant que cette « universalité », comme « totalité des Soi » qui demeurent effectivement distincts et séparés les uns des autres, n'existe d'abord
que dans l'élément de la représentation : « Pour prendre un
exemple déterminé, comme le *ceci sensible* sursumé n'est d'abord

125. *Ph. G.*, 527/5 (II 264/31).
126. *Ph. G.*, 527/13 (II 265/3).
127. *Ph. G.*, 524/36 (II 262/13).
128. *Ph. G.*, 527/35 (II 265/22). En fait, la conscience malheureuse repré-
sentait une seule des déterminations du contenu total que nous retrouvons
ici, — l'autre détermination étant celle de la « conscience croyante » :
380/10 (II 89/11), opposé à 377/30 (II 86/5). Cf. 533/31 (II 272/28).
129. *Ph. G.*, 527/39 (II 265/25).
130. *Ph. G.*, 528/2 (II 265/28).

que la chose de la *Perception*, pas encore l'*universel* de l'Entendement [131]. » Seul le Savoir absolu nous permettra de passer au-delà de la forme encore imparfaite de ce résultat vrai.

Si nous confrontons la table des corrélations que comporte ce troisième temps avec celle que Hegel a exposée dans les réflexions structurelles qui ouvrent cette section, nous constatons qu'il n'y a, semble-t-il, que peu de rapports entre l'une et l'autre. Nul parallèle avec la section « Raison » prise dans son ensemble, et non plus avec l'Esprit comme tel, c'est-à-dire avec les deux moments qui devaient globalement correspondre à la détermination de l'en-et-pour-soi, qui est celle de la Religion manifestée. Quant à la reprise par niveaux horizontaux, qui devait intéresser ici le troisième temps de chacune des sections antérieures, seule la mention plusieurs fois renouvelée de la conscience malheureuse semble répondre au programme qu'elle traçait ; elle est faite, ainsi qu'il est normal, à travers le prisme que représente la section « Esprit [132] » et plus précisément grâce à la traduction que l'Etat du droit donne de cette Conscience malheureuse dans le passage de l'en-soi du Monde éthique au pour-soi de la Culture.

En somme, la correspondance entre les indications de structure et l'organisation concrète du contenu semble être devenue de moins en moins précise au fil du déroulement de cette section, depuis la rigueur relative qui s'exprime dans la Religion naturelle (où chacun des trois temps de la Conscience se trouve évoqué) jusqu'à l'apparente indétermination que nous constatons dans la Religion manifestée. Faut-il donc penser que Hegel a d'abord tracé des cadres assez précis, mais qu'il ne les a point ensuite « remplis » comme il l'avait annoncé ? — Il est possible, en fait, de tenter une explication qui épouse davantage le sens du développement lui-même. Et tout d'abord en soulignant que les perspectives dessinées dans l'Introduction à la Religion débordent en réalité cette section encore particulière pour annoncer le mouvement qui demeure à réaliser *jusqu'à la pleine affirmation du concept comme concept*. C'est dire que l'équation qui sera mise en œuvre dans le premier développement du Savoir absolu prolonge en fait, en le menant à son terme, le type de corrélations qui caractérise la Religion manifestée. En ce sens, nous n'en avons pas encore fini avec le déploiement de la Religion *comme Religion* : il faut encore pour cela que la figure du Christ atteigne à sa véritable signification dans sa comparaison

---

131. *Ph. G.*, 531/10 (II 269/32).
132. Cf., ci-dessus, p. 155, note 31.

avec l'ultime dialectique de la section « Esprit ». Une telle corrélation, à ce niveau de l'en-et-pour-soi, achèvera alors, et alors seulement, le « programme » tracé dans l'introduction à cette avant-dernière section.

De la sorte prend tout son sens le basculement des perspectives qui s'est opéré peu à peu au long du déroulement de ces dialectiques de la Religion : la prévalence initiale d'une reprise verticale a fait place progressivement à une attention plus grande portée aux corrélations horizontales au fur et à mesure que l'Esprit en venait à gagner la plénitude de son contenu. C'est dire que la réassomption selon les déterminations logiques des sections a fait place de plus en plus à une réassomption selon l'ordre historique des figures ; le premier temps du Savoir absolu, avec la confrontation qu'il instaure entre la figure du Christ et celle de la Belle Ame qui accepte d'agir, mettra le sceau à ce renversement, — ou plutôt manifestera qu'il n'est plus nulle distance entre l'ordre des sections et celui des figures, entre le déploiement au niveau de la forme et le parcours du contenu concret. C'est pourquoi cette totalisation de totalités nous conduira tout naturellement (c'est là l'objet du second développement du Savoir absolu) à considérer les relations qui existent dans cette œuvre, à partir de leur unité enfin devenue claire, entre l'ordre logique des sections et l'ordre historique des figures.

CHAPITRE IV

LE SAVOIR ABSOLU

Wilhelmine Drescher, dans l'ouvrage auquel il a été fait allusion plusieurs fois, clôt son étude des parallèles dans la *Phénoménologie* sans faire ne serait-ce qu'une simple allusion au texte du Savoir absolu. A la réflexion, voilà qui n'est pas aussi scandaleux qu'il pourrait sembler tout d'abord : en effet, cette ultime section ne peut être traitée sur le même plan que les autres, non seulement parce que, aux réconciliations partielles que celles-ci nous proposent, elle substitue le mouvement d'une totalisation dernière qui les réduit au rôle de moments, mais surtout parce qu'elle ne procède pas, comme le font les sections précédentes, par enchaînement d'expériences de la conscience ; en ce sens, il est parfaitement vrai que l'on ne peut relever, en ces pages, de corrélations semblables à celles rencontrées jusqu'alors, qui expliquaient une structure ou un mouvement par référence à une autre structure ou à un autre mouvement. Reste pourtant qu'il serait illusoire de vouloir présenter une réflexion complète sur « l'organisation des expériences » dans cette œuvre sans nous arrêter longuement sur l'équation d'ensemble que développent ces pages.

Le Savoir absolu, d'ailleurs, a sa place marquée dans la typologie des parallèles, telle qu'elle a été établie en la première partie de cette étude. C'est, avec l'Introduction à la Religion, l'un de ces textes architecturaux dans lesquels Hegel, réfléchissant, au plus haut niveau, sur l'ordonnance des figures et des sections qui constituent les masses rédactionnelles de l'œuvre, nous livre la clef, non seulement de leur équilibre statique, mais du mouvement unique qui les relie les unes aux autres. A vrai dire, et cette dernière remarque le sous-entend déjà, le texte du Savoir absolu échappe à tout canon trop strict, relevant tout à la fois de l'ordre des parallélismes structuraux et de celui des corrélations de mouvement : il ne se contente pas, en effet, de mettre en relation des totalités déjà constituées, mais *il les constitue dans leur relation même* en manifestant le dynamisme encore caché qui opère leur unité intérieure et les situe les unes par rapport aux autres. C'est pourquoi une intelligence des structures de la *Phénoménologie* et de son mouvement unitaire exige impérieusement que l'on « séjourne » aussi dans cette ultime section, comme on a séjourné auparavant, suivant la consigne de Hegel lui-même, dans chacune des figures du développement.

L'unique problème de la *Phénoménologie* (ou tout au moins l'une des expressions que l'on en peut donner) est celui de la réconciliation de la conscience et de la conscience de soi. Nous avons vu que ces deux termes structurent en vérité le mouvement qui l'anime, s'opposant une première fois dans l'individu singulier (les sections « Conscience » et « Conscience de soi », avec leur unité dans la Raison), et une seconde fois au niveau de l'Esprit appréhendé dans sa totalité (les quatre premières sections constituant l'Esprit dans l'élément de la conscience, tandis que la Religion le considère dans l'élément de la conscience de soi). Le Savoir absolu remplit, à l'égard de ces deux moments, le rôle que joue la Raison envers les deux premières sections de l'œuvre : il manifeste l'unité des points de vue unilatéraux que chacun d'eux développe pour lui-même.

Voilà qui n'est pas malaisé. En effet, cette unité existe déjà pleinement en soi, de sorte que ce qui est en jeu c'est la prise de conscience de ce qui fut réalisé. Ceci vaut à tous les étages du raisonnement dialectique et, depuis le début de la Perception, où il se trouve formulé pour la première fois, nous avons retrouvé ce principe à chacune des articulations du mouvement ; rappelons ce texte, déjà cité, dans lequel Hegel détermine la situation initiale en cette figure de la Perception : « Comme l'universalité est son principe en général, ainsi le sont aussi ses moments qui se différencient en elle sous mode immédiat, Je comme un universel et l'objet comme un universel [1]. » Il en va de même ici, au niveau de la totalité, puisque, nous le savons, c'est l'Esprit comme tel qui s'est donné à connaître, une première fois dans la forme de la conscience, et une seconde fois dans celle de la conscience de soi, posant ces moments comme égaux dans leur différence même ; chacun de ces termes, en effet, *est* cette totalité en laquelle il s'enracine, de sorte qu'il serait faux d'*opposer* ici la conscience et la conscience de soi : disons que l'un de ces moments représente l'unité conscience/conscience de soi du point de vue de la conscience, et l'autre cette même unité du point de vue de la conscience de soi.

Cela entraîne une conséquence directe pour le type de relecture qu'il nous faut maintenant opérer. On a vu que la conjonc-

1. *Ph. G.*, 89/17 (I 93/6).

tion des dimensions linéaire et circulaire à l'intérieur du mouvement dialectique détermine une progression du raisonnement
qui se traduit par la résurgence, dans une figure nouvelle, de
la signification et des caractéristiques des figures antérieures.
De cette manière, il se trouve que c'est l'ultime figure d'un mouvement ou d'une totalité partielle qui porte en elle tout le
poids et tout le sens de ce mouvement ; il doit suffire alors de
confronter ces figures ultimes, en saisissant comment le dynamisme, qui s'était déployé dans toute la richesse du contenu, se
repose en elles dans son unité simple, pour qu'apparaisse, dans
l'identité de leur structure, la vérité de la relation qui les unit.
C'est à cette totalisation de totalisations que va procéder le
Savoir absolu.

Comment se présente ce texte ? Les six premiers paragraphes
constituent une nouvelle lecture, du point de vue de la Totalité
absolue, des quatre premières sections de l'œuvre, autrement dit
de l'Esprit dans sa conscience[2] ; ils procèdent par réassomption
des figures remarquables dont chacune intègre l'un des aspects
de l'itinéraire parcouru, et montrent comment toutes ces figures
se rassemblent et s'accomplissent dans la dernière d'entre elles,
c'est-à-dire dans celle du Mal et de son pardon. Le paragraphe
suivant[3] forme charnière, et exprime l'équation totale de cette
nouvelle lecture, en mettant en relation cette réconciliation de
l'Esprit avec lui-même dans l'élément de la conscience avec
l'autre réconciliation, celle qui, au terme de la dialectique de
l'Esprit dans sa conscience de soi (Religion) s'est posée sous
mode objectif dans la figure du Christ. En même temps, ce paragraphe central trace le programme qui demeure à réaliser :
montrer l'unité effective de ces deux réconciliations. Cette unité,
elle s'est déjà produite, très précisément dans la figure de la
Belle Ame, que nous sommes désormais en mesure de comprendre pour ce qu'elle est : c'est à quoi vont s'employer les
trois paragraphes suivants[4]. Après cette première série de développements, qui porte directement sur le surgissement du Savoir
absolu et sur les présuppositions structurelles de son affirmation
dans la totalité de l'œuvre, viennent tout un ensemble de considérations[5] sur les rapports entre ce Savoir absolu et la Science
comme telle ; on peut, si l'on veut, y distinguer diverses
réflexions, qui s'enchaînent de la manière suivante : tout d'abord
la relation entre le mouvement de la Science et celui de la conscience phénoménologique qui se déploie dans le temps (cinq pa-

2. *Ph. G.*, 549/3 à 553/4 (II 293/3 à 298/13).
3. *Ph. G.*, 553/5 (II 298/14).
4. *Ph. G.*, 553/24 à 556/14 (II 298/32 à 302/19).
5. A partir du paragraphe qui commence en *Ph. G.*, 556/15 (II 302/19).

ragraphes) ; puis la concordance entre cette conquête de soi
de l'Esprit dans le temps et l'enchaînement signifiant des systèmes de pensée qui se sont succédé dans l'histoire (deux paragraphes) ; enfin, l'équation totale de ces mouvements divers
et le problème du retour à l'immédiateté (les quatre derniers
paragraphes).

Toutes ces parties, on le voit de suite, ne nous intéressent
pas ici au même titre. Le but que nous poursuivons, est-il
besoin de le rappeler, n'est pas de faire un commentaire du
Savoir absolu en tant que tel, considéré dans la totalité de ses
implications, mais de tenter de saisir, à partir des indications
qu'il nous livre, quelle est l'*économie* vraie de l'œuvre, autrement
dit le rassemblement de ses structures multiples dans l'unité
du mouvement dialectique qui les déploie. De ce point de vue,
c'est évidemment la première moitié de ce texte qui doit nous
retenir le plus ici, puisqu'elle porte directement sur l'interrogation qui est nôtre dans la seconde partie de cette étude.

I. « L'UNIFICATION
DES DEUX RÉCONCILIATIONS »

Il sera bon sans doute d'analyser tout d'abord le paragraphe
central de cette première partie, dont nous avons dit ci-dessus
qu'il exprime l'équation totale de cette nouvelle lecture : voilà
qui nous permettra en même temps de préciser quelques points
de vocabulaire d'une grande importance. Après avoir, dans le
développement précédent, montré comment la figure du Mal et
de son pardon réalise l'unité de la substance et du sujet du point
de vue de la conscience, Hegel enchaîne ainsi : « Cette réconciliation de la conscience avec la conscience de soi se montre
ainsi produite des deux côtés, une fois dans l'esprit religieux,
l'autre fois dans la conscience même comme telle [6]. » Nous reconnaissons en cela l'affirmation fondamentale selon laquelle, à
ce niveau de la totalité, tout le contenu de la *Phénoménologie*
se présente dans l'opposition simple des deux figures qui recueil-
lent en elles la signification des deux moments du concept universel. Pareille affirmation avait déjà surgi au terme de la Religion manifestée, dans un parallèle que nous n'avons pas souligné
alors, et qui trouve maintenant tout son sens ; ayant manifesté
comment la figure du Christ, mort à sa singularité et ressuscité

6. *Ph. G.*, 553/5 (II 298/14).

dans la communauté, exprime la totalité de l'Esprit dans l'une de ses déterminations, ce texte poursuivait : « De même que pour nous le concept de l'Esprit était déjà venu à l'être lorsque nous entrâmes dans la Religion, à savoir comme le mouvement de l'Esprit certain de soi-même, qui pardonne au mal, et en même temps se démet en cela de sa propre simplicité et de sa dure immutabilité, ou le mouvement au cours duquel l'absolument *opposé* se reconnaît comme *le même* et ce reconnaître s'épanouit comme le *oui* entre ces extrêmes, — ce concept, la conscience religieuse, à laquelle l'essence absolue est manifeste, l'*intuitionne*, et sursume la *différenciation* de son *Soi* par rapport à ce qu'elle *intuitionne* ; de même qu'elle est le sujet, ainsi encore est-elle la substance et *est* donc elle-même l'Esprit, parce que et en tant que elle est ce mouvement [7]. »

Cette corrélation exprime bien ce qui fait, dans leur différence même, l'égalité des deux figures : ici et là se déploie le même mouvement essentiel, qui abolit la distance entre la conscience et la conscience de soi, entre la substance et le sujet, entre l'être et le Soi, en partant de l'un ou de l'autre de ces termes. Nulle mention, en ce passage, du terme fondamental déjà rencontré dans le texte du Savoir absolu : celui de « réconciliation », de *Versöhnung*. Mais nous le trouvons plusieurs fois, précisément, au cours de ces pages finales des sections « Esprit » et « Religion », et, semble-t-il, uniquement dans ces passages [8]. Ce terme a des harmoniques religieuses, exprimant une réconciliation qui se fonde dans le *pardon* accordé ou dans l'*expiation* assumée : voilà qui précise encore le niveau de parenté réelle entre ces deux figures considérées.

Ces « deux côtés », poursuit le texte du Savoir absolu, « se différencient l'un de l'autre en ce que celui-là est cette réconciliation dans la forme de l'être-*en-soi*, celui-ci dans la forme de l'être-*pour-soi* [9] » ; entendons : la réconciliation « dans l'esprit religieux », c'est-à-dire dans la communauté spirituelle, se pose dans la forme de l'être-en-soi, tandis que la réconciliation « dans la conscience comme telle », c'est-à-dire dans le Mal et son pardon, se pose dans la forme de l'être-pour-soi. Il y a, à première vue, quelque apparence de paradoxe dans cet échange des

---

7. *Ph. G.*, 547/3 (II 288/12).
8. Pour la figure du Mal et de son pardon : 470/14 (II 197/21), 471/19 (II 198/26), 472/36 (II 200/6).
Pour celle du Christ et de la communauté spirituelle : 541/37 et 40 (II 282/17 et 19), 543/12 (II 284/1), 548/10, 16, 28 et 31 (II, 289/26, 32, 290/8 et 11).
Autre emploi dans ce même contexte de pardon et de rédemption : 516/5 (II 252/24).
9. *Ph. G.*, 553/8 (II 298/17).

déterminations, étant donné que, comme on l'a vu, les quatre premières sections représentent l'Esprit dans sa conscience, autrement dit dans son en-soi, et la Religion l'Esprit dans sa conscience de soi, autrement dit dans son pour-soi. En fait, cette interversion n'a rien que de très naturel, et elle nous éclaire, une fois de plus, sur l'intime connexion, caractéristique de cette œuvre, entre les structures de la pensée et le mouvement qui les déploie. Il serait totalement faux de diviser simplement la *Phénoménologie* en deux masses homogènes, opposées terme à terme dans leur abstraction monolithique : bien plutôt, s'agit-il par exemple de l'Esprit dans sa conscience, ce qui le définit alors c'est le mouvement continu qui le conduit à se manifester comme conscience de soi, — et, inversement, l'Esprit dans sa conscience de soi, parce qu'il est totalité, se caractérise comme le retour à l'objectivité de la conscience. De sorte qu'il faut dire, comme le fait le texte allégué ici, que le point d'aboutissement de l'Esprit dans sa conscience est sa réconciliation avec lui-même *dans la forme de l'être-pour-soi,* tandis que le terme du développement de l'Esprit dans sa conscience de soi est cette même réconciliation *dans la forme de l'être-en-soi.* A l'intérieur de chacun de ces deux moments, le mouvement ne cesse pas qui entraîne la détermination posée vers le contraire d'elle-même, ou plutôt qui fait naître une nouvelle détermination au sein du développement même de la détermination initiale : ainsi avons-nous vu, par exemple, au niveau moins complexe d'une section particulière, que la dialectique de l'Etat du droit traduit la présence déjà agissante *dans* le monde de l'Esprit vrai du principe « étranger » qui va le diviser à l'intérieur de lui-même, — de sorte que cette figure du Soi pouvait constituer l'esprit effectif du second temps de la Religion. Cette remarque sera d'une extrême importance lorsque nous aurons à nous interroger sur les relations entre les *rythmes* divers du dynamisme logique et du développement chronologique.

Ces deux réconciliations de l'Esprit avec lui-même, « telles qu'elles ont été considérées, tombent tout d'abord l'une à l'extérieur de l'autre ; la conscience, dans l'ordre selon lequel ses figures survinrent pour nous, est parvenue, d'une part aux moments singuliers de ces figures, d'autre part à leur unification, longtemps avant que la Religion également ait donné à son objet la figure de la conscience de soi effective [10] ». Nous voici donc ici en présence d'un ordre de priorité inverse de celui que présentait le début de ce paragraphe ; et une fois encore ce renversement a trait au rapport entre le déploiement du concept

10. *Ph. G.,* 553/11 (II 298/19).

et l'intelligence de la réalité historique dans son déroulement concret. L'ordre logique est celui selon lequel ces figures « survinrent pour nous » : dans cette perspective, la réconciliation « dans la forme du pour-soi », au terme du développement sur l'Esprit dans son en-soi, est survenue longtemps avant l'autre. S'agit-il, au contraire, de l'ordre chronologique : il est évident, en ce cas, que la réconciliation « dans l'esprit religieux », c'est-à-dire dans la figure du Christ, doit être considérée comme la première, étant le fondement et la présupposition de la réconciliation « dans la conscience même comme telle », laquelle ne peut se poser, dans la forme que lui donne Hegel, qu'en 1807, au terme d'une histoire depuis longtemps façonnée par le christianisme.

Ces deux réconciliations étant déterminées de la sorte, reste la tâche ultime, qui consiste à exprimer leur égalité effective. Hegel l'indique ainsi : « L'unification (*Vereinigung*) des deux côtés n'est pas encore indiquée ; c'est elle qui conclut cette série des formations de l'Esprit ; car en elle l'Esprit en vient à se savoir, non pas seulement comme il est *en soi*, ou selon son *contenu* absolu, ni non plus seulement comme il est *pour soi,* selon sa forme sans contenu ou selon le côté de la conscience de soi, mais comme il est *en et pour soi*[11]. » Autrement dit : dans la communauté spirituelle, tout le contenu de l'Esprit est présent, mais sans avoir surmonté pleinement la forme encore étrangère de la représentation[12] ; à l'inverse, les deux consciences, s'accusant elles-mêmes et se pardonnant mutuellement, déploient entre elles l'espace spirituel, « le Je étendu jusqu'à la dualité[13] », — c'est-à-dire la forme d'une réconciliation qui doit encore manifester son contenu. Ce qu'accomplit le Savoir absolu par rapport à tout le mouvement des figurations antérieures, c'est proprement cette *Vereinigung der zwei Versöhnungen*.

II. LES TROIS FIGURES REMARQUABLES DE L'ESPRIT DANS SA CONSCIENCE

Ayant pris, depuis ce sommet, la mesure de l'itinéraire à parcourir, redescendons tout d'abord vers son premier versant, pour suivre le chemin de la réconciliation opérée dans l'élément

11. *Ph. G.*, 553/17 (II 298/25).
12. *Ph. G.*, 549/8 (II 293/8).
13. *Ph. G.*, 472/38 (II 200/7).

de la conscience. Cette considération, sur laquelle s'ouvre le texte du Savoir absolu, est introduite de façon nécessaire par l'insuffisance même du résultat de la section « Religion ». Puisque, dans ce résultat, le contenu est celui de l'Esprit absolu, il ne reste alors qu'à sursumer la forme inadéquate ; mais en quoi est-elle inadéquate ? : en ce que, pour l'esprit religieux, la « conscience de soi effective n'est pas l'objet de sa conscience [14] » ; autrement dit : l'objet est bien posé dans la totalité du contenu spirituel, mais il demeure dans un rapport d'extériorité à l'égard de la conscience de soi [15], — ou encore : son unité avec la conscience de soi n'est posée que dans l'élément de la représentation [16]. C'est donc du côté de l'objet (du côté de l'Esprit comme monde) qu'il faut se tourner pour surmonter cette séparation rémanente : « Puisque cette forme appartient à la *conscience comme telle,* sa vérité doit s'être montrée déjà dans les figurations de cette conscience [17]. »

Ce qu'il importe de saisir, c'est la totale réciprocité des deux mouvements en cause : l'objet se prouve comme Esprit dans l'acte même par lequel il accueille en lui la conscience de soi, et celle-ci ne peut s'exprimer comme chose que dans la mesure où elle reconnaît que l'objet s'affirme en lui-même comme réalité spirituelle pleinement développée et libre. Exprimons cela encore d'une autre manière : l'Esprit ne peut s'affirmer vraiment comme conscience de soi sans reprendre à son compte et manifester comme sien le mouvement grâce auquel tout d'abord il s'est déployé comme conscience. « Que l'objet de la conscience se dépasse ainsi lui-même (*Diese Ueberwindung des Gegenstandes des Bewusstseins*), n'est pas à prendre comme l'opération

14. *Ph. G.,* 549/5 (II 293/5).
15. Extériorité spatio-temporelle de la vérité totale posée par le croyant dans la figure du Christ. En somme, la conscience de soi croyante demeure dans l'abstraction lorsqu'elle se réfère *directement* à cette figure historique du Christ, laquelle, *considérée en elle-même,* n'exprime pas la totalité *libre* de l'essence absolue (cf. note suivante). Seule l'intelligence de l'histoire du monde peut lui donner une effectivité concrète, — non « représentée ».
16. L'Introduction à la section « Religion » soulignait déjà, par avance, l'insuffisance du mouvement qui s'amorçait alors (cf. ci-dessus, pp. 150, 159). Si l'objet y demeure dans la forme de la représentation, c'est que la figure effective dans laquelle l'Esprit conscient de soi se pose est encore trop pleinement transparente (*durchsichtig*), non affectée de l'opposition de la conscience, — manquant par conséquent de « la forme d'effectivité libre ou de la Nature apparaissant comme indépendante (*selbständig*) » [*Ph. G.,* 475/11, II 205/19, cf. l'ensemble de ce paragraphe]. Si la Religion demeure en retrait par rapport à la Philosophie, c'est donc parce que la force de l'Essence absolue y investit de façon unilatérale le monde objectif, et le surdétermine, sans respecter en lui le caractère toujours nouveau de son surgissement libre et imprévisible. C'est ce que souligneront à nouveau, comme nous le verrons, les deux dernières pages du Savoir absolu.
17. *Ph. G.,* 549/11 (II 293/10).

unilatérale, selon laquelle l'objet se montrait comme faisant retour dans le Soi, mais, de façon plus déterminée, sous cette forme que d'une part l'objet comme tel se présentait au Soi comme disparaissant, et plus encore d'autre part que c'est l'extériorisation de la conscience de soi qui pose la choséité, et que cette extériorisation n'a pas seulement signification négative, mais positive, pas seulement pour nous ou en soi, mais pour elle-même [18]. » Pour la conscience de soi, ainsi que l'affirme la suite de ce texte, reprendre en elle-même son mouvement premier d'extériorisation, loin d'impliquer une négation de la chose, doit poser celle-ci dans la pleine liberté de son autonomie ; c'est pourquoi elle ne s'accomplit *comme telle* qu'en manifestant la coïncidence de son propre dynamisme avec celui qui a structuré le déploiement de son objet : « Elle doit... se rapporter à l'objet selon la totalité de ses déterminations [*i.e.* des déterminations de l'objet], et l'avoir ainsi appréhendé selon chacune d'elles. Cette totalité de ses déterminations élève *en soi l'objet* à l'essence spirituelle, et il devient cela en vérité pour la conscience par l'appréhension de chacune de ses déterminations singulières comme [l'appréhension] du Soi, ou par le comportement spirituel déjà mentionné envers elles [19]. » Reconnaître son objet comme Esprit en chacun des moments de cet objet, c'est le moyen qu'a la conscience de soi de s'affirmer, en son comportement, comme conscience de soi de l'Esprit.

Nous connaissons ces déterminations de l'objet. Il est « en partie être *immédiat*, ou une chose en général — ce qui correspond à la Conscience immédiate ; en partie un devenir-autre de soi, sa relation ou *être pour un autre*, et *être-pour-soi*, la déterminité — ce qui correspond à la Perception —, en partie *essence* ou comme universel, — ce qui correspond à l'Entendement. Il est, comme Tout, le syllogisme ou le mouvement de l'universel, à travers la détermination, vers la singularité, aussi bien que le mouvement inverse, de la singularité, à travers la singularité comme sursumée ou la détermination, vers l'universel. C'est donc selon ces trois déterminations que la conscience doit le savoir comme soi-même [20] ». Ce qui signifie que le Soi doit reconnaître l'objet comme Soi selon les trois moments de son affirmation comme objet : l'immédiateté, c'est-à-dire le côté du singulier ou de l'en-soi, — la relation, c'est-à-dire la déterminité selon son double aspect du pour-soi et du pour-un-autre, — l'essence intérieure, c'est-à-dire l'universalité comme affirma-

18. *Ph. G.*, 549/13 (II 293/12).
19. *Ph. G.*, 550/2 (II 294/13.
20. *Ph. G.*, 550/10 (II 294/21).

13

tion de l'en-et-pour-soi. De la sorte sera pleinement déployé l'Esprit absolu, dans l'unité véritable de ses moments *et* dans leur indépendance mutuelle.

Sans doute, Hegel, le rappelle immédiatement, toutes ces déterminités ne se posent pas ici dans la pureté qui sera la leur à l'intérieur de la Science de la Logique ; nous demeurons tributaires du savoir phénoménologique et de son extraposition par rapport à lui-même dans le temps, de sorte que « les moments du concept authentique ou du pur savoir doivent être indiqués dans la forme de figurations de la conscience [21] ». Et donc, bien qu'il soit vrai que toute figure phénoménologique, ainsi que nous l'avons vu, soit expression de la Totalité, et entretienne, comme telle, des relations avec les moments du concept pur [22], il faut dire que ce n'est pas la conscience comme telle qui est capable d'opérer cette récollection des déterminités de son objet : c'est *nous* qui le pouvons [23], faisant comme la « somme » des figures fondamentales dans lesquelles se rassemble la signification globale du mouvement dans lequel, pour sa part, la conscience se trouve immergée.

Un mot encore avant d'aborder tour à tour chacune de ces trois déterminations. Hegel, on l'a remarqué, les rattache aux trois temps successifs de la section « Conscience » : à la Conscience immédiate (c'est-à-dire à la Certitude sensible), à la Perception et à l'Entendement. Mais ce n'est pas à dire que la « récollection » qu'il nous faut opérer concerne directement les trois figures concrètes ainsi évoquées : car ce qui se trouve visé en elles, c'est la déterminité logique abstraite qu'elles expriment sous un mode particulier ; cela signifie donc seulement que les trois figures retenues devront appartenir respectivement au *niveau* de la Certitude sensible (c'est-à-dire de l'en-soi), à celui de la Perception (du pour-soi et du pour-un-autre), enfin à celui de l'Entendement (de l'en-et-pour-soi), — selon le tableau de la réassomption « horizontale » des figures antérieures établi dans l'introduction à la Religion [24]. En fait, chacune d'elles sera située au point où s'achève et s'accomplit le mouvement de la déterminité correspondante.

---

21. *Ph. G.*, 550/25 (II 295/5).
22. Nous aurons à revenir sur ce point dans la troisième partie de ce travail.
23. *Ph. G.*, 550/34 (II 295/14). Reste, bien sûr, que ce *nous* n'est pas extérieur à la conscience, mais qu'il manifeste ce qui fut vécu *par la conscience* elle-même, par le truchement de son développement en figures. Hegel exprime cela par un *teils... teils* (*Ph. G.*, 550/32-33 — II 295/12/13) qui n'exprime point une opposition quantitative, mais le mouvement de révélation réciproque de deux points de vue égaux en soi.
24. Cf., ci-dessus, p. 156.

a) *Le Jugement infini.*

« Donc, pour ce qui est de l'objet en tant qu'il est immédiat, un *être indifférent*, nous avons vu la Raison observante se *chercher* et se *trouver* elle-même dans cette chose indifférente, c'est-à-dire être consciente de son opération comme d'une [opération] aussi bien extérieure qu'elle est consciente de l'objet seulement comme d'un immédiat. Nous l'avons vu aussi, à son sommet, prononcer (*aussprechen*) sa détermination dans le Jugement infini, [à savoir] que l'*être du Je est une chose* [25]. » La répétition de ce « nous » traduit ce que Hegel a déjà affirmé ci-dessus, à savoir que l'intelligence du mouvement unitaire est ici *notre* fait, et qu'elle nous situe vraiment au niveau de la détermination d'un parallélisme structurel. Le texte même qui vient d'être cité souligne, pour sa part, que le philosophe, en recueillant ce qui fut l'attitude de la conscience, se dégage lui-même des limitations qui étaient les siennes alors [26]. En effet, on rappelle comment, d'une part, la conscience observante s'est engagée dans la recherche de sa propre vérité rationnelle en s'identifiant purement et simplement avec la réalité la plus impénétrable et la plus morte qui soit : « l'esprit est un os » ; — et d'autre part, on montre comment le langage, échappant à cette conséquence extrême de la phrénologie, sut donner de ce mouvement une formulation universelle, celle-là même que nous pouvons maintenant recueillir : « l'être du Je est une chose ». Ce double plan d'intelligence de ce qui fut alors opéré est à nouveau dégagé au terme de ce paragraphe : « Ce jugement, pris ainsi selon sa teneur immédiate, est sans Esprit, ou plutôt il est l'absence même d'Esprit. Mais, selon son *concept*, il est en fait ce qu'il y a de plus riche en Esprit (*das Geistreichste*), et cet *Intérieur* sien, qui en lui n'est pas encore *présent*, est ce que les deux autres moments à envisager prononcent (*aussprechen*) [27]. »

Le Jugement infini, au terme de la figure de la Raison observante, est donc ce qui *prononce* le mouvement de la conscience dans son acception conceptuelle. Dans son ordre, qui est celui de l'observation simple, suivant en cela la loi qu'elle s'est donnée, cette conscience aboutit à une impasse ; mais la vérité du résultat se pose dans l'universalité du langage : l'Esprit se donne à connaître en lui selon l'un des extrêmes de sa signification, comme identifié totalement à l'être en sa compacité immédiate ;

25. *Ph. G.*, 550/41 (II 295/21).
26. Ou plutôt qu'il arrache *la conscience elle-même* à l'abstraction dont elle demeurait encore tributaire dans ce surgissement premier.
27. *Ph. G.*, 551/13 (II 296/8). Sur la signification de *aussprechen*, cf. 82/7 (I 84/20).

après avoir longtemps « joué à côté » ou autour de son contenu, l'Esprit accepte de se perdre en lui, de telle manière qu'il n'existe, dans cette ligne, nulle possibilité d'une expression plus radicale ; ce Jugement infini exprime donc le point d'aboutissement ultime du rapport de l'Esprit à l'être *du point de vue de l'en-soi*. Mais en même temps cette « perte » de soi dans son autre ne peut être pour l'Esprit une renonciation à ce qu'il est ; bien plutôt, son pouvoir négatif investit la totalité de l'être pour l'exprimer comme « relation » : c'est en ce sens que le second moment à envisager se déploie en vérité à partir de ce premier, dont il exprime la portée réelle en son « devenir-autre [28] ».

b) *L'Utilité.*

Un pur jugement d'égalité demeure ce qu'il est en intervertissant les termes qu'il met en relation ; ainsi de l'affirmation : l'être du Je est une chose. C'est pourquoi le texte poursuit : « *La chose est Je* ; en fait dans ce Jugement infini la chose est sursumée ; elle n'est rien en soi ; elle n'a signification que dans la relation, qu'*à travers* Je et *son rapport* à lui [29]. » Ainsi se réalise de façon concrète ce que Hegel affirmait ci-dessus : l'Esprit se manifeste comme Esprit en montrant que la substance, dans la totalité de ses déterminations concrètes, n'est autre que le Soi. « Ce moment s'est présenté pour la conscience dans la pure Intellection et l'*Aufklärung*. Les choses sont tout simplement *utiles,* et ne doivent être considérées que selon leur utilité [30]. » On se souvient en effet que ce concept d' « Utilité » surgit, à l'intérieur du second temps de la section « Esprit », comme terme de la lutte entre l'*Aufklärung* et la superstition [31] ; cette dernière, s'appuyant sur « la conscience naïve de l'essence absolue [32] », se fie immédiatement au monde de l'au-delà, réplique de celui-ci élevé à la dignité d'un en-soi absolu ; c'est contre cette confiance que l'intellection va se dresser, montrant que ce monde-ci, loin de s'évanouir devant l'affirmation de l'autre, porte vraiment en soi tout le poids de l'Esprit, lequel se donne à connaître en lui en le « produisant » par le mouvement de la « culture ». Par ce processus, en effet, la conscience spirituelle pose la chose selon sa double déterminité, ainsi que le souligne la suite du texte : « La conscience de soi *cultivée,* qui a parcouru le monde de l'Esprit devenu étranger à soi, a par son exté-

28. *Ph. G.*, 550/12 (II 294/23).
29. *Ph. G.*, 551/19 (II 296/14).
30. *Ph. G.*, 551/22 (II 296/17).
31. *Ph. G.*, 399/5 (II 112/2).
32. *Ph. G.*, 386/35 (II 97/18).

riorisation produit la chose comme soi-même, par conséquent
se conserve encore soi-même en elle et sait la dépendance de
cette chose, ou que la chose *essentiellement* n'est que *être pour
un autre* ; ou bien, étant parfaitement exprimée la *relation,*
c'est-à-dire ce qui seul ici constitue la nature de l'objet, alors la
chose vaut pour elle comme une [chose] *étant pour soi,* elle prononce la certitude sensible comme vérité absolue, mais cet *être-
pour-soi* lui-même comme moment qui ne fait que disparaître et
passer dans son contraire, dans l'être pour un autre livré en
proie [33]. »

Pour la conscience de soi, *trouver* la chose comme un Soi,
c'était rabaisser l'Esprit à une plate objectivité ; au contraire,
la *produire* comme ce Soi, c'est manifester la profondeur spirituelle de l'objet immédiat. Le mouvement de l'*Aufklärung,* dans
son appréhension du monde, tend au dépassement de toute rigidité, de toute opacité : la chose est en dépendance radicale de
la conscience qui la pose, et se trouve donc vraiment définie
par son rapport à elle ; elle est totalement translucide, puisque
son essence même consiste dans sa relation : il n'est rien en
elle qui se pose en son indépendance, rien qui ne soit « utile ».
Mais, puisque cette détermination exprime la chose en son intégralité, il faut donc dire qu'elle se trouve, en cela même, décrite
telle qu'elle est en elle-même : son être-pour-un-autre est identiquement son être-pour-soi. Dans cette mesure, la chose, à l'intérieur même du mouvement de médiation dans lequel elle se
trouve incluse, resurgit dans son immédiateté, puisqu'il n'y a en
elle aucune distance entre ce qu'elle est et l'appréhension dont
elle est l'objet : c'est là un retour à l'attitude de la certitude
sensible, mais de telle sorte que cette attitude se déploie désormais dans sa vérité, comme l'un des moments du dynamisme
total, — car ce qui est immédiat ici, c'est l'acceptation de la
chose dans son mouvement même de médiation ; c'est cela, en
vérité, qu'implique le concept d'utilité [34].

c) *La Conscience de soi morale.*

Il n'est donc point besoin d'autre transition que celle-là pour
aborder la troisième des déterminations, celle de l'en-et-pour-
soi ; puisque en effet le déploiement de chacun de ces deux

33. *Ph. G.,* 551/25 (II 296/20).
34. A la fin de la section « Raison », opposant la conscience éthique au
mouvement de la « foi », Hegel exprimait déjà, dans un contexte proche de
celui-ci, que l'immédiateté véritable implique tout le déploiement de la médiation : « Cette conscience [éthique]... s'est sursumée comme singulière, cette
médiation est accomplie, et c'est seulement parce qu'elle est accomplie qu'elle
est conscience de soi immédiate de la substance éthique », 311/1 (I 353/33).

moments, envisagé en lui-même, conduit à l'affirmation de l'autre, c'est qu'ils doivent être tenus ensemble et qu'aucun ne peut s'imposer de façon unilatérale. Ce que Hegel exprime ainsi : « En ce point cependant le savoir de la chose n'est pas encore achevé ; elle doit être sue comme le Soi, non seulement selon l'immédiateté de l'être et selon la déterminité, mais aussi comme *essence* ou *intérieur* [35]. » L' « intérieur », nous le savons, n'est pas à entendre ici dans son acception unilatérale, comme opposé à l'extérieur ; bien plutôt, il est l'universel, « l'être-là du Je étendu jusqu'à la dualité », ou, pour reprendre le vocabulaire utilisé dans le paragraphe précédent, l'être pour soi compris comme être pour un autre.

Ce résultat s'est posé au terme de la section « Esprit », « dans la Conscience de soi morale » : « Celle-ci sait son savoir comme *l'essentialité absolue,* ou *l'être* tout simplement comme le pur vouloir ou savoir ; il *n'est* rien que seulement ce vouloir et savoir ; c'est à un autre que survient un être seulement inessentiel, c'est-à-dire n'étant pas *en-soi,* seulement son écorce vide [36]. » Au point de départ de cette dialectique, la conscience de soi se pose dans son pouvoir absolu à l'égard de son monde, dont elle définit l'essence par son seul vouloir et son seul savoir ; il suit de là que l'être lui-même, étant produit de la sorte, n'est rien d'autre que ce vouloir et ce savoir. Sommes-nous donc encore au niveau où l'objet s'évanouit simplement devant l'esprit qui, face à lui, s'affirme comme totalité ? Non pas, car cette dépendance radicale est ce qui constitue l'être *dans son être même* ; et c'est pourquoi la conscience a affaire, en cette relation, à une réalité *en soi,* qui « tient » réellement devant elle. Voilà qui nous permet de dépasser l'unilatéralité du second moment, puisque l'objet, désormais, subsiste en lui-même, dans sa liberté propre. Pourtant, ce n'est pas un retour à la particularité du premier moment, puisque l'être, dans sa liberté même, n'a plus nulle opacité, et que son essence n'est plus différente de celle de la conscience. Hegel ramasse en une seule expression cette double composante : « En tant que la conscience morale, dans sa représentation du monde, affranchit l'*être-là* par rapport au Soi, elle le reprend aussi bien de nouveau en soi [37]. »

Dernière étape : la conscience morale, qui a voulu tout d'abord s'en tenir à une attitude simple en s'attachant tour à tour à l'un des termes en présence, renonce à cette hypocrisie et se reconnaît elle-même comme leur unité : « Comme Bonne conscience enfin

35. *Ph. G.,* 551/37 (II 296/31).
36. *Ph. G.,* 551/41 (II 297/2).
37. *Ph. G.,* 552/5 (II 297/7).

elle n'est plus ce placer et ce déplacer alternant encore de l'être-là et du Soi, mais elle sait que son *être-là* comme tel est cette pure certitude de soi-même ; l'élément objectif dans lequel elle s'expose comme agissante n'est rien d'autre que le pur savoir que le Soi a de soi [38]. » Une fois encore, l'identité de l'être et du Soi s'exprime ici en termes de « certitude », et tel est bien le signe que le mouvement a fait retour à son origine ; la transparence du pour-soi (identique à la pure dépendance de l'être-pour-un-autre) est saisie comme en-soi dans l'immédiateté devenue de son rapport à la conscience.

« Tels sont les moments à partir desquels se compose la réconciliation de l'Esprit avec sa conscience proprement dite [39]. » Ou, pour préciser encore, ce dont il s'agit à travers cette réassomption, c'est de l'affirmation de l'Esprit comme réconciliation de la conscience avec la conscience de soi, mais de telle sorte que cette réconciliation se pose ici « dans la conscience même comme telle [40] ». Le mouvement qui aboutit à ce résultat consiste à « composer » (*zusammensetzen*), c'est-à-dire à poser ensemble, les trois moments dont le souvenir a été évoqué. Remarquons que, dans tout ce développement que nous venons d'analyser, Hegel ne parle pas de « figures », mais de « moments ». Ce n'est pas à dire, bien sûr, qu'il soit fait ici abstraction du contenu ; mais celui-ci est repris sous la raison de sa signification *logique*. Hegel l'avait d'ailleurs annoncé dans l'introduction à ce développement : ce dont il s'agit, c'est de reconnaître l'objet comme Soi selon toutes les *déterminités* de cet objet ; c'est pourquoi, à chacune de ces étapes (l'en-soi, le pour-soi/pour-un-autre, l'en-et-pour-soi), se trouve visée non point directement la situation phénoménologique comme telle mais sa traduction dans le langage, — dans l'universalité d'un *jugement* logique.

L'unité de ces trois moments, le fait que tous ensemble composent l'unité de l'Esprit avec lui-même dans sa conscience, s'exprime en cela que le dernier d'entre eux rassemble en lui-même la signification des deux autres : « Pour soi ils sont singuliers, et c'est seulement leur unité spirituelle qui constitue la force de cette réconciliation. Mais le dernier de ces moments est nécessairement cette unité elle-même, et, comme il est clair, les relie tous en soi [41]. » Hegel montre alors comment chacun des deux premiers trouve sa vérité dans le troisième, et cela, comme il vient d'être souligné, par l'assomption du mouvement

38. *Ph. G.*, 552/8 (II 297/9).
39. *Ph. G.*, 552/14 (II 297/15).
40. Selon le paragraphe central analysé plus haut : 553/8 (II 298/16).
41. *Ph. G.*, 552/16 (II 297/16).

dans l'universalité du langage : « L'Esprit certain de soi-même
dans son être-là n'a comme élément de l'*être-là* rien d'autre que
ce savoir de soi ; le prononcer, selon lequel ce qu'il fait, il le
fait par conviction du devoir, ce langage sien est le *valoir* de
son *agir* [42]. » Autrement dit, en ce qui concerne ce premier temps,
la certitude immédiate de l'Esprit dans son monde rejoint la
certitude devenue qu'il acquiert grâce à l'expression morale de
son Soi authentique ; on se souvient que ce terme caractéristique
de « certitude » est apparu à nouveau dans l'exposé de ce troisième moment. En second lieu, pour marquer que cette dialectique de l'Esprit certain de soi-même accomplit aussi le second temps du mouvement total, c'est-à-dire celui de la division
du concept et de la dépendance radicale de l'objet utile dans son
être-là lui-même, il suffit de souligner en elle, non plus l'aspect
de certitude, mais le mouvement concret qui, dans le processus
de l'action, opère la scission de ce concept dans l'unité de son
en-soi : « L'agir est le premier séparer étant-*en-soi* de la simplicité du concept et le retour hors de cette séparation. Ce premier
mouvement [à savoir la scission] se convertit dans le second
[c'est-à-dire dans le retour en soi] en tant que l'élément du
reconnaître se pose comme savoir *simple* du devoir en face de
la *différence* et de la *division* qui réside dans l'agir comme tel, et
qui forme de cette manière une effectivité de fer en face de
l'agir. Mais nous vîmes dans le pardon comment cette dureté
renonce à soi-même et s'extériorise [43]. » Dans la reconnaissance
(au sens technique de ce terme) qu'engendre le pardon, l'être-là
perd en effet toute opacité et toute autonomie comprise sous le
mode d'une réalité « étrangère » : il accomplit de la sorte l'égalité du pour-soi et du pour-un-autre qui caractérise le moment
de l'Utilité. Enfin, ces deux affirmations disjointes sont rassemblées dans le jugement final : « L'effectivité n'a donc ici, pour
la conscience de soi comme *être-là immédiat,* aucune autre signification que d'être le pur savoir ; — pareillement [pour la
conscience de soi] comme être-là *déterminé,* ou comme relation,
ce qui est opposé à soi est un savoir, pour une part de ce Soi
purement singulier, pour l'autre du savoir comme universel. En
cela est en même temps posé que le *troisième* moment, l'*universalité* ou l'*essence,* vaut pour chacun des deux [moments] opposés
seulement comme *savoir* ; et ils sursument finalement aussi l'opposition vide qui demeure encore, et sont le savoir du Je = Je ;
ce Soi *singulier,* qui est immédiatement savoir pur ou universel [44]. » La dialectique de la Bonne conscience s'était ainsi ache-

42. *Ph. G.,* 552/20 (II 297/20).
43. *Ph. G.,* 552/24 (II 297/24).
44. *Ph. G.,* 552/33 (II 298/3).

vée sur la reconnaissance de l'égalité du Je avec lui-même en son redoublement [45] ; en termes logiques, il s'agit là de la profondeur universelle découverte au cœur du singulier, grâce à l'unité devenue de l'en-soi et du pour-soi/pour-un-autre ; en termes phénoménologiques, le subjectif en vient à confesser ici l'objectif comme subjectif selon les trois temps qui expriment le développement plénier de l'objet lui-même.

On pourrait se demander quelle raison a poussé Hegel à choisir précisément ces trois moments pour résumer en eux le mouvement de l'Esprit en sa conscience ; en effet, ce ne sont pas ceux-là qui s'imposent par priorité au cours d'une lecture des quatre premières sections de la *Phénoménologie*. Ce qu'alors nous avons appelé les « figures clés » ou les « mouvements remarquables », tous ces passages dont l'évocation dans une dialectique postérieure avait une valeur normative, ce sont d'abord, en tout premier lieu, les figures du Stoïcisme, du Scepticisme et de la Conscience malheureuse ; ce sont ensuite, à un niveau moins prégnant, les dialectiques du Jeu des forces, de l'Infinité, du Désir, de la Catégorie, de la Chose même ; pour ce qui est des séquences-modèle, il faut ajouter le passage Certitude sensible/Perception ; enfin, on se souvient du rôle que joue plusieurs fois la référence à l'Etat du droit dans les moments subséquents de la section « Esprit [46] ». Quant au Jugement infini et à l'Utilité, ils sont loin, semble-t-il au premier abord, d'avoir une importance comparable.

S'en tenir à ce jugement serait demeurer prisonnier d'une erreur de perspective ; en fait, ces deux types de références ne répondent ni au même dessein ni à la même logique. Les trois moments récapitulés en ce début du Savoir absolu correspondent, si l'on peut dire, aux « nœuds » du raisonnement, aux passages dans lesquels le mouvement se recueille en lui-même et s'accomplit dans sa vérité originelle ; nous l'avons noté en son temps : chaque fois, il est fait mention du retour à la « certitude » initiale, et cette indication souligne l'importance du passage considéré, le fait que, au niveau qui est le sien, ce passage représente un point d'aboutissement, un terme qui ne peut être dépassé dans la perspective de sa déterminité propre. Au contraire, les figures évoquées ci-dessus, celles qui reviennent le plus souvent dans les corrélations qui se trouvent alléguées, désignent ordinairement non pas le terme accompli, mais le mouvement de sa naissance, ou le dynamisme de son affirmation progressive. En somme,

---

45. *Ph. G.*, 472/26 (II 199/39).
46. Cette dialectique n'est envisagée ici que par rapport au mouvement de l'Esprit *dans sa conscience* ; son importance serait évidemment beaucoup plus grande si l'on tenait compte de ses résurgences dans la section « Religion ».

Jugement infini, Utilité, Bonne conscience représentent les *articulations* d'un raisonnement dont le déploiement concret se trouve jalonné par la résurgence d'un certain nombre de situations ou d'attitudes fondamentales, exprimées précisément dans les figures récurrentes. Il n'est plus possible, il est vrai, d'opposer ici des structures statiques et le dynamisme d'un mouvement, puisque celui-ci conduit à celles-là et s'accomplit en elles ; ce n'est que dans le développement phénoménologique concret, avec l'extériorité temporelle par rapport à lui-même dans laquelle il s'exprime, que peut surgir cette dualité de registres d'expression : maintenant, ils se rassemblent dans la reconnaissance du *sens* qui *est-là*. Pourtant, puisqu'il s'agit ici de l'intelligence du *contenu* de l'œuvre, on peut garder référence à cette dualité, et évoquer, sous mode analogique, la différence dans l'unité qui s'était posée, au début de la Perception, entre l'objet et le mouvement de son connaître : « L'objet est selon l'essence la même chose que le mouvement, celui-ci le déploiement et la différenciation des moments, celui-là leur être-saisi-ensemble [47]. »

Le paragraphe suivant a été analysé au début de ce chapitre. Il situe cette réconciliation de l'Esprit avec lui-même dans sa conscience par rapport à celle qui fut réalisée dans l'élément de la conscience de soi à travers les dialectiques de la Religion. Ici, point n'est besoin de se prêter à pareille récollection des moments divers : le mouvement, sans être plus facile à saisir, est davantage ramassé sur lui-même, et la figure du Christ ressuscité dans la communauté spirituelle s'impose évidemment comme le terme de ce mouvement, rassemblant en soi le contenu total de l'Esprit conscient de soi et le dynamisme de sa manifestation ; reste à montrer l'unité de ces deux réconciliations, la cohérence réelle de la forme spirituelle et du contenu religieux ; c'est à quoi s'emploient les trois paragraphes suivants, que nous allons lire maintenant. Ils marquent l'ultime aboutissement de l'intelligence *unitaire* de l'œuvre au travers de ses structures diversifiées.

III. UNIFICATION DERNIÈRE
DANS LA FIGURE DE LA BELLE AME

Il est évident que cette unification n'est pas à entendre comme une tâche nouvelle, qui serait à construire de toutes pièces, mais qu'elle résulte pour nous de la prise de conscience de ce qui fut

47. *Ph. G.*, 89/29 (I 93/17).

opéré en réalité. Là ne s'arrête pas, d'ailleurs, l'affirmation initiale ; nous savons aussi, nous est-il dit, en quel lieu cette unité s'est posée, et quelle attitude il faut prendre pour être en mesure de la déchiffrer. Voici le texte : « Cette unification est déjà arrivée *en soi,* à la vérité dans la Religion aussi, dans le retour de la représentation dans la conscience de soi, mais non selon la forme propre, car le côté religieux est le côté de l'*en-soi* qui se tient en face du mouvement de la conscience de soi. L'unification appartient par conséquent à cet autre côté, qui à l'inverse est le côté de la réflexion en soi, donc celui qui contient soi-même et son contraire, et non [comme] *en soi* ou d'une manière universelle, mais [comme] *pour soi* ou [sous mode] développé et différencié [48]. » Autrement dit : dans le mouvement de sa propre manifestation, l'essence absolue s'est avancée aussi loin qu'il était possible, assumant le contenu de l'existence singulière pour le poser dans une unité réelle avec l'universel ; mais la conscience de soi, en prenant ainsi la forme de l'objectivité de la conscience, se soumet à sa loi, de sorte qu'elle demeure tributaire de l'extériorité de l'en-soi ; elle ne peut, de son côté, lever cette ultime opposition, car elle ne peut rien contre l'autonomie du pour-soi, — rien que tenter de se faire reconnaître par elle. De sorte que cette unification souhaitée doit venir de la conscience de soi singulière, dans l'acte même où, comme nous l'avons vu, elle a renoncé à cette singularité pour agir en ce monde comme conscience spirituelle universelle : c'est ici le côté de la forme absolue qui doit montrer que le contenu pareillement absolu qu'elle rencontre est en réalité un contenu sien.

Ce qui surgira alors, c'est « l'unité simple du concept [49] ». Or, nous savons que ce concept est présent, sous une modalité particulière, à chacune des étapes de la dialectique, et qu'il est le fondement du mouvement où elle s'engendre ; à ce niveau phénoménologique, le temps est la forme dans laquelle il se donne à connaître ; de sorte qu'il ne peut être saisi alors que dans son extériorité, autrement dit à travers une concrétion particulière : le concept, dit Hegel, « est déjà présent du côté de la conscience de soi elle-même [50] ; mais tel qu'il est survenu dans ce qui précède, il a, comme tous les autres moments, la forme d'être une *figure particulière de la conscience* [51] ». Et de fait, nous l'avons vu, l'une des caractéristiques de l'œuvre, c'est la conjonction des

48. *Ph. G.,* 553/24 (II 298/32).
49. *Ph. G.,* 553/37 (II 299/12).
50. C'est-à-dire dans la Religion ; mais aussi bien dans l'ultime figure des quatre premières sections, puisque, exprimant le déploiement de l'Esprit dans sa conscience, elles aboutissent à sa réconciliation avec lui-même *dans la forme de la conscience de soi.* Cf., ci-dessus, pp. 189-190.
51. *Ph. G.,* 553/38 (II 299/13).

mouvements linéaire et circulaire qui fait que la totalité est présente à chacun des moments du développement, en chacune des figures qu'elle comporte ; mais non point de façon identique, puisque, au fil de ce développement, l'Esprit en vient à se posséder et à se donner de façon plus prégnante, recueillant en sa simplicité les déterminations successives qu'il a acquises dans la succession des expériences de la conscience ; de sorte que c'est au terme du mouvement que nous pouvons espérer trouver la figure qui rassemble en elle toutes les autres, opérant, non plus seulement la réconciliation de l'Esprit avec lui-même dans sa conscience, mais l'unité de cet accomplissement formel avec la totalisation que pose, au niveau du contenu, dans la Religion, la seconde réconciliation de l'Esprit avec lui-même, comme conscience de soi.

Hegel désigne d'abord cette figure particulière, avant de « justifier » le choix ainsi opéré ; c'est le mouvement que nous suivrons aussi dans l'analyse présente. Le concept, dit-il, est « cette partie de la figure de l'Esprit certain de soi-même qui reste dans son concept, et qui fut nommée la *Belle Ame* [52] ». Au terme de la Moralité, lors de la détermination de cette attitude de l'esprit, Hegel avait écrit déjà, en termes presque semblables : « Nous voyons ici la conscience retournée dans ce qui est le plus intérieur en elle (*in sein Innerstes*), pour elle toute extériorité comme telle est disparue, — dans l'intuition du Je = Je, où ce Je est toute essentialité et être-là. Elle sombre dans ce concept de soi-même [53] [...]. » Il s'agit là, Hegel le dit, d'une « partie » de la figure de l'Esprit certain de soi-même, très précisément du moment où cette figure s'affirme en sa pureté, antérieurement à toute détermination, et en particulier à cette détermination qu'elle recevra dans l'expérience du Mal et de son pardon : la conscience a définitivement dépassé toute opposition à l'égard de l'objet considéré dans son extériorité ; pour elle, « la *substance* étant-en-soi est le *savoir* comme *son* savoir [54] ».

Que l'unification ultime de l'Esprit avec lui-même en son double mouvement de réconciliation ait pour lieu cette conscience immédiate, si parfaitement translucide à elle-même, voilà qui ne manque pas d'étonner de prime abord ; en effet, « clarifiée jusqu'à cette pureté », cette conscience « est sa figure la plus pauvre, et la pauvreté qui constitue son unique possession est elle-même un disparaître ; cette *certitude* absolue dans laquelle la substance s'est résolue, est l'absolue *non-vérité* qui s'écroule en soi ; c'est l'absolue *conscience de soi* dans laquelle la *cons-*

52. *Ph. G.*, 554/1 (II 299/16).
53. *Ph. G.*, 461/36 (II 188/15).
54. *Ph. G.*, 462/15 (II 188/35).

cience sombre [55] ». Autrement dit, dans cette suppression totale de la liberté de l'objet, s'opère le passage à la conscience de soi de l'Esprit que développera la section « Religion » ; nous sommes donc à la charnière de l'œuvre, au point précis où elle bascule de l'une de ses déterminités dans l'autre. Nous retrouvons cela affirmé à nouveau dans le texte du Savoir absolu : la Belle Ame est « le savoir que l'Esprit a de soi-même, dans sa pure unité transparente, — la conscience de soi qui sait ce pur savoir du *pur être-dans-soi* comme l'Esprit, — non seulement l'intuition du divin, mais son intuition de soi [56] ». Il s'agit bien, à partir de là, de l'Esprit dans sa conscience de soi.

C'est parce qu'elle est ainsi le lieu de ce renversement, parce qu'elle recueille en elle le devenir de la conscience et contient déjà celui de la conscience de soi, que la Belle Ame s'impose, à la fin de tout le processus, comme le terme auquel il faut revenir pour saisir l'unité de l'ensemble. Mieux que le passage qui fait communiquer un versant avec l'autre, elle est à la fois, comme présence de l'Esprit en son immédiateté devenue, point de départ et point d'aboutissement de l'un et l'autre des parcours. Mais la reconnaissance de cette richesse exige, comme toujours, que ces parcours aient été pleinement achevés ; ainsi seulement se trouve levée l'ambiguïté dont était affectée cette attitude en son surgissement premier. Cette ambiguïté se traduisait alors par le fait que cette conscience pouvait tout aussi bien disparaître et s'abîmer en sa pure abstraction que s'accomplir par le mouvement de l'action et de la communication : « En tant que ce concept se maintient opposé à sa réalisation, il est la figure unilatérale que nous vîmes s'évanouir dans la vapeur vide, mais dont nous vîmes aussi l'extériorisation positive et la progression [57]. »

C'est évidemment cette seconde possibilité qui nous intéresse ici, puisque c'est elle qui porte en germe la promesse d'un dépassement véritable de l'extérieur *et* de l'intérieur, des catégories de la substance *et* du sujet. Ce dépassement s'est opéré à un double niveau, dans la section « Esprit » elle-même par la détermination de la forme véritable, et dans la section « Religion » où fut gagnée la plénitude du contenu ; c'est pourquoi la Belle Ame peut se révéler maintenant comme la source unique et le point de rassemblement de ces deux « réconciliations » qui sont issues d'elle. La première fut acquise, comme nous le savons, dans la dialectique du Mal et de son pardon ; en acceptant d'agir, c'est-à-dire de donner un premier contenu à sa certitude immédiate

55. *Ph. G.*, 462/7 (II 188/27).
56. *Ph. G.*, 554/3 (II 299/18).
57. *Ph. G.*, 554/8 (II 299/23).

d'elle-même, la conscience brise le cercle de sa solitude, se donne à connaître pour ce qu'elle est, dans sa pauvreté et sa richesse ; ce faisant, elle dessine l'espace spirituel véritable, la *forme* que devra revêtir toute action humaine élevée à sa vérité : « A travers cette réalisation se sursume le se-fixer-obstinément-sur-soi de cette conscience de soi sans objet et la *déterminité* du concept en face de son *remplissement,* sa conscience de soi gagne la forme de l'universalité, et ce qui lui reste c'est son concept véritable, ou le concept qui a gagné sa réalisation ; elle est dans sa vérité, à savoir dans l'unité avec son extériorisation, — le savoir du pur savoir, non comme *essence* abstraite qui est le devoir, — mais du savoir comme essence qui est *ce* savoir, *cette* pure conscience de soi, qui donc en même temps est *objet* véritable, car il [= l'objet] est le Soi étant-pour-soi [58]. » Ce Soi étant-pour-soi, c'est l'autre conscience avec laquelle elle entre en relation, et vis-à-vis de laquelle elle se pose comme véritablement singulière, au sein de l'universalité accomplie qui est désormais leur élément commun ; cette forme authentique, c'est le mouvement de la pleine « reconnaissance », que n'avait pu effectuer l'expérience du combat à mort, mais que réalise maintenant la dialectique de la confession et du pardon.

Telle est la première réconciliation qui s'engendre en l'attitude de la belle âme, pour peu que celle-ci accepte de développer ce qu'implique le caractère absolu de sa certitude d'elle-même. Ce faisant, elle s'égale à toute l'amplitude de l'Esprit, de sorte que s'ouvre devant elle l'autre réconciliation, celle qui, au niveau du *contenu* cette fois, s'affirme dans la Religion, — second moment qui se trouve défini tout d'abord dans son opposition par rapport au premier : « Ce remplissement, ce concept se l'est donné, d'une part dans l'Esprit certain de soi-même *agissant,* d'autre part dans la *Religion* : dans cette dernière, il a gagné l'absolu *contenu comme contenu,* ou dans la forme de la *représentation,* de l'être-autre pour la conscience ; par contre, dans la première figure [= l'Esprit agissant], la forme est le Soi lui-même, car elle contient l'Esprit certain de soi-même *agissant* ; c'est le Soi qui parcourt la vie de l'Esprit absolu [59]. » Texte complexe, que Hegel développe dans les lignes suivantes. Il signifie, en première approximation, que l'un et l'autre de ces deux mouvements a organiquement besoin de l'autre pour s'accomplir en vérité : l'Esprit agissant, par cela même qu'il agit, expose le Soi à l'extériorité objective, — mais la particularité de sa détermination concrète ne peut alors remplir l'universalité de sa forme ; quant

58. *Ph. G.,* 554/12 (II 299/26).
59. *Ph. G.,* 554/24 (II 300/5).

à l'Esprit qui se manifeste dans la Religion, il s'égale réellement
à la totalité du contenu substantiel, — mais il n'a pas gagné le
Soi, et il se pose en face de lui dans l'altérité de la représentation.
Ce qu'il faut donc, c'est que tout le contenu de la Religion soit
reversé dans la forme que s'est acquis l'Esprit agissant : alors la
totalité de la substance spirituelle sera présente comme Soi ; car
c'est le Soi qui parcourt la vie de l'Esprit absolu *et la mène à
son terme* [60].

Hegel donne réalité à ce mouvement en deux étapes successives : la première consiste à rappeler comment le contenu de
la Religion s'est déployé dans les termes mêmes de l'opposition
à laquelle fut affrontée la Belle Ame, c'est-à-dire en termes de
combat entre le bien et le mal [61] ; la seconde s'impose alors
d'elle-même : la résolution de ce conflit (qui embrasse ici la
totalité de la réalité spirituelle), c'est celle-là même que connut
la Belle Ame dans l'expérience du Mal et de son pardon ; mais
son sens, désormais, n'est plus seulement la réconciliation de
l'Esprit avec lui-même dans sa conscience : c'est l'unité de cette
réconciliation avec celle opérée dans l'élément de la conscience
de soi.

« Cette figure [= celle de l'Esprit certain de soi-même *agissant*] est, comme nous voyons, ce concept simple, mais qui
abandonne son *essence* éternelle, *est là,* ou agit. Le *dédoubler* ou
l'*émerger*, il les a dans la *pureté* du concept, car elle est l'absolue
abstraction ou négativité. Pareillement, il a l'élément de son
effectivité ou de l'être en lui dans le pur savoir même, car il
[= le savoir] est l'*immédiateté* simple, qui est aussi bien *être*
et *être-là* qu'*essence,* ceux-là [= être et être-là] la pensée négative, celle-ci [= l'essence] la pensée positive même [62]. » Formulation curieuse, qui rassemble en un raccourci saisissant la Religion manifestée et la Moralité, reversant dans celle-ci le contenu
de celle-là : la Belle Ame qui renonce à son abstraction, à son égalité vide avec elle-même, et qui accepte d'agir (Moralité), est en
effet la forme du mouvement absolu grâce auquel l'essence éternelle peut se quitter elle-même pour se donner une effectivitié
dans l'être-là (Religion). Car ce qui caractérise cette Belle Ame
agissante, en tant qu'elle est le lieu de la « manifestation » de
Dieu [63], ce n'est pas seulement « l'intuition du divin, mais l'intuition de soi du divin [64] ». Aussi bien, désormais, ce qui sera

60. *Durchführen,* dans cette phrase, doit probablement être entendu selon
cette signification étymologique très prégnante.
61. Religion : 537-538 (II 277-279) et 541-542 (II 281-283) ; Moralité :
464 sq (II 191 sq).
62. *Ph. G.,* 554/31 (II 300/12).
63. *Ph. G.,* 472/40 (II 200/10).
64. *Ph. G.,* 554/7 (II 299/22).

dit concernera tout à la fois l'une et l'autre de ces dialectiques,
ou plutôt leur unité effective en devenir ; le signe en est, ainsi
que nous l'avons vu, la résurgence de déterminations qui sont
communes aussi bien à l'homme de la Moralité qu'à la figure
du Christ, — et singulièrement l'affrontement au bien et au
mal : « Cet être-là est finalement aussi bien ce qui, hors de
lui [= hors du concept] — tant comme être-là que comme
devoir — est réfléchi en soi ou est le *mal.* Cet aller-en-soi constitue l'*opposition* du *concept,* et est ainsi le surgir du pur savoir,
non-agissant et *non-effectif,* de l'essence. Mais ce surgir dans
cette opposition, qui est sien, est la participation à elle ; le pur
savoir de l'essence s'est extériorisé *en soi* de sa simplicité, car
il est le *dédoubler,* ou la négativité qui est le concept ; en tant
que ce dédoubler est le *devenir-pour-soi,* il est le mal, en tant
qu'il est l'*en-soi,* il est ce qui reste le bien [65]. » En s'exposant à
la particularité de l'être-là, le concept simple acquiert, en effet,
une détermination qui le limite, et qui, au regard de la totalité
qui est sienne, le constitue, en cette réalisation de lui-même,
comme inadéquat à son essence ; pourtant, dans ce mouvement
même, il demeure en soi au niveau de l'universel absolu (sans
quoi la détermination ne serait point ressentie comme limite).
Dans la figure religieuse, il est vrai, le mouvement de mort et de
résurrection tendait à la suppression de cette dualité : mais dans
la communauté spirituelle qui le recueille, ce mouvement est
encore affecté d'une extériorité, puisque la conscience demeure
séparée de son objet (le Christ) et ne produit pas *comme sienne*
la réconciliation opérée en lui. Le contenu total est bien présent,
mais comme représenté.

C'est précisément l'insuffisance formelle de ce résultat que va
pouvoir lever la Belle Ame, dans la mesure où, se livrant à
l'action, elle surmonte l'intériorité abstraite de son *Insichsein.*
Ce faisant, elle manifeste que la réconciliation posée sous mode
objectif au plan de la substance spirituelle (dans la figure du
Christ mort et ressuscité) peut être assumée par elle comme son
œuvre propre : « Maintenant, ce qui arrive tout d'abord *en soi*
est en même temps *pour la conscience,* et pareillement doublé
lui-même, aussi bien *pour elle,* que elle son *être-pour-soi* ou
son propre opérer. Cela même qui est déjà posé *en soi* se répète
donc maintenant comme savoir que la conscience en a, et comme
opérer conscient [66]. » Autrement dit : la Bonne conscience, dans
le mouvement de son action, éprouve que ce qui fut réalisé sous
mode objectif dans la figure religieuse est pour elle, et elle le

65. *Ph. G.,* 554/40 (II 300/21).
66. *Ph. G.,* 555/9 (II 301/2).

montre en se prouvant capable de développer à partir d'elle-même cette réconciliation qui lui est proposée : « L'une des deux parties de l'opposition est l'inégalité de l'*être-en-soi* dans sa *singularité* à l'égard de l'universalité, — l'autre l'inégalité de son universalité abstraite à l'égard du Soi ; cela meurt à son être-pour-soi, et s'extériorise, fait sa confession ; ceci renonce à la dureté de son universalité abstraite, et meurt par là à son Soi sans vie et à son universalité inerte ; de telle sorte que, ainsi, cela s'est complété par le moment de l'universalité qui est essence, et ceci par l'universalité qui est Soi [67]. » On reconnaît là la double renonciation caractéristique de la dialectique du Mal et de son pardon, ainsi que l'accomplissement des deux singuliers l'un par l'autre dans l'universalité qu'ils confessent comme l'élément de leur mutuelle reconnaissance : « Par ce mouvement de l'agir, l'Esprit — qui n'est Esprit que maintenant qu'il *est là,* qu'il élève son être-là dans la *pensée* et par là dans l'*opposition* absolue, et qu'il retourne en dehors d'elle [= de cette opposition] précisément par elle et en elle-même — a surgi comme pure universalité du savoir qui est conscience de soi, — comme conscience de soi qui est unité simple du savoir [68]. »

Un schéma peut nous aider à réaliser ce que signifie cette unité devenue de l'Esprit et de la Religion qui est le Savoir absolu :

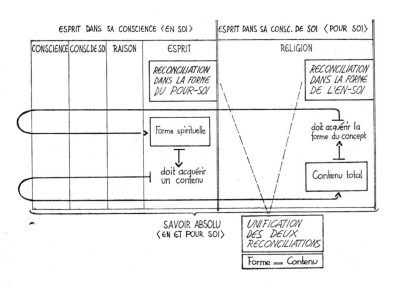

67. *Ph. G.*, 555/24 (II 301/17).
68. *Ph. G.*, 555/34 (II 301/25).

14

La forme spirituelle qui se pose au terme de la section
« Esprit » doit laisser se déployer à nouveau tout le contenu
du monde qui l'a engendrée jusqu'à ce que ce contenu rejoigne
la totalité substantielle qui s'est affirmée pour elle-même dans la
Religion ; quant à ce contenu de la Religion, qui n'est absolu
que dans la forme de l'en-soi, il doit se soumettre au développement concret du monde dans lequel il apparaît, jusqu'à gagner
en lui la forme spirituelle en laquelle il s'accomplit selon sa
vérité : « Ce qui donc dans la Religion était *contenu* ou forme
du représenter d'un *autre,* cela même est ici le propre *opérer* du
Soi ; le concept le lie de telle sorte que le *contenu* est le propre
opérer du *Soi* ; — car ce concept est, comme nous voyons, le
savoir de l'opérer du Soi en soi comme [savoir] de toute essentialité et de tout être-là, le savoir de *ce sujet* comme *de la
substance,* et de la substance comme de ce savoir de son
opérer [69]. »

Tel est le point d'aboutissement du Savoir absolu, tout au
moins en ce premier développement qui concerne directement la
réassomption du contenu de l'œuvre et la détermination de son
sens, — autrement dit l'intelligence du mouvement unique qui
anime ses structures diversifiées. Dans la perspective limitée
qui est celle de cette étude, nous ne pourrons aller plus loin dans
le dessin de l'organisation des expériences ; si nous voulions
préciser davantage, c'est un autre type d'investigation qu'il
faudrait entreprendre, portant sur la résurgence des diverses
couches de vocabulaire propres à tel ou tel niveau. Pourtant, les
résultats partiels auxquels nous sommes parvenus, et la trame
du raisonnement que nous avons pu dégager, pour grossière
qu'elle soit, posent déjà, et permettent d'éclairer en partie, des
questions qui ressortissent à l'interprétation de l'œuvre, à sa
situation aussi bien dans le corpus hégélien que par rapport
au mouvement de l'interrogation philosophique comme telle.
Hegel lui-même, d'ailleurs, dans les pages du Savoir absolu qui
suivent celles que nous venons d'analyser, opère, pour sa part,
ce « retour au sens » ; non point que son analyse ait jamais pu
l'en écarter, puisque nous ne sommes point sortis de l'unique
problème qui soit, — celui des relations entre le sujet et la
substance, entre le singulier et l'universel : mais la conscience,
qui s'est égalisée à son devoir-être spirituel, est désormais capable
de com-prendre le mouvement qui l'assure de cette plénitude, et

69. *Ph. G.*, 556/1 (II 302/4).

de saisir comme sienne l'affirmation progressive de l'Esprit dans le temps [70].

Voilà qui soulève deux questions, connexes et cependant distinctes : l'une concerne les rapports entre le déploiement pleinement auto-suffisant de l'Esprit en lui-même et sa conquête laborieuse empruntant les chemins de « l'expérience de la conscience » ; sous sa forme la plus générale, nous avons déjà évoqué plusieurs fois à ce propos le problème des relations entre Logique et Chronologie. Quant à la seconde des questions, elle touche au retour à l'immédiateté qui ponctue, nous l'avons vu, chacune des étapes majeures de l'œuvre, et qui s'impose sous mode encore plus prégnant à propos de son terme ; voilà qui nous conduira à poser le problème des rapports de la *Phénoménologie* avec les autres ouvrages de Hegel, ou encore la permanence de l'intérêt d'une phénoménologie à l'intérieur de l'univers philosophique. Ce sont les deux points dont traite Hegel à la fin du Savoir absolu ; ce sont eux aussi que nous allons aborder maintenant dans notre troisième partie.

---

70. Pour éviter toute ambiguïté, précisons que ce « retour au sens » n'implique aucun jugement sur l'ensemble de l'œuvre autre que celui que Hegel lui-même développe en ces dernières pages. Par exemple, on ne sera pas amené à se demander ce que signifie l'Esprit absolu par rapport aux éléments d'un autre système possible (fût-ce par rapport au concept de Dieu), puisque Hegel ne se pose pas cette question *à cet endroit de son œuvre*. — Rappelons que cette étude ne cherche pas à donner une interprétation exhaustive de la pensée de Hegel, mais qu'elle s'en tient résolument au déchiffrement d'un texte précis.

TROISIÈME PARTIE

RETOUR AU SENS

CHAPITRE PREMIER

LOGIQUE ET CHRONOLOGIE

I. LA FORMATION DE LA CONSCIENCE ET LES PROGRÈS DE L'ESPRIT DU MONDE

« La *conscience*, entre l'Esprit universel et entre sa singularité ou la conscience sensible, a pour moyen terme le système des figurations de la conscience, comme une vie de l'Esprit s'ordonnant jusqu'au Tout, — le système qui est considéré ici, et qui a comme histoire du monde son être-là objectif [1]. » C'est dans la Raison observante, au terme de la considération de la nature et de l'existence naturelle, que Hegel introduit cette remarque sur l'équation générale de l'œuvre. L'Introduction à la section « Religion », nous l'avons vu, reprendra cette affirmation, et dans des termes presque identiques [2] : les « figurations » de la conscience, ce sont les sections diverses, constituées par un ensemble organisé de figures ; elles sont le moyen terme entre l'universalité de l'Esprit et la singularité qu'il acquiert, précisément, grâce au contenu concret que déploie chacune des figures (par exemple, à un premier niveau, la « conscience sensible ») ; le syllogisme de cette relation se pose selon un double mouvement, puisque, ayant acquis une singularité immédiate dans la figure concrète, l'Esprit demeure présent en elle comme le dynamisme interne qui la conduit, de proche en proche, jusqu'à l'accomplissement plénier d'elle-même dans le système total qui constitue la vie de l'Esprit : du Tout à la figure singulière, et de celle-ci à l'Esprit déployé dans sa vérité, c'est une même vie qui circule et se donne à connaître.

La question la plus intéressante que nous pose la *Phénoménologie* tient en définitive dans la relation qui existe entre les deux formulations possibles de cet unique syllogisme. Car on ne peut évidemment s'en tenir de la sorte à un pur ordre de succession qui conduirait d'abord de l'universel au singulier, puis de celui-ci

---

1. *Ph. G.*, 220/2 (I 247/13).
2. *Ph. G.*, 476/14 (II 207/1).

à nouveau vers la vie de l'Esprit saisie comme totalité ; mieux,
le déploiement phénoménologique de l'œuvre, le fait qu'elle progresse vers le Tout à partir des expériences les plus simples,
impose comme un renversement de ce schème, puisque ce n'est
qu'au terme de son parcours que la conscience peut reconnaître
le Tout *comme Tout* ; car la *Phénoménologie* est un *itinéraire*
de la conscience, — et, si la totalité est présente à cette conscience dès l'origine, elle n'est confessée comme totalité que
dans le retour à l'immédiat en lequel se résout le mouvement :
le Vrai, en effet, est « le devenir de soi-même, le cercle qui
présuppose et a comme point de départ sa fin comme son but
et qui n'est effectif que moyennant l'accomplissement (*Ausführung*) et sa fin [3]. »

C'est donc au terme que le *sens* du parcours accompli est
reconnu comme tel ; mais cette conscience acquise exige alors
qu'on laisse se déployer à nouveau la totalité de l'itinéraire, car
le « sens » n'est rien s'il est séparé du contenu concret où il
puise son effectivité. — Telle est la richesse de la *Phénoménologie de l'Esprit*, telle aussi sa difficulté : il y a en elle comme
une transcendance réciproque de ces deux aspects, — ce qui
revient à dire que le Tout ne se pose comme Tout que dans le
déploiement *et* la suppression de ces deux formes qu'il assume ;
il n'est concept simple que dans la mesure où il se présente
comme la récapitulation de ses moments successifs ; et, inversement, les figures diverses ne sont ainsi saisies comme « moments » que dans la mesure où elles expriment toutes ensemble
cette unité du sens. Processus complexe, qui a un point de départ
et un terme, et qui pourtant n'admet ni commencement ni fin :
l'entrée dans sa compréhension commande la fidélité aux deux
« intentions fondamentales » de l'œuvre, celle qui vise à une
description de l'expérience, et celle qui, de cette expérience,
entend donner une *intelligence* systématique [4].

Tel est précisément l'intérêt du texte de la Raison observante
cité au début de ce chapitre : il donne toute sa dimension au
rapport entre l'élément « descriptif » et l'élément « intelligible »
en affirmant que le système des figurations de la conscience a
relation à l'«histoire du monde » comme telle, autrement dit en
liant de la façon la plus étroite le chemin par lequel la conscience
se forme à la philosophie et celui grâce auquel l' « Esprit du
monde » a pu atteindre, dans les temps modernes, le plus haut
point de son affirmation de soi. La Préface, dans un texte
que nous avons déjà évoqué, précise encore cette assertion, en

---

3. *Ph. G.*, 20/16 (I 18/7).
4. Cf. J. Gauvin, *Le Sens et son Phénomène*, Hegel-Studien III, p. 272.

mettant une relation de subordination entre l'un et l'autre de ces mouvements : « Puisque la substance de l'individu, puisque même l'Esprit du monde a eu la patience de parcourir ces formes dans la longue extension du temps, et d'entreprendre le prodigieux labeur de l'histoire du monde, dans laquelle il a déposé en chacune des figures tout le contenu de soi dont elle est capable, et puisqu'il ne pouvait à moindres frais atteindre la conscience de soi (*über sich*), alors, selon l'ordre des choses, l'individu ne peut avec moins [= avec moins de peine] saisir conceptuellement (*begreifen*) sa substance[5]. » Il est vrai, et Hegel l'ajoute aussitôt, que le travail de l'individu sera moins ardu, en fait, que ne le fut celui de l'Esprit du monde, puisque la récapitulation du chemin de la Culture lui présente, dans l'intériorité du souvenir, une substance dont l'être-là a déjà été investi par la puissance du Soi ; mais cette remarque, qui souligne une modalité de l'itinéraire à parcourir, n'abolit pas l'exigence qui s'exprime en lui : l'individu doit reprendre à son compte et faire siennes les étapes qui jalonnent et structurent l'affirmation de l'Esprit dans sa détermination la plus universelle.

Face à cette entreprise nouvelle et audacieuse, les questions ne pouvaient manquer de surgir : un tel projet ne fait-il pas fi d'une saine distinction des genres, qui veut qu'un livre d'histoire ne se donne pas comme réflexion philosophique, et que l'analyse d'un mouvement rationnel ne prétende pas épouser exactement les méandres d'une histoire où la contingence tient toujours, semble-t-il, une si grande place ? En somme, que veut Hegel : faire une Philosophie de l'histoire, ou déployer dans toute sa rigueur intelligible la logique d'une évolution de la conscience, quitte à illustrer *ensuite* ce mouvement à l'aide de quelques traits empruntés à l'histoire ? A quoi donc avons-nous affaire : à des figures historiques proprement dites, à des attitudes humaines fondamentales, ou à de purs moments du concept ?

Hegel, nous le savons, répondrait à ces questions en niant, pour une part, leur légitimité. Il a pour ambition de parvenir, dans ce livre, à une présentation de la Science qui procède « à la fondation du savoir en prenant la place des explications psychologiques ou encore des débats plus abstraits[6] ». Si la philosophie tente d'exprimer la réconciliation de l'homme avec lui-même, dans la particularité de son être-là et dans l'universalité de son sens, elle ne le peut qu'en refusant, au point de départ, les séparations tranchées qui écartent le sujet de la réalité subs-

---

5. *Ph. G.*, 27/38 (I 27/11).
6. *Selbstanzeige. Ph. G.*, XXXVII-XXXVIII.

tantielle en laquelle il s'enracine ; on a vu avec quelle hauteur, dans l'Introduction, Hegel rejette tout préalable, en affirmant qu'il suffit de laisser apparaître ce qui est : seul le parcours concret de l'itinéraire permet en effet à l'équation totale du savoir de se déployer dans la distinction et dans la relation de ses termes.

« Ainsi l'idée de la *Phénoménologie* procède-t-elle d'une correspondance radicale entre deux nécessités, celle que la philosophie soit Science et celle qu'elle devienne Science au temps présent, d'une correspondance radicale entre la Science, telle qu'elle est en elle-même, et les expériences de la conscience comprises comme objet de science ; étant donc souligné que c'est à l'heure actuelle seulement, en 1807, qu'il est devenu possible de saisir la philosophie comme Science et de comprendre les expériences de la conscience scientifiquement [7]. » Il fallait en effet que soient parcourues toutes les grandes étapes de l'affirmation de l'Esprit, il fallait la Cité grecque, la Scepticisme antique, l'Eglise du Moyen Age, la Révolution française et le Kantisme, il fallait toutes ces tentatives partielles et complémentaires pour que les significations dispersées se rassemblent enfin dans le sens unitaire auquel introduit la *Phénoménologie* et que développent la *Logique* et l'*Encyclopédie*, — à savoir l'affirmation de la liberté radicale de l'homme dans la réconciliation effective de la substance universelle et du sujet. Pour parvenir, en 1807, à cette intelligence historique du concept, il ne faut rien moins qu'une intelligence conceptuelle de la réalité historique.

C'est dans la perspective de ces rapports entre Logique et Histoire que naît la question plus précise, plus délicate encore, des relations entre *Logique* et *Chronologie*. Hegel prétend que la conscience doit parcourir à nouveau les grandes étapes du déroulement de l'histoire, — jusqu'à parvenir à cette réconciliation avec la Conscience de soi absolue que le surgissement de la « nouvelle époque » rend possible en 1807 [8] ; mais il est impossible, en fait, de reconnaître, tout au long du livre, la ligne cohérente d'un développement chronologique continu. Soulignons quelques évidences : tout le début de l'œuvre, à tout le moins la section « Conscience », semble bien ne répondre à aucune période historique déterminée, et présenter seulement, dans leur enchaînement logique, quelques attitudes fondamentales de l'homme à l'égard de son monde [9] ; au début de la Conscience

7. J. Gauvin, *Plaisir et Nécessité*, Archives de Philosophie, octobre-décembre 1965, pp. 485-486.
8. Cf. le jugement de Hegel lui-même, rapporté par Rosenkranz. O. Pöggeler, *op. cit.*, p. 281 (trad., p. 220).
9. Sans nier les résultats auxquels a permis d'atteindre l'étude de Purpus. Car s'il est vrai que l'on peut déceler, même dans cette partie de l'œuvre, une

de soi, l'apparition du concept de l'Esprit et l'entrée dans « le jour spirituel de la présence » marquent ensuite l'accession à la possibilité concrète d'analyses historiques : mais en fait, aux correspondances soulignées, par exemple, à propos du Scepticisme ou de la Conscience malheureuse, font suite, dans la Raison, une série de dialectiques où se mêlent, apparemment sans ordre bien déterminé, des allusions historiques, de simples attitudes de la conscience, ou des analyses d'œuvres littéraires contemporaines. Dans la section « Esprit », nous retrouvons, il est vrai, le fil d'un développement continu, qui nous conduit depuis les fondements de la Cité grecque jusqu'au résultat de la Révolution française, en passant par le Monde romain et par la Société des XVII⁰ et XVIII⁰ siècles : mais, outre que cette reprise de l'histoire depuis son début pose la question de la signification des analyses historiques contenues dans les sections précédentes, il est évident que cette lecture se déploie selon une certaine abstraction, insistant (au nom de quel critère ?) sur telle période déterminée, et passant totalement telle autre sous silence ; enfin, la section « Religion », qui fait suite à celle-là, reprend tout bonnement à son tour et de son propre point de vue une interprétation de ce même ensemble historique, au point qu'il devient possible et normal d'indiquer simplement à quel « esprit effectif » puisé dans la section précédente correspond tel moment du développement.

En somme, il est évident que la *Phénoménologie* ne se présente aucunement comme une « Philosophie de l'histoire », à tout le moins si l'on entend par là un effort d'intelligence rationnelle des événements tels qu'ils ont surgi effectivement dans leur succession chronologique. Est-ce à dire pour autant qu'il faille la considérer comme la mise en œuvre d'une analyse purement logique, — l'appel à des éléments historiques n'étant là que pour servir d'illustration très libre au mouvement du concept ? Il est évident que ce serait là renier l'intention fondamentale de l'œuvre, à savoir la « correspondance radicale » qu'elle entend manifester entre les « deux nécessités » qu'elle conjoint en son dessein unique : manifester que la philosophie est Science (aspect intelligible, nécessité logique), et qu'elle ne peut être Science qu'au temps présent, recueillant en elle l'acquis des siècles passés dont elle manifeste le sens (aspect descriptif, nécessité historique).

série d'influences et de résurgences historiques (sous forme, par exemple, d'allusions manifestes à des théories de l'époque), il reste qu'il s'agit là d'*attitudes de la conscience*, et non point de « figures historiques » comme telles. La section « Conscience », c'est évident, n'aurait pu être écrite comme telle avant 1807, — mais le contenu qu'elle vise n'est pas celui d'une époque déterminée.

Puisque l'histoire *est* l'effectuation de l'Esprit, puisque c'est elle, et elle seule, qui engendre la prise de conscience de la signification rationnelle du devenir de l'homme, il ne suffirait point de puiser simplement en elle tel ou tel trait, comme dans un arsenal d'exemples qui seraient allégués en un temps second, postérieurement à la compréhension déjà réalisée : bien plutôt, c'est la rationalité même du développement historique qui *est* la manifestation du sens [10].

Mais alors, comment expliquer que ce développement historique soit présenté dans un désordre apparent, qui admette des ruptures, des omissions, des redites ? que la même période se trouve considérée en des passages divers, dans des textes à la portée très différente ? ou bien encore qu'un texte unique rassemble, dans un raccourci inattendu, des réalités très éloignées dans le temps, — comme ce passage de la Religion de l'art qui introduit sans crier gare des considérations sur Hamlet au milieu d'une analyse de la tragédie grecque [11] ? On pourrait répondre déjà qu'il est loisible à un philosophe de l'histoire, comme le fera plus tard un Spengler, de considérer comme « contemporains » des événements appartenant à des époques différentes, mais qui répondent à un certain nombre de critères identiques, au plan de leur surgissement ou de leur évolution, c'est-à-dire au niveau de leur signification. Mais l'on peut surtout, de façon plus précise, en tenant compte des caractéristiques de l'œuvre elle-même telles que les analyses précédentes ont permis de les mettre en lumière, évoquer un autre type de réponse qui, sans nous dispenser aucunement d'investigations plus précises, nous permettra d'aborder la question dans des perspectives fidèles, autant qu'il se peut, au mouvement et comme au « style » de cette œuvre.

La *Phénoménologie*, nous l'avons vu, est essentiellement une tentative qui a pour but de manifester l'unité de l'Esprit avec lui-même au travers des « figurations » successives qui constituent son effectivité ; ce qui revient à dire qu'elle entend manifester, à tous les niveaux auxquels elle se déploie, l'unité réelle de la conscience et de la conscience de soi. Cela exige, au plan de la totalité, que la réconciliation visée se pose tour à tour dans l'une et l'autre des déterminations en cause, dans le contenu de la conscience qui s'accomplit en la forme de la conscience de soi, puis dans la révélation du Soi absolu qui se donne à connaître dans l'élément de la conscience : points de vue divers, qui, tout en n'étant, comme le montre le Savoir absolu, que la double face

10. Cf., ci-dessus, pp. 216-217.
11. *Ph. G.*, 513-514 (II 250).

d'un unique mouvement, commandent pourtant comme deux parcours du contenu total ; l'un est constitué par les quatre premières sections, et l'autre par la section « Religion » : chacun d'eux opère une lecture intégrale du réel, lequel se trouve ainsi évoqué deux fois, à partir de points de vue différents, mais de telle sorte pourtant que son unité fondamentale, soulignée tout au long du développement grâce à une série de corrélations, apparaisse sans peine dans l'ultime récapitulation du Savoir absolu.

Pourtant, cette réponse, si elle explique par exemple comment le monde grec se trouve évoqué deux fois au moins sous mode explicite (une première fois du point de vue de la substance dans l'Esprit vrai, une seconde fois du point de vue de la manifestation de l'Esprit absolu dans la Religion de l'art), nous laisse totalement démunis face aux questions que pose l'organisation des figures historiques à l'intérieur de chacune de ces totalités ; or c'est à ce niveau du contenu effectif que se décide le rapport véritable entre Logique et Chronologie, et c'est donc en cet examen concret qu'il nous faut pénétrer pour tenter de définir le *sens* de l'œuvre. Pour le faire, nous garderons la méthode suivie tout au long de cet ouvrage, méthode qui consiste à commenter d'abord le texte dans lequel Hegel lui-même expose son entreprise, pour aborder ensuite l'organisation concrète telle qu'elle se révèle au niveau des expériences elles-mêmes.

II. LA SCIENCE EN TANT QU'ELLE SE FONDE DANS LA *PHÉNOMÉNOLOGIE DE L'ESPRIT* : RÉINTERPRÉTATION HISTORIQUE DU CONTENU DE LA CONSCIENCE

C'est dans les pages centrales du Savoir absolu, après celles qui ont été commentées ci-dessus, que Hegel instaure une réflexion sur les fondements phénoménologiques de la Science, autrement dit sur les rapports entre le mouvement logique du concept qui se conçoit lui-même et le déploiement du contenu de la conscience réinterprété dans les perspectives d'un développement historique. Cinq paragraphes traitent pour eux-mêmes des rapports entre le concept et le temps, et deux autres, essentiels pour notre propos, opèrent cette réinterprétation du contenu de l'œuvre en fonction de critères historiques [12].

12. *Ph. G.*, 556/15 sq. (II 302/19 sq.).

Tout ce « second temps » du Savoir absolu, il est essentiel de le noter, se situe immédiatement, au plan de sa signification, dans le prolongement du premier, — portant à son terme le mouvement ascendant de la conscience, qui, l'ultime unification opérée, se dépasse elle-même en s'arrachant à la forme du temps. Autrement dit, s'il s'agit bien ici de *la* Science, elle n'est point encore visée telle qu'elle se déploiera en elle-même, dans sa pureté logique, selon des canons originaux qui feront prévaloir la liberté totale de l'Esprit se donnant à connaître dans le concept accompli comme concept : cela, c'est le Système qui le réalisera, tel qu'il sera exposé dans la *Logique* et l'*Encyclopédie* ; pour l'heure, ce qui est envisagé, c'est l'enracinement de la Science dans la conscience, — la manière dont celle-ci se dépasse et s'accomplit dans celle-là (ultime suppresssion de l'extériorité temporelle), — la manière aussi dont celle-là plonge ses racines dans celle-ci, pour y trouver sa substance et son contenu. Si le premier développement du Savoir absolu opérait un rebrassage de tout ce contenu en le structurant grâce à une justification *logique* de l'enchaînement des trois figures remarquables qui jalonnent le mouvement selon lequel se déploie le concept (en-soi, pour-soi, en-et-pour-soi), le second développement, quant à lui, opère une réinterprétation de ce contenu grâce à une justification *historique* de ces mêmes figures remarquables : Hegel, en effet, va montrer comment les divers systèmes philosophiques apparus dans la succession des temps s'enchaînent et s'ordonnent en réalisant le dépassement des diverses formes que le contenu substantiel de la Religion a assumées au cours de l'histoire, — et tout particulièrement dans les trois déterminations dont les premières pages du Savoir absolu ont manifesté l'importance par rapport à l'affirmation du concept. Autrement dit, ce qui se trouvait chronologiquement dispersé dans l'ensemble de l'œuvre se trouve ici repris et réinterprété dans son mouvement chronologique, comme les étapes ordonnées de l' « histoire effective [13] ».

Il est un signe de cette liaison étroite entre les deux premiers temps du Savoir absolu : il se trouve dans le texte même sur lequel s'ouvrent les pages qui vont être maintenant commentées.

---

13. *Ph. G.,* 559/21 (II 306/21). Nous pouvons déjà noter, par contraste, que le troisième temps du Savoir absolu (qui sera étudié dans le prochain chapitre) développe une réflexion dont le mouvement est en rupture par rapport à celui que dessinent les deux premiers ; ce dont il s'agit alors, ce n'est plus de la constitution de la Science en elle-même et de son enracinement dans le contenu de la conscience, mais de la Philosophie entendue comme le retour à l'immédiateté de l'existence quotidienne. Nous ne suivons plus alors le mouvement ascendant de cette conscience, — mais la « redescente » du concept, qui pose à nouveau la phénoménalité, et achève de la sorte le cercle de son déploiement signifiant.

Hegel vient de montrer comment la Belle Ame qui accepte d'agir arrache à sa solitude l'essence éternelle, et dessine pour elle le lieu de son accomplissement en vérité[14]. Et il enchaîne : « Cette dernière figure de l'Esprit, l'Esprit qui, à son contenu parfait et vrai, donne en même temps la forme du Soi, et par là réalise aussi bien son concept, est le *Savoir absolu* ; il [= le Savoir absolu] est l'Esprit se sachant lui-même en figure spirituelle (*in Geistesgestalt*) ou le *savoir concevant*[15]. » Or il est évident que le Savoir absolu, comme tel, n'est pas une « figure » au même titre, par exemple, que la Raison observante ou l'Artisan de la Religion naturelle : en lui s'exprime bien plutôt le dépassement de toute figure entendue comme la réalité singulière qui, dans le syllogisme total, s'oppose encore à l'universalité de l'Esprit. Mais ce qui est affirmé ici, c'est que le Savoir absolu n'est autre que la « dernière figure de l'Esprit » (à savoir celle de la Conscience morale) comprise selon sa vérité ; dans cette figure, en effet, le contenu parfait et vrai de l'essence absolue se trouve acquérir la forme du Soi, celle-là même qu'expriment les deux consciences dans l'expérience du pardon qu'elles se donnent : on peut donc dire indifféremment que le savoir se conçoit alors lui-même dans sa pureté (c'est-à-dire dans l'égalité de sa forme et de son contenu), ou que l'Esprit se connaît lui-même, en cette figure universelle, dans la plénitude de son existence spirituelle (c'est-à-dire dans la liberté pleinement affirmée de l'objet déployé comme le Soi).

C'est donc en 1807, après avoir récapitulé dans l'affirmation de la Conscience morale (exprimée historiquement dans les systèmes de Kant et de Fichte) les moments de son propre devenir, que l'Esprit peut se poser en lui-même, et se donner à connaître dans un savoir pleinement accompli. Nous avons déjà souligné l'importance que revêt, aux yeux de Hegel, cette « actualité » de la Philosophie, autrement dit le fait qu'elle ne pouvait naître avant que l' « histoire effective » n'ait déployé, dans leur enchaînement signifiant, toutes ses figures ainsi que leur dépassement dans les divers systèmes de pensée. Or le système auquel se heurtait Hegel, en 1807, et contre lequel, pourrait-on dire, il éprouva l'impérieuse nécessité d'écrire cette *Phénoménologie de l'Esprit*, c'est celui de l'Idéalisme. La Préface de l'œuvre, qu'il écrira immédiatement après ces textes du Savoir absolu, reviendra très largement sur ce problème de la signification du Je, et sur l'oubli que fait l'Idéalisme moderne

14. *Ph. G.*, 554/31 (II 300/12) et 556/13 (II 302/17). Cf., ci-dessus, p. 207.
15. *Ph. G.*, 556/15 (II 302/19).

du chemin de son propre surgissement[16]. C'est pourquoi il insistera alors, comme il le fera aussi dans la dernière page du Savoir absolu, sur l'importance de la « Culture », c'est-à-dire sur la récollection des expériences diverses dans lesquelles la conscience s'est trouvée engagée[17]. Et voilà, au fond, ce qu'il réalise concrètement en ce second temps du Savoir absolu : une réinterprétation historique du contenu de la *Phénoménologie*, autrement dit la réassomption du chemin de culture grâce auquel l'Idéalisme, en 1807, peut échapper à son abstraction vide pour s'affirmer comme le système *absolu* qui recueille en lui la signification de tous les autres.

Pour cela, Hegel, tout d'abord, affirme à nouveau l'unité fondamentale de la logique et de l'histoire, avant de préciser ce que signifie la suppression de la forme du temps. — Grâce au mouvement de la Belle Ame qui se livre à l'action, l'essence éternelle a obtenu une effectivité concrète dans l'être-là, tandis que le contenu substantiel, pour sa part, gagnait « la figure du Soi ». « Par là est devenu pour la conscience élément de l'être-là ou *forme de l'objectivité* ce qui est l'essence même, à savoir le *concept*. L'Esprit, *apparaissant* à la conscience dans cet élément, ou, ce qui est ici la même chose, produit par elle en lui, *est la Science*[18]. » C'est donc bien dans cette ultime figure historique que l'Esprit s'affirme comme Science, c'est-à-dire dans une forme logique adéquate au contenu qui est sien. On peut dire alors qu'il *apparaît* à la conscience, mais tout aussi bien qu'il est *produit* par elle, puisqu'il est le dynamisme même de son accomplissement en vérité. Nous retrouvons ici la perspective fondamentale de tout ce passage, selon laquelle la Science s'affirme dans la ligne du déploiement de la conscience, comme enracinée en elle et dans le contenu qui la constitue. La vérité qu'elle énonce n'est plus distante de la certitude immédiate du Je qui l'accueille[19] ; à l'intérieur de *cet* individu à valeur *universelle*, le savoir « a un *contenu*, qu'il différencie de soi ; car il est la pure négativité ou le se diviser ; il est *conscience*. Ce contenu est dans sa différence même le Je, car il est le mouvement de se sursumer soi-même, ou la même pure négativité

16. On se souvient que la description de l'Idéalisme, au début de la section « Raison », souligne pareillement cet oubli qu'il fait des étapes de son engendrement ; en cela, l'Idéalisme de 1807 s'apparente au Scepticisme moderne, vide et destructeur : cf., ci-dessus, pp. 93-94 et 97. — Rien d'étonnant à ce que, se posant dans son affirmation simple, comme un point de départ absolu, un tel Idéalisme ait donné naissance à cette autre affirmation compacte sur laquelle se fonde la pensée de Shelling, et que Hegel combattra pareillement dans la Préface : l'Absolu existe comme tel dès l'origine.
17. *Ph. G.*, 26/25 (I 25/23) et 30/16 (I 30/1).
18. *Ph. G.*, 556/27 (II 303/3).
19. *Ph. G.*, 556/34 (II 303/8).

qui est Je. Je en lui comme séparé est réfléchi en soi ; le contenu n'est *conçu* que parce que Je dans son être-autre est près de soi-même. Ce contenu, déclaré de façon plus déterminée, n'est rien d'autre que le mouvement même énoncé ci-dessus, car il est l'Esprit qui se parcourt soi-même, et se parcourt *pour soi* comme Esprit, en cela qu'il a la figure du concept dans son objectivité [20] ».

Voilà qui concerne l'apparition de l'Esprit comme Esprit : mouvement d'unité et d'égalité à soi dans la différenciation qu'engendre le dynamisme de la conscience. Or cette extraposition nécessaire des moments du concept dans l'expérience qui l'amène au jour constitue proprement l'élément *temporel* de la manifestation de la Science (ou, ce qui ici est la même chose, l'élément temporel de la « Phénoménologie de l'Esprit ») : « En ce qui concerne l'*être-là* de ce concept, la *Science* ne se manifeste pas dans le temps et l'effectivité avant que l'Esprit soit parvenu à cette conscience de soi (*über sich*) [21]. » Autrement dit, l'affirmation de la Science comme telle, en 1807, exige que soit récapitulé le parcours intégral des divers moments du concept extraposés *dans le temps* ; en effet, c'est grâce à ce mouvement que la conscience de soi « s'enrichit, jusqu'à ce qu'elle ait arraché à la conscience toute la substance, et absorbé en soi tout l'édifice de ses essentialités, et — en tant que ce comportement négatif à l'égard de l'objectivité est aussi bien positif, un poser — [jusqu'à ce qu'elle] les ait engendrées hors de soi, et par là les ait en même temps restaurées pour la conscience [22] ».

C'est donc maintenant, et maintenant seulement, qu'il est possible de comprendre le sens unitaire des expériences partielles et successives dans lesquelles la conscience s'est trouvée engagée ; et si Hegel le peut, c'est qu'il est désormais en possession du concept absolu qui a commandé ce devenir de la conscience, et qui autorise par conséquent une réinterprétation de son contenu : car « dans le *concept* qui se sait comme concept les *moments* surgissent plus tôt que le *Tout rempli* dont le devenir est le mouvement de ces moments. Dans la *conscience*, inversement, le Tout, mais non conçu, est plus tôt que les moments [23] ». Ce qui importe ici, c'est de comprendre que, dans un cas comme dans l'autre, c'est toujours le concept qui s'affirme en son existence temporelle : l'extraposition des moments divers constitue en effet la forme du processus grâce auquel l'Esprit, posé d'abord en soi dans l'élément de la conscience, en vient à

20. *Ph. G.*, 556/38 (II 303/12).
21. *Ph. G.*, 577/10 (II 303/23).
22. *Ph. G.*, 558/1 (II 304/24).
23. *Ph. G.*, 558/6 (II 304/31).

s'affirmer comme en-et-pour-soi en sa plénitude conceptuelle. Ainsi se trouve introduite la définition capitale : « Le *temps* est le *concept* même qui *est là* et se représente à la conscience comme intuition vide [24]. »

Hegel, on s'en doute, ne peut s'en tenir à cette « représentation » de type kantien : le temps, pour lui, loin d'être une « intuition vide », est vraiment la forme que prend le concept quand il se manifeste à la conscience, et il subsiste tant que le concept, au terme de son engendrement historique, n'est pas apparu dans sa pureté native. Deux conséquences découlent de cette affirmation ; elles se trouvent énoncées aussitôt après le texte qui vient d'être cité : « C'est pourquoi l'Esprit se manifeste nécessairement dans le temps, et il se manifeste dans le temps aussi longtemps qu'il ne *saisit* pas son concept pur, c'est-à-dire n'élimine pas le temps [25]. » — La première de ces affirmations ne fait que reprendre ce que contenaient déjà les paragraphes précédents : en effet, puisque la « manifestation » de l'Esprit emprunte les chemins temporels grâce auxquels la conscience le « produit » comme le terme de son propre devenir, il est évident qu'on ne peut l'atteindre hors de cette forme du temps : « On doit dire pour cette raison que rien n'est *su* qui ne soit dans l'*expérience* [26]. » Quant à la seconde conséquence énoncée en ce texte, elle découle de la nécessité, à laquelle la conscience se trouve affrontée, d'assumer pour son propre compte toutes les étapes par lesquelles est passé l'Esprit du monde dans son développement historique ; en somme, si la tâche de la Philosophie consiste à élever à sa forme véritable le contenu total de la substance déployé dans l'histoire, elle ne peut accomplir ce dessein qu'en supprimant le temps, — puisque celui-ci est défini précisément comme l'extériorité du contenu par rapport au Soi.

Reste à savoir, évidemment, ce que signifie cette disparition du temps ; comme nous le verrons dans le chapitre prochain, loin d'abolir la contingence, c'est elle bien plutôt qui la pose à nouveau. Mais il suffit pour l'instant de recueillir l'affirmation très nette selon laquelle la Philosophie exige à la fois un parcours intégral de l'histoire *et* le dépassement de la forme du temps : « En tant donc que l'Esprit est nécessairement ce différencier en soi, son Tout surgit intuitionné en face de sa conscience de soi simple, et donc, puisque ce Tout est le différencié, il est différencié dans son pur concept intuitionné, le

---

24. *Ph. G.*, 558/10 (II 305/4).
25. *Ph. G.*, 558/12 (II 305/5). Le prochain chapitre reviendra sur cette question capitale du rapport de la Philosophie au temps (suppression *et* position de la forme du temps).
26. *Ph G.*, 558/28 (II 305/21).

temps, et dans le contenu ou dans l'*en-soi* ; la substance a en elle, comme sujet, la nécessité *d'abord intérieure* de se présenter en elle-même comme ce qu'elle est *en soi, comme Esprit.* La présentation objective parfaite n'est en même temps que sa réflexion ou son devenir Soi (*das Werden derselben zum Selbst*)[27]. » Cette dissociation entre le contenu véritable et la forme imparfaite, c'est celle-là même qui fut éprouvée à la fin de la section « Religion », et qui nécessita le passage à la Science, — c'est-à-dire à la compréhension du devenir historique telle qu'elle est devenue possible en 1807 : en effet, « tant que l'Esprit ne s'est pas accompli *en soi,* ne s'est pas accompli comme Esprit du monde, il ne peut atteindre sa perfection comme Esprit *conscient de soi.* C'est pourquoi le contenu de la Religion exprime dans le temps plus tôt que la Science ce que l'*Esprit est* ; mais c'est celle-ci qui est seulement son vrai savoir de lui-même[28] ».

Plus rien ne s'oppose, désormais, à cette récollection des étapes historiques grâce auxquelles l'Esprit s'est manifesté à la conscience (ou a été produit par elle), puisqu'il vient d'être démontré que « le mouvement de produire la forme de son savoir de soi est le travail qu'il [= l'Esprit] accomplit comme *histoire effective*[29] ». Mais il serait illusoire de tenter simplement, à ce propos, une nouvelle lecture de l'œuvre telle qu'elle se présente dans la succession de ses figures et de ses moments ; bien plutôt, c'est d'un réinterprétation qu'il s'agit, et qui se présente comme un rebrassage complet des éléments historiques qu'elle présentait sans ordre défini. Et puisqu'il s'agit de l'apparition dans le temps des moments *du concept,* c'est alors tout naturellement les trois figures remarquables structurant ce développement logique qui vont servir d'axe de référence en cette réorganisation historique du contenu de la conscience.

La première attitude historique visée par Hegel est celle de la « communauté religieuse » ; elle est « la conscience brute (*das rohe Bewusstsein*), qui a un être-là d'autant plus barbare et plus dur que plus profond est son esprit intérieur, et son Soi sourd a un travail d'autant plus dur avec son essence, avec le contenu qui lui est étranger de sa conscience[30] ». La situation, le vocabulaire, nous ramènent, on le voit, au plan de la Conscience malheureuse, dont on a remarqué à juste titre qu'elle exprime l'attitude que Hegel attribue à l'Eglise du Moyen Age[31].

27. *Ph. G.,* 559/4 (II 306/5).
28. *Ph. G.,* 559/14 (II 306/14).
29. *Ph. G.,* 559/20 (II 306/20).
30. *Ph. G.,* 559/22 (II 306/22).
31. Trad. J. Hyppolite, II, p. 306, note 34, et I, p. 181, note 31.

Mais s'il est vrai que le Soi, en elle, était déjà à l'œuvre, aux prises avec l'objectivité de l'essence, et si, par conséquent, tous les éléments de la manifestation de l'Esprit lui étaient déjà présents, la dualité insurmontée qui demeurait son lot fait que cet Esprit en elle était encore tout « intérieur », et que le concept, par conséquent, demeurait caché, sans se donner à connaître dans un savoir adéquat à sa réalité ; il n'y a alors pas de « Science », à proprement parler, puisque la conjonction de la substance et du sujet ne se donne pas à connaître dans l'élément de l'être-là.

Il faudra la Renaissance et son esprit nouveau pour que vienne au jour une attitude plus authentiquement rationnelle. En effet, « ce n'est qu'après avoir abandonné l'espoir de sursumer l'être-étranger d'une manière extérieure, c'est-à-dire étrangère, qu'elle [= la conscience] se tourne, puisque la manière étrangère sursumée est le retour dans la conscience de soi, vers son propre monde et [sa propre] présence, les découvre comme sa propriété, et a ainsi fait le premier pas pour descendre du *monde intellectuel,* ou plutôt pour animer spirituellement (*begeisten*) son élément abstrait avec le Soi effectif [32] ». Alors surgit le premier savoir de la réalité spirituelle ; en cette première affirmation de l'égalité de la substance et du Soi, il n'est point difficile de reconnaître le système cartésien, qui représente le dépassement par la Philosophie de l'attitude historique exprimée dans la Raison observante : « Par l'observation, d'une part elle [= la conscience] trouve l'être-là comme pensée et le conçoit, et inversement [elle trouve] dans sa pensée l'être-là [33]. » Ce qui est visé ici, c'est le Jugement infini, entendu comme « *unité* immédiate de la pensée *et de l'être* [34] » ; avec cette première des trois figures clés qui structurent le déploiement logique du concept, nous connaissons donc maintenant, en même temps que la période historique qui l'exprime aux yeux de Hegel (Renaissance), le système scientifique qui opère son dépassement et son accomplissement en vérité (Descartes). Hegel achève alors, en cette première étape, le rebrassage du contenu de la conscience en manifestant comment la Religion naturelle, celle de l' « essence lumineuse » (ou encore de la « substance de l'aurore »), échappe ici à la représentation dont elle demeurait prisonnière, et se pose, en sa vérité philosophique, dans ce que l'on pourrait appeler le substantialisme immédiat d'un Spinoza [35].

Le Cartésianisme, rompant avec l'objectivisme radical de l'époque antérieure, avait donc pour la première fois laissé le

32. *Ph. G.,* 559/27 (II 306/27).
33. *Ph. G.,* 559/35 (II 307/3).
34. *Ph. G.,* 559/38 (II 307/6).
35. *Ph. G.,* 559/38 (II 307/5).

Soi, si l'on peut dire, s'affirmer comme Soi ; mais le processus de son surgissement, comme aussi son identification immédiate avec l'être extérieur, avait entraîné aussitôt ce Soi vers une perte de lui-même ; il apparaissait, non plus (ainsi qu'il en allait auparavant) comme étranger à son monde, mais au contraire comme absorbé et fondu en lui. Contre cette attitude extrême, l'Esprit, parce qu'il est totalité, « s'écarte avec horreur de cette unité abstraite, de cette substantialité *privée du Soi,* et affirme contre elle l'individualité [36] ». Face à Spinoza, c'est Leibniz qui est ici évoqué ; et, dans ces deux systèmes, il semble à nouveau que la réalité soit radicalement scindée : pourtant, de part et d'autre, même si l'un des éléments en jeu s'impose avec une force telle qu'il semble absorber l'autre, reste que les deux sont toujours présents ensemble, et que leur unité réelle va pouvoir s'affirmer.

Après l'évocation de Descartes accomplissant l'attitude du Jugement infini, nous allons retrouver maintenant les deux autres figures remarquables, celle de l'Utilité et celle de la Conscience morale, avec leur dépassement philosophique dans la doctrine de l'*Aufklärung* d'une part, et dans les systèmes de Kant et de Fichte d'autre part ; voilà qui permet de rejoindre le problème du Je et de l'Idéalisme moderne. Lisons le texte dans lequel Hegel évoque ces étapes nouvelles. Leibniz, dit-il, avait montré le progrès qui demeurait à réaliser en portant à nouveau l'attention sur l'individualité (c'est-à-dire sur le Soi) : « Mais ce n'est qu'après avoir extériorisé celle-ci [= l'individualité] dans la Culture, avoir par là fait d'elle un être-là, — après être venu à la pensée de l'Utilité, et dans l'absolue Liberté avoir saisi l'être-là comme son vouloir, que l'Esprit fait sortir sa pensée de sa profondeur la plus intime, et exprime l'essence comme Je = Je [37]. »

Il faut reconnaître que la seconde des figures remarquables, celle de l'Utilité, semble évoquée ici par simple mode de transition ; elle n'est pas traitée avec le même relief que la première et la troisième. Est-ce parce que la Philosophie ne peut s'affirmer comme telle que dans l'identité confessée entre le Soi et la substance ? Descartes et Kant, à leur manière propre, se plient l'un et l'autre à cette loi, tandis que l'*Aufklärung* affirme tout au contraire l'éclatement radical d'un monde privé du Soi et qui n'a plus consistance en lui-même. Quoi qu'il en soit, l'individu, pour un Fichte, recueille si bien en lui-même l'objectivité de la

---

36. *Ph. G.,* 560/4 (II 307/11).
37. *Ph. G.,* 560/6 (II 307/13). Que ce texte présente une articulation nouvelle du raisonnement, nous en avons un indice dans l'identité de sa formule initiale avec celle utilisée plus haut pour le premier pas de cette démarche, à propos de Descartes et du Jugement infini : cf. 559/27 (II 306/27).

substance extérieure qu'il pose la pure différence en son égalité même avec soi ; mais telle est précisément la raison de son
insuffisance : car ce « retrait de la conscience de soi dans sa
pure intériorité » a pour corrélatif l'autonomie de la réalité objective, qui a retenu en elle le Soi et s'est organisée en monde spirituel. C'est pourquoi, de même que l'affirmation massive du
Spinozisme avait engendré chez Leibniz l'insistance unilatérale
sur une individualité abstraite, voici qu'inversement la pure intériorité de la conscience chez Kant ou chez Fichte suscite cette
autre affirmation massive qu'est la pensée de Schelling, — en
laquelle la conscience de soi s'engloutit « dans la substance
et le non-être de sa différence ». Nous voici donc à nouveau
en présence de deux positions extrêmes, l'une où prédomine le
sujet, et l'autre dans laquelle c'est la substance qui s'affirme par
priorité ; on reconnaît ici cet Idéalisme vide doublé d'un empirisme radical qu'évoquait le début de la section « Raison » :
car « si l'on devait cependant parler d'un contenu, d'une part
ce serait seulement pour le jeter dans l'abîme vide de l'absolu,
mais d'autre part il serait ramassé d'une manière extérieure à
partir de la perception sensible ; le savoir semblerait être venu
à des choses, à la différence de lui-même et à la différence de
choses multiples, sans que l'on conçoive comment et d'où [cela
provient] [38] ».

En 1807, au terme de ce devenir historique, la pensée hégélienne peut se présenter comme la réconciliation du Soi de Kant
et de la substance de Schelling, dans la reconnaissance de la
circularité du mouvement qui constitue l'Esprit : car celui-ci est
« *ce mouvement* du Soi qui s'extériorise de soi-même et s'en-
fonce dans sa substance, et, comme sujet, est aussi bien allé en
soi hors d'elle, et la fait objet et contenu, qu'il sursume cette
différence de l'objectivité et du contenu [39] ». Cette parfaite et
unique liberté du Soi qui se fait objet sans cesser d'être lui-
même [40] et de la réalité substantielle animée par le Soi tout en
continuant pourtant à se mouvoir dans sa différence et à retour-
ner dans son unité [41], voilà qui opère le dépassement de l'Idéalisme abstrait où s'est enlisé le savoir : 1807 marque l'instant où
cette prise de conscience est devenue possible, parce qu'alors,
pour la première fois, la récollection des figures historiques dans
lesquelles la pensée se donne à connaître en vient à coïncider
avec le cycle des déterminations logiques du concept ; la forme
parfaite, en et pour soi, qui se dessine dans la pensée kantienne,

38. *Ph. G.*, 560/38 (II 308/14).
39. *Ph. G.*, 561/9 (II 308/24).
40. *Ph. G.*, 561/24 (II 309/6).
41. *Ph. G.*, 561/33 (II 309/15).

est devenue apte à recevoir la totalité du contenu substantiel que tente d'exprimer le système de Schelling : l'Esprit du monde, et, partant, la conscience, découvrent ici, au terme de ce long chemin de Culture, la possibilité concrète de leur accomplissement mutuel et de leur affirmation en vérité.

III. ORGANISATION EFFECTIVE DU CONTENU : ORDRE HISTORIQUE DES FIGURES ET ORDRE LOGIQUE DES SECTIONS

C'est ainsi que la Science s'enracine dans le déploiement d'une histoire des idées dont chaque étape exprime le dépassement, dans l'élément du savoir vrai, de toute une tranche du contenu de la conscience que présente la *Phénoménologie*. On le voit, une telle réinterprétation ne consiste nullement dans une table de correspondances strictes qui puisse nous livrer le secret ultime des rapports entre logique et chronologie à l'intérieur de cette œuvre ; en effet, ce dont il s'agit, en ce second développement du Savoir absolu, c'est seulement d'un rebrassage du contenu total grâce auquel ce qui était dispersé et sans ordre se trouve conceptuellement saisi et réexprimé dans une succession historique signifiante. Cette réflexion, par conséquent, laisse place à un autre type d'interrogation, qui considère l'œuvre, non plus directement du point de vue de la Science, non plus en tant qu'elle se déploie *et* se recompose autour des lignes de force qui expriment les moments de son déploiement logique, mais au niveau du contenu concret et des corrélations qui se révèlent en lui.

Ce n'est pas rabaisser la *Phénoménologie,* c'est au contraire l'apprécier à sa juste valeur, que de voir en elle tout autre chose qu'une simple lecture de l'histoire entendue en sa pure continuité chronologique. Les sections dont elle se compose regroupent en fait sous une « raison » unique des traits signifiants que le philosophe recueille, parmi d'autres, dans l'histoire, en fonction de leur influence concrète sur le développement du concept et sur l'apparition de l'Esprit. Ce n'est pas à dire que l'histoire ne soit appelée que pour corroborer une thèse préconçue ; mais c'est dire que le philosophe, dont le but est de *comprendre* le devenir de l'homme et de l'humanité, tente de saisir le mouvement de l'histoire *en son surgissement même* ; plus exactement, il tente de saisir l'histoire comme le lieu (et le moyen) du surgissement de l'homme dans son monde ; c'est pourquoi les traits historiques ne sont évoqués que par rapport au progrès que l'homme accomplit en les assumant et en les vivant. La *Phénoménologie de l'Esprit* n'est pas une Philosophie de l'histoire, elle est la Science des *expériences* de la conscience : « Dans la *Phénoménologie,* ce qui survient, ce n'est pas la nature, mais seulement l'observation de la nature, ce n'est pas l'histoire, mais seulement l'organisation conceptualisée de l'histoire, ce n'est pas la Logique dans sa pureté, mais seulement les moments de la Logique qui sont enclos dans les figures de la conscience [42]. »

Non seulement il faut dire que les sections ne représentent pas des chapitres correspondant aux tranches successives d'un développement historique, mais encore il faut souligner, en reprenant un passage capital de l'introduction à la section « Religion » déjà cité plus haut en un autre contexte [43], qu'elles n'ont en réalité aucune existence dans le temps. Hegel vient de définir les sections comme étant les « moments » de l'affirmation du Tout dans sa forme conceptuelle ; et il poursuit : le parcours de ces moments, « en relation à la Religion, ne doit pas au reste être représenté dans le temps. L'Esprit entier seulement est dans le temps, et les figures qui sont figures de l'*Esprit* entier comme tel se présentent dans une succession temporelle ; car seul le Tout a effectivité propre, et par conséquent la forme de la pure liberté à l'égard d'un autre, [forme] qui s'exprime comme temps. Mais ses *moments,* Conscience, Conscience de soi, Raison et Esprit, n'ont, parce qu'ils sont des moments, aucun être-là différent les uns des autres [44]. » Ainsi, dans le syllogisme total qui structure l'œuvre et fait d'elle la révélation de l'Esprit, les deux termes extrêmes ont une réalité temporelle : le Tout comme déploiement et récollection du contenu universel, — et les figures singulières qui constituent l'Esprit dans son effectivité concrète ; mais le moyen terme, c'est-à-dire les sections, n'a aucune existence effective dans le temps. A la fin de ce paragraphe, nous lisons de nouveau : « L'Esprit descend de son *universalité,* à travers la *détermination,* jusqu'à la *singularité.* La détermination ou moyen terme est *Conscience, Conscience de soi, etc.* Mais la *singularité,* ce sont les figures de ces moments qui la constituent. Celles-ci présentent donc l'Esprit dans sa singularité ou *effectivité,* et se différencient dans le temps, en sorte cependant que la suivante garde en elle les précédentes [45]. »

Nous avons évoqué, dans la première partie de cette étude,

42. O. Pöggeler, *Hegel-Studien* I, p. 291 (Trad., *loc. cit.,* p. 232).
43. Cf., ci-dessus, pp. 152-153.
44. *Ph. G.,* 476/28 (II 207/13).
45. *Ph. G.,* 477/6 (II 207/30).

la difficile question que représente le rapport, dans la *Phénoménologie,* entre l'ordre des figures et l'ordre des sections [46] ; c'est ce même problème que nous retrouvons maintenant, et sur lequel il nous faut tenter de jeter quelque lumière. Encore une fois, c'est l'introduction à la section « Religion » qui peut ici orienter notre réflexion. On se souvient qu'après les corrélations de type vertical entre le développement global de la Religion et celui des quatre sections précédentes, Hegel expose ensuite une « autre disposition » plus précise, selon laquelle chacun des trois temps de la Religion pourra réassumer la ou les figures qui lui correspondent à l'intérieur des niveaux horizontaux qui divisent semblablement le cours de ces sections rassemblées en un seul faisceau. Dans le premier cas, Religion naturelle, Religion de l'art et Religion manifestée reprennent le mouvement des sections comme telles, respectivement Conscience, Conscience de soi et Raison/Esprit : alors, « chaque moment, s'approfondissant en soi, se cultivait jusqu'à un Tout dans son principe propre ; et le connaître était la profondeur ou l'Esprit dans lequel ces moments [*sic*], qui n'ont pour soi aucune subsistance, avaient leur substance [47] ». Affirmation identique à celle rencontrée plus haut : dans leur devenir et leur organisation interne, les moments, c'est-à-dire les sections, n'ont aucune subsistance propre ; leur réalité tient seulement en ce qu'ils constituent *tous ensemble* la substance de l'Esprit qui se manifeste ; voilà ce qui peut désormais éclater au grand jour, maintenant que l'Esprit s'est révélé en son effectivité concrète dans la figure du Mal et de son pardon : « Mais cette substance, continue le texte, a maintenant surgi au-dehors ; elle est la profondeur de l'Esprit certain de soi-même [48] qui ne permet pas au principe singulier [49] de s'isoler et de se constituer en soi-même en un Tout, mais, rassemblant ces moments tous en soi et les tenant ensemble, elle progresse dans cette richesse totale de son Esprit effectif, et tous ses moments particuliers [49] [= les moments particuliers de cet Esprit] prennent et reçoivent en commun la déterminité égale du Tout [50]. » De la sorte, en effet, les figures de la conscience, en leur singularité même, rassemblant les moments successifs qui se posaient tout d'abord sans mode disjoint en chacune des sec-

46. Cf., ci-dessus, p. 66.
47. *Ph. G.*, 478/13 (II 209/8).
48. C'est là le titre de la dernière sous-section de l'Esprit, qui s'accomplit précisément dans le Mal et son pardon.
49. En rigueur de termes, les sections représentent, dans ce syllogisme, le moment de la particularité, et les figures celui de la singularité ; pourtant, en étudiant toutes ces pages plus haut, nous avons souligné un certain flottement du vocabulaire, qui se vérifie encore ici dans l'interversion des déterminations. Cf. p. 154, note 28.
50. *Ph. G.*, 478/17 (II 209/13).

tions, en viennent à exprimer le Tout de l'Esprit dans une détermination particulière : c'est pourquoi, comme le Tout lui-même, les figures sont « dans le temps », alors que les sections ne représentent aucunement des unités ayant une existence historique propre.

On comprend mieux pourquoi le Savoir absolu, qui veut réassumer le contenu total *en opérant le dépassement de la forme du temps* dans lequel ce contenu s'est posé tout d'abord, délaisse entièrement l'ordre des sections pour ne s'intéresser qu'à celui des figures : il choisit pour cela trois figures (Jugement infini, Utilité, Conscience de soi morale) qui, étant donné le rassemblement des sections en un faisceau unique, expriment chacune pour son compte la totalité de l'Esprit dans l'une des déterminations du concept. C'est réellement au niveau de ces *figures* que s'opère la conjonction entre l'ordre logique et l'ordre historique : l'en-soi du Jugement infini n'est autre que le résultat du nouvel esprit scientifique qui surgit avec la Renaissance ; le pour-soi de l'Utilité s'incarne dans l'universelle dissolution de la substance qu'entraîne, au XVIII⁰ siècle, la doctrine de l'*Aufklärung* ; quant à l'en-et-pour-soi du Mal et de son pardon, c'est la pleine reconnaissance spirituelle que rend possible, dans les temps nouveaux qui suivent la Révolution française et le kantisme, l'expérience enfin comprise d'une liberté absolue à laquelle tous communient.

Pourtant, cette prévalence finale de l'ordre des figures, loin d'ôter toute valeur à ce qui constitue l'ordre des sections, met en pleine lumière la signification qu'il revêt. En effet, c'est le déploiement de la section, autrement dit le mouvement grâce auquel, « s'approfondissant en soi », elle se cultive « jusqu'à un Tout dans son principe propre », qui permet à la figure de se poser comme expression de l'Esprit dans l'une de ses déterminations historico-*logiques.* De la sorte, la figure ne peut être reconnue comme le lieu de la réconciliation entre le fait et le sens que dans la mesure où elle est saisie dans son exacte dépendance à l'égard du mouvement de la section où elle acquiert sa détermination conceptuelle. La section traduit ainsi de façon plus directe et plus pure le mouvement du concept dans le déploiement de ses moments logiques, tandis que la figure présente une traduction de ces moments dans une structure historique déterminée ; seule la figure, par conséquent, a une effectivité concrète : mais, pour être reconnue comme telle, elle doit être replacée dans le dynamisme logique de la section, lequel seul peut conférer une *signification* au matériau historique qu'elle accueille en elle.

Par conséquent, et bien que la section elle-même, comme nous l'avons vu, ne soit pas « dans le temps », c'est le développement s'opérant en elle et par elle qui commande l'entrée dans l'ordre historique. Par exemple, le « principe propre » de la section « Conscience », la règle logique qui commande son déploiement, interdit de reconnaître une existence historique concrète aux figures qui se distinguent en elle ; en effet, l'histoire est constituée par le jeu de libertés en relation les unes avec les autres, en rapport de collaboration ou d'affrontement, de reconnaissance ou de lutte ; or il n'est point de liberté là où la conscience, sans prendre de distance par rapport à elle-même et à son savoir, a pour règle de choisir *immédiatement* comme le vrai soit l'objet, soit le savoir, soit la relation de l'un et de l'autre. Est-ce à dire que les figures de la Conscience sensible, de la Perception, de Force et Entendement n'ont aucunement rapport au temps et constituent de purs moments du concept dans leur abstraction logique ? Non, sans doute, car pour elles vaut aussi ce qui est affirmé de toutes les figures : en tant qu'elles « présentent l'Esprit dans sa singularité ou *effectivité,* elles se différencient dans le temps [51] » ; pourtant, il serait vain de rechercher quelle époque historique déterminée correspond à chacune de ces figures, puisque la règle de lecture de la section dans laquelle elles se trouvent (à savoir l'immédiateté d'une relation qui ne laisse pas de place à l'exercice effectif de la liberté) leur interdit d'exprimer autre chose qu'une dimension *permanente* de toute conscience historique [52] ; de sorte que ces figures ont bien une existence « dans le temps », mais non pas lorsque nous les considérons en elles-mêmes, dans la limitation que leur impose tout d'abord leur apparition dans une section à la détermination encore abstraite : c'est plus tard, dans les dialectiques plus élaborées où elles surgissent à nouveau (par exemple dans la Raison observante, dans le monde de la culture ou dans celui de la moralité), que ces traits permanents de l'essence historique de l'homme (comme la certitude du « viser », ou la détermination des lois, ou la connaissance de l' « intérieur »...) réapparaîtront comme les caractéristiques d'une époque déterminée. Le texte de l'introduction à la Religion rappelé ci-dessus précise à ce propos que les figures se différencient dans le temps, « en sorte cependant que la suivante garde en elle les précédentes » : voilà un premier exemple dans lequel l'ordre des sections fait reculer l'entrée effective dans l'ordre historique.

La sction « Conscience de soi » surgit de la première médiation pleinement déployée, telle qu'elle se pose dans les dialectiques du Jeu des forces et de l'Infinité. Avec elle, et du fait

---

51. *Ph. G.,* 477/10 (II 208/2).
52. Cf., ci-dessus, p. 218, note 9.

de cette médiation, les conditions sont donc réunies pour que s'impose le mouvement total qui définit la liberté, réplique consciente, dans un sujet déterminé, de ce qui constitue, dans l'objectivité, le parcours intégral du cycle de la Vie. La substance elle-même s'anime au mouvement de cette médiation, et répond désormais comme conscience de soi aux sollicitations de la conscience de soi. Cette interaction de deux libertés, voilà qui représente vraiment, à un premier niveau, l'affirmation d'une histoire qui est le devenir de l'homme, déjà constitué comme tel dans le milieu universel qui est le sien : « Pour nous est déjà présent le concept *de l'Esprit.* Ce qui sera plus tard pour la conscience, c'est l'expression de ce qu'est l'Esprit, cette substance qui, dans la parfaite liberté et indépendance de son opposition, à savoir des diverses consciences de soi étant pour soi, et leur unité : *Je* qui est *Nous, et Nous* qui est *Je.* Dans la conscience de soi comme concept de l'Esprit la conscience atteint son tournant ; de là, hors de l'apparence colorée de l'en-deçà sensible et hors de la nuit vide de l'au-delà supra-sensible, elle pénètre et chemine dans le jour spirituel de la présence [ou : du présent] [53]. »

Cette « présence », c'est évidemment celle de l'Esprit, désormais reconnu pour ce qu'il est, non plus dans l'abstraction de ses moments disjoints, mais dans le mouvement de médiation de son existence effective. Pourtant, cette évidence ne se pose encore qu'au niveau du *pour nous,* et ce n'est que « plus tard » que la conscience elle-même pourra faire « l'expérience de ce qu'est l'Esprit » ; jusque-là, c'est-à-dire jusqu'au début de la quatrième section, nous sommes bien dans l'ordre historique, mais de telle sorte pourtant que la conscience elle-même demeure immergée dans ce devenir qu'elle ne domine pas encore, si bien que le rapport des figures au temps, à des périodes déterminées, reste le plus souvent ambigu, incertain ou même problématique. S'agit-il des dialectiques contenues dans le moment de la « Liberté de la conscience de soi » ? Elles correspondent évidemment à des époques définies, et Hegel le souligne explicitement à propos de la première d'entre elles : « Cette liberté de la conscience de soi, en tant qu'elle surgit dans l'histoire de l'Esprit comme manifestation consciente d'elle-même, s'est appelée, comme c'est bien connu, *Stoïcisme* [54]. » Mais nulle précision ensuite à propos du Scepticisme, présenté simplement comme « la réalisation de ce dont le Stoïcisme n'est que le concept [55] »,

53. *Ph. G.,* 140/28 (I 154/16).
54. *Ph. G.,* 152/30 (I 169/1).
55. *Ph. G.,* 154/37 (I 171/21).

— ce qui n'est point tellement évident pour qui interroge l'histoire ; quant à la Conscience malheureuse, elle correspond par certains traits très explicites (par exemple une analyse des Croisades), à la Chrétienté du Moyen Age, mais elle déborde largement cette période pour évoquer d'autres attitudes historiques (par exemple la prédominance du sentiment religieux dans certains cercles de la pensée allemande à la charnière des XVIII° et XIX° siècles), ou plus simplement des traits permanents du christianisme (ainsi des valeurs d'incarnation, ainsi encore de l'ascétisme ou de l'existence de rites). En somme, tous ces développements de la Conscience de soi et de la Raison répondent bien à des moments particuliers de l' « Esprit du monde » ; mais si la relation entre les deux registres d'analyse est bien affirmée de façon générale, ses déterminations concrètes ne le sont pas toujours, — et elles ne peuvent pas l'être, précisément à cause de l'unilatéralité qui, jusqu'au terme de la Raison, prévaut encore, au plan logique, dans l'ordre des sections.

Finalement, ce qui est en cause, c'est la notion même d' « expérience de la conscience ». Il est vrai que la conscience reprend pour son compte le déroulement total de l'histoire du monde ; Hegel l'affirme à nouveau au début de la Raison : « La conscience déterminera sa relation à l'être-autre ou à son objet de façons diverses suivant qu'elle se trouvera précisément à un degré de l'Esprit du monde devenant conscient de soi. Comment il [er = l'Esprit du monde] trouve *immédiatement* et détermine soi-même et son objet à chaque fois, ou comment elle [es = la conscience] est *pour soi,* cela dépend de ce qu'il [er = l'Esprit du monde] est déjà *devenu* ou de ce qu'il est déjà *en soi* [56]. » Mais si l'attention se porte sur les progrès de la *conscience* comme telle, il faut bien reconnaître que sa transformation peut dépendre d'une pluralité de facteurs historiques, entre lesquels le philosophe est amené à opérer un choix, ne retenant que les

---

56. La signification de cette phrase n'est pas douteuse : elle exprime, si l'on peut dire, que la conscience ne devance pas le développement de l'Esprit du monde, — qu'*elle* ne devient pour-soi que ce que *lui-même* est déjà devenu en-soi. Reste que l'enchevêtrement des pronoms *er* et *es* demeure bien curieux. Le texte A (édition originale) est tel qu'il se trouve actuellement chez Hoffmeister. Schulze, dans ses deux éditions (1832, 1841) avait changé, sans justifier cette modification, le *wie es für sich ist* en *wie er...* [cf. Hoffmeister, *Variantenverzeichnis,* p. 588, textes B et C]. Lasson, dans ses deux premières éditions (Leipzig, 1907 et 1921) reprend le texte de Schulze, la première fois sans remarquer la modification intervenue, la seconde fois en le soulignant simplement sans prendre position ; il fait de même dans sa troisième édition [cf. Hoffmeister, *Variantenverzeichnis, ibid.,* texte E]. Hoffmeister, enfin, dans ses diverses éditions (1937, 1949, 1952) revient au texte original : c'est évidemment à lui qu'il faut s'en tenir, — en comprenant ce passage, semble-t-il, comme on vient de le faire au début de cette note (renseignements communiqués par O. Pöggeler).

éléments qui semblent les plus significatifs, de sorte que demeure
une certaine indétermination dans l'utilisation du « matériau »
historique ; à la limite, on trouve des exemples, fort peu nombreux il est vrai, dans lesquels l'appel à une réalité historique
semble bien ne représenter qu'une illustration extrinsèque au
mouvement même de la pensée : ainsi de l'évocation du peuple
juif et de son sort au terme des dialectiques de la Phrénologie [57].

On peut donc dire que, jusqu'à la section « Esprit », une
certaine ambiguïté demeure à propos de la signification des corrélations historiques. Mais voilà qui, au fond, ne saurait surpren-
dre : l'apparition de la *réalité* reconnue comme telle (c'est-à-dire
comme liberté authentique, déployée dans l'élément de l'être)
présuppose le parcours intégral du « mouvement dialectique »,
— lequel n'est effectif qu'au terme de la « première totalisation »
constituée par les trois sections « Conscience », « Conscience de
soi » et « Raison ». Jusque-là, nous avons plutôt affaire à des
attitudes clefs de la conscience, à des « types », qui peuvent
avoir et ont parfois une traduction historique obvie, mais qui
peuvent aussi et tout aussi bien exprimer des traits permanents de
l'essence humaine. Sans doute, à partir de « l'Effectuation de la
conscience de soi rationnelle par elle-même », nous sommes
déjà, si l'on peut dire, dans la zone d'influence de l'Esprit, et
déjà pour nous s'est entrouvert le Monde éthique [58], avec l'ensemble de ses figures, cette fois, pleinement historiques ; mais,
précisément, c'est *pour nous* seulement que ce concept a manifesté son « esprit intérieur », — tandis que la conscience continue
de le prendre « dans *l'abstraction de l'universalité* », comme
une « loi *pensée* » qui n'a encore aucune existence effective
concrète. C'est pourquoi les dialectiques qui composent cette
sous-section demeurent au niveau d'une analyse, non pas intem-
porelle, mais indéterminée dans son rapport à l'histoire, — exposant une série d'attitudes humaines fondamentales qui se sont
affirmées dans un certain nombre d'œuvres littéraires : le *Faust*
de Gœthe, les *Brigands* de Schiller, le *Don Quichotte* de Cer-
vantes. Sans doute, à travers ces œuvres, c'est l'Esprit du monde
qui se cherche et s'affirme ; mais il le fait encore, ainsi qu'il a
été dit, « dans l'abstraction de l'universalité », sans rassembler
encore pleinement ses moments disjoints : la Logique, ici, se
développe encore en elle-même, sans se soucier de coïncider
totalement avec la Chronologie.

Au contraire, à partir de la section « Esprit », nous entrons
décidément dans le mouvement d'une lecture de la réalité his-

57. *Ph. G.,* 250/8 (I 281/37).
58. *Ph. G.,* 256/23 (I 289/30).

torique, et les figures que nous rencontrons se posent vraiment
« dans le temps ». C'est que l' « ordre des sections » permet
maintenant à l'Esprit, tel qu'il se déploie dans l'élément de la
conscience, de s'affirmer dans son en-et-pour-soi, non plus seulement pour nous, mais pour la conscience elle-même ; en sorte
que le contenu des « expériences de la conscience » se trouve
désormais constitué par l'effectivité concrète que le mouvement
dialectique exprime toujours au troisième temps de son développement, dans son retour à l'immédiateté [59]. Pourtant, ce n'est

59. Herbert Marcuse, dans son livre intitulé *Hegels Ontologie und die
Grundlegung einer Theorie der Geschichtlichkeit*, parvient, à partir d'un
autre type de réflexion, à une perspective assez semblable. Il distingue, à
l'intérieur de la *Phénoménologie*, différents niveaux d'historicité, surtout
« l'histoire de la Vie comme conscience de soi » et « l'histoire de l'Esprit »
(299 et 314 ; 337 ; 340 ; 348 ; 355). Il semble donc reconnaître l'historicité
plénière des dialectiques de la Vie (pp. 257 sq.), de Domination et de servitude
(pp. 288, 291), de la Liberté de la conscience de soi (p. 301) et de la Raison
(pp. 305-306). Et il est vrai que d'un bout à l'autre de la *Phénoménologie*
il y a toujours une « histoire », puisque l'Esprit progresse à travers son
contenu en se révélant comme « ein Bewusstmachen des Gewordenen » (p. 307).
Mais parce que cette histoire n'est jamais évoquée pour elle-même, indépendam-
ment de sa réassomption systématique (p. 258), elle ne se déploie que comme
sursumée dans sa signification conceptuelle : « Schon mit dem ersten Schritt
der Phänomenologie wird das Leben als geschichtliches Gegenstand, aber mit
dem ersten Schritt ist auch schon diese Geschichtlichkeit von der aufhebenden
Idee des absoluten Wissens her gesehen » (*ibid.*). Cela fait que la *Phénoménologie* est à la fois « historique » et « non historique » (p. 340), et cela se
traduit par le fait que l'entrée dans la signification vraie de ce devenir historique (c'est-à-dire dans sa signification à la fois positive et négative) est elle-
même historique, et par conséquent se fait de façon progressive. En effet,
ce n'est que peu à peu, au rythme du déploiement des sections, que s'opère
une égalité *réelle* de la conscience de soi et de son monde ; or il n'y a point
d'histoire *véritable* avant cela (p. 341), — c'est-à-dire avant que la conscience
de soi ait atteint à un comportement *positif* à l'égard de ce monde ; cependant,
voilà qui n'est acquis qu'avec les dialectiques de la Raison (de façon partielle :
pp. 311, 322-323), et même seulement avec celles de l'Esprit. De sorte que
l'historicité des figures antérieures, qui a été affirmée en principe, n'acquiert
effectivité (et donc ne se traduit dans une succession temporelle) qu'avec
la section Esprit : « ... nun erst mit dem Geschehen des Geistes beginnt die
eigentliche Geschichte des Lebens » (p. 332 ; cf. p. 328/11 sq.). Par rapport à
cette historicité enfin pleinement effective, l'historicité des figures antérieures
apparaît encore incomplète (par exemple, pour Domination et servitude :
cf. 299 et 341) ; elle est le mouvement de son « actualisation » (334/20 sq) :
« die vorangegangenen Gestalten des Lebens in der Phänomenologie können
und müssen von der Wirklichkeit des Geistes her gefasst werden : als unmit-
telbare, unfreie, unwahre Weisen des Geistes » (335).
Marcuse signifie cet accomplissement en affirmant que la dimension historique présente à toutes les étapes de la *Phénoménologie* ne s'exprime dans
une succession *temporelle* qu'à partir de la section « Esprit » : « Wenn nun
die Geschichte des Geistes von der einen Gestalt der wirklichen Welt zur
anderen fortschreitet, so ist dieses Geschehen notwendig in irgendeinem Sinne
ein zeitliches » (p. 342). Il se refuse pourtant, dans la perspective qui est
sienne, à traiter pour elles-mêmes des relations entre l'Esprit et le Temps dans
la *Phénoménologie* (*ibid.*) ; il n'envisage donc pas la question qui nous retient
ici : quel est le rapport du déploiement du concept au déroulement de l'histoire
concrète, et pourquoi le mouvement de l'histoire se trouve-t-il repris deux fois,
à deux niveaux complémentaires d'intelligibilité ? Mais son analyse précédemment rappelée n'en vient pas moins comme une confirmation des conclusions

pas à dire que toute question soit résolue, sous la forme où développement logique et développement historique chemineraient
désormais de conserve, dans une harmonie immuable, et jamais
remise en cause ; au contraire, c'est maintenant, alors que tous
les éléments se trouvent réellement en jeu, que le problème des
rapports qu'ils entretiennent entre eux, en fonction de la nature
de l'œuvre, va se poser vraiment.

L'un des points les plus fondamentaux de la pensée hégélienne
(auquel un chapitre a été consacré au cours de la première
partie de cette étude) est l'impossibilité de disjoindre la forme
et le contenu, autrement dit l'impossibilité d'isoler la « méthode »,
puisqu'elle n'est en réalité que « l'auto-mouvement du contenu ».
L'interrogation présente n'est qu'une nouvelle formulation de ce
débat fondamental ; en effet, s'il existe vraiment une *science*
des expériences de la conscience, c'est que le dynamisme de leurs
relations signifiantes est inscrit dans leur effectivité même, —
de sorte que « le logique » n'est en réalité rien d'autre et rien de
plus que « le chronologique » compris dans le déploiement de
sa rationalité immanente. Ce qui ne veut point dire que l'histoire
soit préterminée, ni qu'il ne reste aucune place à la contingence
comme telle : il est trop évident que, dans son déroulement
concret, loin d'être purement rationnelle, elle demeure souvent
la proie de particularités scellées sur elles-mêmes, soustraites
à l'universel véritable qui est le fondement du sens. Mais, à
l'égard de ces fausses particularités, la *Phénoménologie* se donne
précisément comme un itinéraire de purification, qui affine
l'homme en l'éveillant à la *vérité* de son devenir historique ;
l'homme en vient à se comprendre en comprenant le *sens* réel
du monde dans lequel il vit [60].

Logique et Chronologie correspondent donc à des rythmes
divers dans le déploiement de la réalité. Au cours d'un chapitre
précédent, on a tenté de montrer, sur un exemple significatif,
quelles disjonctions pouvaient en résulter tant que la dernière
figure n'a pas assuré la réconciliation de ces deux dimensions.
On s'en souvient, en effet, l'examen des corrélations entre la
Religion de l'art et l'Etat du droit a manifesté que la période
historique en cause (ici, le monde romain) était présentée, non

atteintes ici : jusqu'à l'Esprit, l'abstraction relative de l'analyse conceptuelle
(le fait que la réconciliation de la conscience de soi et du monde ne soit pas
encore pleinement effective) retarde l'entrée dans l'ordre historique véritable ; ce n'est qu'avec la section « Esprit » que cette historicité apparaît
réellement comme succession temporelle.

60. Le prochain chapitre nous permettra de préciser cette question. Nous y
verrons que, loin d'abolir la contingence historique, la « Science » en vient à
la poser à nouveau comme telle ; ce n'est qu'alors qu'elle se trouve accompli
en tant que Science.

pas comme une totalité simple et homogène, mais comme un monde complexe, en perpétuelle évolution, dans lequel la figure à venir est déjà discernable à la rupture qu'elle dessine par avance, entraînant ce monde vers sa perte *et* son accomplissement : on peut dire alors, si l'on veut, que le logique travaille au cœur du chronologique, comme le mouvement intérieur qui, en toute période historique, préfigure et opère la mutation corrélative de l'homme et de son monde qui surviendra ensuite ; marche tâtonnante, où la dissonance même est promesse d'harmonie, dans l'exigence qu'elle développe d'un ajustement progressif des termes en dialogue. Ainsi, dans l'exemple précédent, si le Monde éthique exprime l'organisation effective de l'Esprit dans sa totalité immédiate, l'art absolu qui naît en lui [61] marque à la fois son apogée et sa disparition : car « la Religion de l'art appartient à l'esprit éthique que nous avons vu disparaître dans l'Etat du droit [62] », — disparition dont l'art, précisément, était le signe et l'instrument, puisqu'en lui s'exprimait déjà le Soi qui tenterait par après de se faire reconnaître pour lui-même au plan de l'existence sociale.

En somme, l'Esprit, en son dynamisme logique, définit comme un second niveau dans la lecture du monde et de son devenir. Il est ce *dumpfes Weben*, ce mouvement sourd, qui anime le contenu historique de la conscience à une époque donnée et dans une détermination particulière, lui donnant de signifier toutes les attitudes semblables que la conscience a pu vivre dans d'aures contextes et à d'autres périodes. C'est pourquoi les traits retenus acquièrent en quelque sorte une valeur universelle, — qui se traduit souvent dans le fait que Hegel, pour exprimer la signification d'une époque, expose, non pas les événements comme tels, mais la traduction qu'ils ont reçus dans une forme littéraire : par exemple, la dialectique de l'Action éthique s'appuiera en partie sur un commentaire de l'*Antigone* de Sophocle, celle de l'*Aufklärung*, pour une part, sur une œuvre comme *Le Neveu de Rameau* de Diderot, tandis que tel passage de la Liberté absolue interprète *Le Contrat social* de Rousseau. En lisant de la sorte l'esprit d'un temps à travers la réflexion universalisante qui sur lui fut déjà opérée, le philosophe, sans l'arracher au contexte concret où il s'est épanoui, découvre en lui des harmoniques plus vastes ; ainsi précisément de l'attitude d'Antigone : quand elle oppose à l'ordre effectif le devoir de désobéissance qu'elle tire d'une exigence supérieure, d'une loi non écrite, elle représente, dans sa particularité histo-

---

61. *Ph. G.*, 492/4 (II 225/18).
62. *Ph. G.*, 522/22 (II 259/25).

rique même, tous ceux qui, au long des temps, vivront ainsi dans le déchirement des nécessités contradictoires ; la figure historique tend alors à se confondre avec l'universalité du moment du concept qui s'exprime en elle.

Ce n'est pas à dire que le philosophe puisse traiter l'histoire à son gré pour lui donner de signifier ce qu'il a pour dessein d'exprimer. Autant qu'un autre, plus qu'un autre sans doute, il se veut attentif à l'objectivité du mouvement du connaître ; mais il sait que la vérité des événements n'est pas nécessairement perceptible en leur succession brute, et il est attentif à découvrir, sous la trame de leur enchaînement, le sens universel qui en eux se donne à connaître.

La *Phénoménologie* n'est pas un livre d'histoire : elle est la manifestation de l'Esprit dans son extériorité temporelle par rapport à lui-même. Il est donc vrai, en cette perspective, que le mouvement de la conscience est second par rapport au développement de l' « Esprit du monde », dont elle reproduit le dessein pour son compte ; mais cette antériorité logique du chronologique (si l'on peut ainsi s'exprimer) a pour corrélatif son accomplissement dans le dynamisme universalisant du comprendre : car la vérité n'est totale que lorsque le mouvement de l'intelligence a rejoint celui de l'expérience ; c'est ainsi que le logique est bien, de façon réelle, le chronologique *compris*.

CHAPITRE II

PHÉNOMÉNOLOGIE ET SYSTÈME

I. LA PHÉNOMÉNOLOGIE COMME SYSTÈME

« Dans le savoir, l'Esprit a donc terminé le mouvement de son développement en figures (*die Bewegung seines Gestaltens*), en tant que celui-ci est affecté de la différence non surmontée de la conscience. Il a gagné le pur élément de son être-là, le concept [1]. » Pour la conscience, c'est dans la figure, nous venons de le voir, que s'exprime la temporalité de l'Esprit, — ou plutôt dans l'enchaînement des figures, c'est-à-dire dans le développement figuratif de l'expérience. Si le temps est l'extériorité du concept, sa traduction phénoménologique tient dans l'extériorité de la conscience et de son objet, — « différence de la conscience » qui, avant qu'elle ne soit enfin « surmontée » dans le Savoir absolu, exprime tout à la fois l'insuffisance de chaque figure à l'égard du Tout, et le dynamisme secret qui la pousse vers son propre accomplissement dans ce Tout : « L'inégalité qui trouve place dans la conscience entre le Je et la substance qui est son objet est leur différence, le *négatif* en général. On peut l'envisager comme le *défaut* des deux, mais il est leur âme ou ce qui les meut tous deux [2]. »

Tout le mouvement de la *Phénoménologie* consiste à surmonter cette dualité initiale, en montrant comment la substance elle-même, pénétrée par le Soi, n'est que l'Autre de la conscience, pleinement semblable à elle. Ici, le meilleur commentaire de ce mouvement qui se pose et s'achève dans le Savoir absolu nous est fourni par le paragraphe de la Préface dont on vient de rappeler les premières lignes ; il se poursuit en reprenant les termes mêmes que nous avons rencontrés dans le Savoir absolu, c'est-à-dire en montrant comment l'Esprit, grâce au parcours

1. *Ph. G.*, 561/37 (II 309/19). Le texte suivi ici est celui de Glockner. Hoffmeister omet le préfixe négatif en parlant de « la différence *surmontée* de la conscience » ; mais il est infidèle en cela à l'édition originale, qui porte bien : « mit dem *un*überwundnen Unterschiede des Bewusstseins » (précision fournie par O. Pöggeler).
2. *Ph. G.*, 32/22 (I 32/19).

total qui s'engendre en cette dualité initiale, en vient à gagner le pur élément du concept : « Si maintenant, lisons-nous, ce négatif se manifeste comme inégalité du Je par rapport à l'objet, pourtant il est aussi bien l'inégalité de la substance par rapport à soi-même. Ce qui paraît survenir en dehors d'elle, être une activité opposée à elle, est son propre opérer, et elle se montre essentiellement être sujet. En tant qu'elle a montré ceci parfaitement, l'Esprit a rendu son être-là égal à son essence ; il est, tel qu'il est, objet pour soi, et l'élément abstrait de l'immédiateté et de la séparation du savoir et de la vérité est surmonté. L'être est absolument médiatisé ; — il est contenu substantiel, qui est tout aussi immédiatement propriété du Je, a le caractère du Soi (*ist selbstisch*) ou est le concept. C'est avec cela que se termine la Phénoménologie de l'Esprit. Ce qu'il [= l'Esprit] se prépare en elle, c'est l'élément du savoir [3]. »

Avant de caractériser cet « élément » du concept qui forme ainsi le terme de la *Phénoménologie*, Hegel reprend encore une fois le mouvement de son devenir. Vu du point de vue de l'Esprit, tel qu'il se conquiert lui-même à travers l'itinéraire de la conscience, le premier moment consiste dans la liberté du Soi qui s'intuitionne *immédiatement* dans l'élément de l'être (ce qui correspond au Jugement infini) : « Le contenu est, selon la *liberté* de son *être*, le Soi qui s'extériorise, ou l'unité *immédiate* du se-savoir-soi-même. Le pur mouvement de cette extériorisation constitue, considéré dans le contenu, sa *nécessité* [4]. » On le voit, le point de départ, ici, parce que nous sommes au niveau de la réalisation du Tout comme Tout, n'est pas la dualité comme telle de la conscience et de son monde, mais la première réconciliation de cette dualité dans la figure où la conscience s'accomplit pleinement comme conscience en reconnaissant son égalité immédiate avec elle-même *dans* son propre monde : si l'Esprit se conquiert vraiment à travers le jeu des figures (et singulièrement des trois figures remarquables en lesquelles se concentre la signification du devenir total), il faut, et précisément pour qu'il apparaisse en elles *comme Esprit,* qu'elles aient déjà, chacune dans sa détermination particulière, *surmonté* en quelque mesure la différence de la conscience [5]. Cette extériorisation de l'Esprit dans la liberté de son être immédiat est identiquement la première pénétration du contenu par le Soi, autrement dit le premier pas qui conduit à l'affirmation de la substance comme sujet : au sein du contenu, la présence de l'Esprit constitue la nécessité de son auto-mouvement.

3. *Ph. G.*, 32/29 (I 32/25).
4. *Ph. G.*, 562/1 (II 309/22). Il s'agit de la nécessité du contenu.
5. *Ph. G.*, 561/38-39 (II 309/21).

La seconde des figures remarquables est celle de l'Utilité ; à l'immédiateté compacte du se-savoir-soi-même dans l'élément de l'être fait place, dans la dialectique de la *relation*, la fluidité totale de l'objet dans lequel coïncident les déterminations du pour-soi et du pour-un-autre : « Le contenu diversifié est comme *déterminé* dans la relation, non pas en soi, et son inquiétude est de se sursumer soi-même, ce qui est [= *oder*] la *négativité* [6]. » De la sorte, le contenu, dans lequel l'Esprit sommeillait, s'anime à son mouvement ; parce que ses différences se déploient dans l'unité originaire qui est la sienne, elles s'affirment comme moments totalement relatifs les uns aux autres ; la confession de leur richesse simple et multiple, c'est là le troisième temps de l'affirmation de l'Esprit, qui se posa une première fois, comme forme spirituelle encore privée de son contenu, dans la figure du Mal et de son pardon, et une seconde fois, comme égalité plénière de la forme et du contenu, dans le Savoir absolu : « La nécessité, par conséquent, ou la diversité, comme ils sont l'être libre, sont aussi bien le Soi ; et dans cette *forme* du Soi (*in dieser selbstischen Form*), dans laquelle l'être-là est immédiatement pensée, le contenu est *concept* [7]. »

Ce résultat constitue le point d'achèvement de la *Phénoménologie* comme phénoménologie ; désormais, ayant déployé l'élément de son pur savoir, l'Esprit peut se donner à connaître en lui, non plus dans l'extériorité du temps, mais dans la forme pure de ses déterminités internes : « En tant que l'Esprit a gagné le concept, il déploie l'être-là et le mouvement dans cet éther de sa vie, et est *Science* [8]. » Que signifie ce développement de la Science comme telle, autrement dit le « Système » qu'elle engendre, par rapport à l'itinéraire qui a été suivi dans la « Phénoménologie », voilà ce qu'il importe de savoir si nous entendons faire retour véritablement au sens de cette œuvre ; dès maintenant, une remarque à propos du texte que nous venons de lire peut nous donner, dans un autre vocabulaire, la vraie mesure de cette question.

Parmi les trois « moments » dont Hegel nous rappelle ici l'enchaînement, le second représente le temps de la distension, de l'écartèlement des termes (puisque le pour-soi, détaché de l'en-soi, en vient à se confondre avec le pour-un-autre, — devenant ainsi, dans la détermination qui le constitue, étranger à son essence), tandis que le premier et le troisième expriment l'un et l'autre l'unité des moments sous la même raison de leur

6. *Ph. G.*, 562/5 (II 309/25).
7. *Ph. G.*, 562/7) (II 309/28).
8. *Ph. G.*, 562/11 (II 310/3).

« immédiateté » : à « l'unité immédiate du se-savoir-soi-même »
qui se posait au point de départ répond en effet, au terme du
mouvement, la « forme du Soi dans laquelle l'être-là est immédiatement pensée ». Voilà qui est en pleine harmonie avec la
réflexion proprement méthodologique que présentera la Préface :
le vrai « est le devenir de soi-même, le cercle qui présuppose et
a pour commencement sa fin comme son but, et qui n'est effectif
que par l'actualisation et par sa fin [9] » ; de même, il y a accord
total entre ce retour à l'immédiateté qui achève le mouvement
du Tout et le retour à la Certitude sensible qui, nous l'avons
signalé, ponctue l'accomplissement partiel de ce mouvement dans
chacune des trois figures remarquables qui l'expriment en l'une
de ses déterminations : Jugement infini [10], Utilité [11], Mal et son
pardon [12].

On vient de parler de « retour à l'immédiateté ». Bien que
cette expression se trouve dans le sous-titre qui introduit, dans
certaines éditions, ces dernières pages de la *Phénoménologie* [13],
elle ne peut guère être soutenue en toute rigueur de termes, car
l'immédiateté « devenue » contient tout autre chose que la
plate certitude initiale : « C'est seulement cette égalité se *recons-
tituant* ou la réflexion dans l'être-autre en soi-même — non pas
une unité *originaire* comme telle, ou *immédiate* comme telle —
qui est le vrai [14]. » Mieux, il faut dire que l'immédiat véritable
n'est pas celui, ambigu, qui se trouve à l'origine du processus,
mais bien plutôt celui qui est au terme, et qui recueille en soi
la richesse du contenu déterminée au cours du mouvement de
l'extériorisation ; dans ce terme, ainsi que nous l'avons déjà lu,
« l'être est absolument *médiatisé* », et il est « contenu substantiel qui est tout aussi *immédiatement* propriété du Je [15] » ;
car la naissance de l'immédiat authentique exige tout le déploiement de la médiation [16], de sorte que la totalité du mouvement
se déploie à l'intérieur de l'immédiat initial, pour lever son
abstraction et l'accomplir comme tel.

9. *Ph. G.*, 20/16 (I 18/7).
10. Cf., ci-dessus, p. 104.
11. Cf., ci-dessus, p. 135.
12. Cf., ci-dessus, pp. 142-143.
13. En fait, ces sous-titres ne sont pas de Hegel lui-même, et se trouvent
pour la première fois dans l'édition de Georg Lasson publiée en 1907, pour le
centenaire de la parution de l'œuvre ; on ne peut donc en faire état quand
surgit un problème d'interprétation proprement dit.
14. *Ph. G.*, 20/13 (I 18/4).
15. *Ph. G.*, 32/39 (I 33/1). Ces soulignements ne sont pas dans le texte
allemand.
16. Ce qui vaut du syllogisme total s'applique aussi aux mouvements partiels
qui structurent le développement ; cf. l'exemple déjà cité : *Ph. G.*, 311/2
(I 353/34).

Ce développement circulaire est ce qui définit la *Phénoméno-logie* comme « système » ; il importe de souligner ce point, puisqu'il commande, pour une bonne part, l'intelligence des relations qu'entretient cette œuvre avec le « Système » proprement dit, constitué par la *Logique* et l'*Encyclopédie*. « La vraie figure dans laquelle la vérité existe ne peut être que son système scientifique. Collaborer à ce que la Philosophie se rapproche de la forme de la Science, — à ce but qu'elle puisse déposer son nom d'*amour* pour le *savoir* et être *savoir effectif* — c'est ce que je me suis proposé[17]. » Le système (ou la Science) est ici présenté, sous le mode le plus général qui soit, comme la seule forme adéquate à l'affirmation du vrai comme vrai : « la vraie figure de la vérité, ajoute encore Hegel, est posée dans cette scientificité, — ou, ce qui est la même chose, [...] la vérité est affirmée avoir seulement dans le *concept* l'élément de son existence[18] » ; formules familières, que nous avons déjà lues dans le texte du Savoir absolu ; mais elles se doublent ici, dans la Préface, d'une autre affirmation, qu'il nous faut recueillir en toute sa rigueur : la Science n'est pas seulement le champ de réflexion qui s'ouvre au-delà de la *Phénoménologie* et dont celle-ci n'aurait pour rôle que de fournir la clef, — bien plutôt le parcours même de cette *Phénoménologie* offre une première « présentation » de ce développement systématique : « Collaborer à ce que la Philosophie se rapproche de la forme de la Science [...], c'est ce que je me suis proposé. » Hegel utilise plusieurs fois ce terme de « présentation » (*Darstellung*) dans d'autres passages de la Préface qui caractérisent précisément le mouvement de la vérité sous la raison de sa nécessité *scientifique* ; ainsi : « Selon ma façon de voir, qui ne doit se justifier que par la présentation du Système (*die Darstellung des Systems*), tout tient à ce que le vrai soit saisi et exprimé non comme *substance* mais aussi bien comme *sujet*[19] » ; et encore : « C'est seulement comme Science ou comme *Système* que le savoir est effectif et peut être présenté (*dargestellt*)[20]. » Dans le même vocabulaire, mais appliqué de façon explicite à la *Phénoménologie* elle-même, nous lisons aussi : « Ce devenir de la *Science en général* ou du *savoir* est ce que présente (*darstellt*) cette *Phénoménologie* de l'Esprit[21]. »

---

17. *Ph. G.*, 12/9 (I 8/15).
18. *Ph. G.*, 12/27 (I 8/32).
19. *Ph. G.*, 19/24 (I 17/1).
20. *Ph. G.*, 23/22 (I 22/5).
21. *Ph. G.*, 26/8 (I 25/8). Cf. *Ph. G.*, 66/37 (I 68/30).

II. LA SCIENCE
DANS SES DÉTERMINITÉS PURES

Il ne faudra pas oublier cette signification essentielle du terme
de « Système » ou de « Science », qui s'applique *déjà* au mouvement de la *Phénoménologie* comme telle, en essayant d'éclairer
les relations qu'elle entretient avec les œuvres postérieures :
il n'y a en vérité qu'un seul déploiement de l'Esprit, même s'il
se donne à connaître, ici et là, sous des modalités différentes.
Mais pour l'heure, en suivant pas à pas le texte du Savoir
absolu, c'est sur la constitution du discours philosophique dans
les déterminités pures de la *Logique* et de l'*Encyclopédie* qu'il
faut d'abord insister. « Donc, en tant que l'Esprit a gagné le
concept, il déploie l'être-là et le mouvement dans cet éther
de sa vie, et est *Science* [22]. » N'étant plus écartelé entre des
moments opposés, l'Esprit demeure alors près de lui-même en
la plénitude de sa richesse et de sa vie ; il peut se donner à
connaître réellement en ses moments divers, sans sortir de lui-
même en ce mouvement où il déploie son effectivité. « Déployer », *entfalten* : c'est là un terme qui, comme ceux
d'*entwickeln* ou d'*ausbreiten*, revient plusieurs fois dans la *Phénoménologie* pour caractériser le processus de la conscience
comme la résurgence du mouvement d'engendrement de l'Esprit ;
mais c'est un terme dont la signification dépasse cette acception
purement phénoménologique, et qui connote, en sa pureté
logique, tout parcours concret grâce auquel peut être manifestée
la richesse immanente d'un concept. Dans le cas de la Science
proprement dite, ce déploiement s'opère dans l' « éther » de
la vie de l'Esprit, sans plus aucune extériorité des termes parcourus.
Une fois encore, la préface nous donne un excellent commentaire de ce texte. Ce que l'Esprit se prépare dans la *Phénoménologie,* y avons-nous déjà lu, c'est « l'élément du savoir » (qui
n'est autre, précisément, que l'éther de la vie de l'Esprit). « Dans
cet [élément] se répandent maintenant (*ausbreiten*) les moments
de l'Esprit dans la *forme de la simplicité,* qui sait son objet
comme soi-même. Ils ne tombent plus en dehors l'un de l'autre
dans l'opposition de l'être et du savoir, mais restent dans la
simplicité de ce savoir, sont le vrai dans la forme du vrai, et

22. *Ph. G.,* 562/11 (II 310/3).

leur diversité est seulement diversité du contenu. Leur mouvement qui, dans cet élément, s'organise en un Tout, est la *Logique* ou *Philosophie spéculative* [23]. » L'opposition de l'être et du savoir, en effet, est caractéristique de la conscience ; on se souvient qu'elle se pose, par exemple, de façon explicite et dans ces termes mêmes, dans la dialectique de la Certitude sensible : le « vrai » est alors présent, dans l'objectivité de la substance, mais il n'est pas « dans la forme du vrai », puisqu'il n'est pas pénétré par le Soi et ne possède donc aucune liberté. Au contraire, dans la « Philosophie spéculative » jamais l'Esprit ne se présente ou comme pur sujet connaissant ou comme savoir de la substance, mais il exprime chacune de ses déterminations dans la simplicité effective de son concept accompli : la diversité de ces moments les uns par rapport aux autres n'est plus l'extériorité réciproque qui ressort de leur caractère unilatéral (opposition au plan de la forme), mais elle exprime la richesse du concept simple qui se donne à connaître en plénitude en chacune de ses déterminations (diversité du contenu).

Le texte du Savoir absolu dit de façon équivalente : « Les moments de son mouvement [= du mouvement de l'Esprit] se présentent en elle [= dans la Science], non plus comme *figures* déterminées de la *conscience,* mais, en tant que la différence de celle-ci est retournée dans le Soi, comme *concepts déterminés,* et comme leur mouvement organique fondé en soi-même [24]. » Le progrès de la conscience, dans le processus phénoménologique, n'est pas fondé dans cette conscience même, mais dans l'Esprit qui par elle se manifeste ; sans doute, il n'y a pas ici de vrai dualisme, et le terme accompli révélera l'égalité effective de la singularité de la conscience et de l'universalité du Soi spirituel : la « différence » de la conscience retournera dans ce Soi ; pourtant, au cours même du développement, ce rapport de la conscience à l'Esprit « apparaît » sous sa forme négative, comme la relation de deux réalités *étrangères* l'une à l'autre, — et les figures successives ne se présentent pas alors comme des « concepts déterminés », c'est-à-dire comme le Tout exprimé sous une modalité particulière ; c'est au contraire ce qui se produit dans le déploiement de la Science, puisqu'il n'existe plus de distance désormais entre le mouvement et la raison de ce mouvement : « Si dans la Phénoménologie de l'Esprit chaque moment est la différence du savoir et de la vérité, et est le mouvement dans lequel elle se sursume, par contre la Science ne contient pas cette différence et son sursumer, mais, en tant que le mo-

---

23. *Ph. G.*, 33/3 (I 33/6).
24. *Ph. G.*, 562/13 (II 310/5).

ment a la forme du concept, il réunit la forme objective de la
vérité et [celle] du Soi qui sait en unité immédiate [25]. » Dans la
Logique, en effet, il n'y a plus de différences qu'au niveau du
contenu, parce que ce contenu est immédiatement dans la forme
du concept ; plus d'attention exclusive à la substance *ou* au
sujet, à la vérité *ou* au Soi : « Le moment ne surgit pas comme
ce mouvement d'aller de-ci de-là, de la conscience ou de la
représentation dans la conscience de soi et inversement, mais sa
pure figure libérée de sa manifestation dans la conscience, le
pur concept et sa progression, dépendent seulement de sa pure
déterminité [26]. »

Ainsi se trouve introduit l'un des problèmes les plus difficiles
que nous pose la *Phénoménologie* : celui des relations concrètes
que cette œuvre entretient, au niveau du déploiement de son
contenu, avec les moments du pur concept tels que la *Logique*
les expose dans leurs déterminités singulières. D'un côté, en effet,
l'Esprit est lié par la nécessité qui lui est imposée de se manifester comme lui-même *dans son autre* ; au contraire, dans la
Science, il est libéré de cette nécessité, n'ayant plus à apparaître
dans la différence de la conscience. Pourtant, ces modalités
diverses n'annulent point l'identité du mouvement : ici et là,
dans la conscience ou dans la forme pure du concept, c'est le
même Esprit qui se donne à connaître pour ce qu'il est en vérité ;
de sorte qu'il existe une correspondance de principe entre les
moments divers de la *Phénoménologie* et ceux de la *Logique.*
Mais préciser ces correspondances est une tâche infiniment délicate ; elle ne peut aboutir en effet à rapprocher simplement telle
figure de la conscience et telle détermination logique : la raison
en est que chaque détermination logique exprime la totalité
comme totalité, tandis qu'une figure de la conscience n'en traduit
qu'un aspect, une détermination unilatérale ; par conséquent, si
l'on tentait ces rapprochements (ce que Hegel lui-même ne fait
jamais, bien qu'il en définisse, au plan théorique, la possibilité
concrète), il faudrait sans doute qu'à un moment du concept
pur tel qu'il est exposé dans la *Logique* réponde, dans la *Phénoménologie,* une totalité constituée comme telle, autrement dit
un tout spécifique qui rassemble en lui-même les déterminations
disjointes. Il est possible, par exemple, que le mouvement de la
Conscience représente la traduction concrète d'une déterminité
logique, masi on ne pourrait dire la même chose de la Certitude
sensible, laquelle n'est pas, *comme telle,* une expression adéquate
de l'Esprit [27].

25. *Ph. G.,* 562/18 (II 310/10).
26. *Ph. G.,* 562/25 (II 310/16).
27. S'il y a correspondance *de principe* entre les « moments » du Système

C'est ainsi qu'il faut comprendre la remarque que Hegel introduit à cet endroit, comme une sorte de parenthèse, dans le texte du Savoir absolu. Il vient de dire que, dans la Science, l'Esprit n'est plus assujetti à s'extérioriser dans la différence de la conscience ; autrement dit, il exprime en cela la distance profonde qui sépare l'un de l'autre ces deux types de développement. Mais il poursuit en marquant les limites de cette distance : « A l'inverse, à chaque moment abstrait de la Science correspond une figure de l'Esprit phénoménal en général (*Gestalt des erscheinenden Geistes überhaupt*) [28]. » L'expression n'est pas facile à interpréter exactement ; on la rencontre déjà, sous une forme approchée, au début du Savoir absolu, lorsque Hegel affirme que la récapitulation de l'objet dans toute l'ampleur de ses déterminations spirituelles oblige à le saisir en partie comme « figure de la conscience en général (*Gestalt des Bewusstseins überhaupt*) », en partie comme « une somme de telles figures que *nous* collectons [29] ». Dans l'un et l'autre de ces cas, ce n'est pas nécessairement une figure déterminée comme telle qui se trouve visée, mais le fait même de la traduction de l'Esprit dans l'ordre des figures ; autrement dit, la *Gestalt... überhaupt* pourrait désigner tout aussi bien un ensemble organique de figures singulières, — comme lorsque l'on parle, par exemple, de la figure de la Conscience.

La suite du texte ne fournit aucune autre indication sur le contenu effectif de ce système de correspondances, mais elle redit l'égalité en soi de ces deux modes d'expression, et les caractérise l'un et l'autre dans leur spécificité : « De même que l'Esprit étant-là n'est pas plus riche qu'elle [entendons : que cette figure de l'Esprit phénoménal en général], ainsi encore il n'est pas plus pauvre en son contenu [30]. » « L'Esprit étant-là », c'est l'Esprit tel qu'il se donne à connaître dans l'univers proprement logique ; cette expression reprend celle que nous avons lue plus haut : « En tant que l'Esprit a gagné le concept, *il déploie l'être-là* et le mouvement dans cet éther de sa vie, et est Science. » Ce que Hegel affirme, c'est que le contenu de la *Logique* n'est ni plus riche ni plus pauvre que celui de la *Phénoménologie* ; double tentation, en effet, que de dire : puisque dans la Logique l'Esprit s'affirme comme Esprit dans l'égalité de son contenu et de sa forme, c'est donc qu'il se présente là sous mode plus

---

et les « figures » de la *Phénoménologie,* c'est parce que, ainsi que nous allons le voir, il est essentiel à la Science comme Science de poser à nouveau la phénoménalité, — et de la poser, précisément, dans sa relation par rapport à la Science.

28. *Ph. G.*, 562/31 (II 310/21).
29. *Ph. G.*, 550/32 (II 295/13). Cf., ci-dessus, p. 194.
30. *Ph. G.*, 562/33 (II 310/23).

total, plus prégnant, plus adéquat à sa véritable richesse, —
ou : puisqu'il s'accomplit dans l'éther du pur savoir, en supprimant le temps et la multiplicité sensible, c'est qu'il échappe au
foisonnement du vécu pour se poser dans la pauvreté de son
abstraction logique. En fait, les concepts de richesse et de pauvreté sont ici sans fondement comme sans application ; depuis
la première attitude de la conscience jusqu'au triple syllogisme
qui, au terme de l'*Encyclopédie,* tente d'exprimer le sens ultime
du Système, l'Esprit ne cesse en effet d'être là, manifestant sa
richesse sous des modalités diverses, et invitant à la pauvreté de
l'accueil dans la reconnaissance de sa présence.

Après avoir ainsi souligné l'identité du contenu, Hegel revient
sur la différence radicale qui existe entre l'un et l'autre de ces
registres d'expression : « Connaître les purs concepts de la
Science dans cette forme de figures de la conscience constitue le
côté de leur réalité selon lequel leur essence, le concept, qui en
elle [= dans la Science] est posé dans sa médiation *simple*
comme *pensée,* décompose les moments de cette médiation et se
présente selon l'opposition interne [31]. » Autrement dit : dans la
Logique, chaque déterminité simple du concept est saisie comme
la présence totale de ce concept, et chaque moment immédiat,
ainsi que nous l'avons déjà lu plus haut, est riche de la médiation
totale du concept par rapport à lui-même ; au contraire, dans
la *Phénoménologie,* chaque figure, parce qu'elle exprime le
concept *en son extériorité,* apparaît à la conscience comme extérieure aux autres figures. Par exemple, le chapitre second du
deuxième livre de la *Logique,* — « Les essentialités ou les déterminations de la réflexion », — décrit le processus de la manifestation de l'essence selon les étapes essentielles de son développement : Identité, Différence (Différence absolue, Diversité,
Opposition), Contradiction, — et montre son accomplissement
dans la catégorie du *Grund,* du Fondement ; mais chacune de ces
étapes, loin de s'opposer aux autres étapes comme un moment
à un autre, les contient toutes de façon explicite : ainsi, l'Identité n'est pas l'affirmation de l'essence dans sa positivité unilatérale, mais elle est « l'immédiateté simple comme immédiateté
sursumée. Sa négativité est son être ; elle est égale à soi-même
dans sa pure négativité [32]. » Autrement dit, sous la forme apaisée
de l'identité, la différence et la contradiction sont déjà présentes
et reconnues comme telles. Réfléchissant, dans une note placée
à la fin du chapitre, sur cette « Unité du positif et du négatif »,
Hegel fera la théorie de cette présence du concept en chacune de

31. *Ph. G.,* 562/35 (II 310/25).
32. *Logik,* II 26/6.

ses déterminités : « C'est une des connaissances les plus importantes que de pénétrer et de retenir fermement cette nature des déterminations de la réflexion considérées, selon laquelle leur vérité n'est que dans leur rapport mutuel, et consiste donc en ce que chacune contient les autres dans son concept ; sans cette connaissance, on ne peut faire à proprement parler aucun pas en philosophie [33]. » Il est vrai, cette formule est très générale, et sa portée dépasse le cas privilégié de la *Logique* pour s'appliquer à toute réflexion philosophique, et donc aussi à la *Phénoménologie* ; en effet, dans cette œuvre également, ainsi qu'il a été longuement souligné dans la première partie de cette étude, c'est la présence du Tout en chaque figure déterminée qui constitue l'auto-mouvement du contenu, et fonde par conséquent la « méthode » de l'œuvre entendue comme la nécessité de sa progression scientifique ; mais cette présence, alors, est encore voilée à la conscience, laquelle demeure immergée dans l'attention exclusive à l'un des aspects du syllogisme total : par exemple, dans le Jugement infini, c'est la pure identité positive du Je et de l'être qui s'impose à elle, de sorte qu'elle est incapable, dans l'instant, de penser la *liberté* de son objet ; pour cela, il lui faudra auparavant laisser venir au jour, dans une unilatéralité semblable, le moment de la différence et de la contradiction (Utilité), jusqu'à ce que ces moments divers fassent retour dans le Je spirituel comme dans leur fondement simple (Conscience morale). Et ce qui vaut ici au plan général de l'Esprit dans sa conscience s'applique pareillement à chacune des dialectiques qui composent ce mouvement total : c'est seulement comme Tout organique que les unités de la *Phénoménologie* peuvent correspondre aux pures déterminités logiques.

Dans la préface, Hegel exprime à nouveau, en utilisant un autre vocabulaire, cette différence à l'intérieur de l'identité qui existe entre les deux œuvres. Il souligne tout d'abord ce qu'est le savoir philosophique comme tel, dans sa pure détermination : « C'est dans cette nature de ce qui est d'être dans son être son concept que consiste en général la *nécessité logique* ; elle seule est le rationnel et le rythme du Tout organique, elle est aussi bien *savoir* du contenu que le contenu est concept et essence — ou elle seule est le *spéculatif* [34]. » Voilà qui nous situe dans l'univers de la Science accomplie comme Science ; et c'est encore à ce niveau qu'il faut lire l'affirmation suivante, dans laquelle pourtant le terme de *Gestalt* évoque pour sa part le rapport entre ce mouvement logique et le devenir de la conscience : « La

33. *Logik*, II 56/24.
34. *Ph. G.*, 47/11 (I 49/26).

figure concrète, se mouvant soi-même, fait de soi une déterminité simple ; par là elle s'élève à la forme logique et est dans son essentialité ; son être-là concret n'est que ce mouvement et est immédiatement être-là logique. Il n'est donc pas nécessaire d'appliquer de l'extérieur le contenu concret au formalisme ; le contenu est en lui-même le [mouvement de] passer dans le formalisme, mais celui-ci cesse [alors] d'être ce formalisme extérieur, parce que la forme est le devenir intrinsèque du contenu concret même [35]. » Ce qui ne signifie pas que chaque figure de la conscience, prise en elle-même, puisse être élevée à une déterminité logique, mais bien plutôt qu'elle exprime, *dans son mouvement* (et *donc* dans sa relation avec d'autres figures), ce que les pures déterminations du concept expriment en elles-mêmes. Pas plus dans la *Phénoménologie* que dans la *Logique,* bien que sous une forme différente, la forme ne peut être extérieure au mouvement du contenu : elle est toujours présence totale du dynamisme de l'Esprit, — ici dans la plénitude de son être-là reconnu comme tel, et là dans la disjonction de ses moments successifs. En un sens donc, Hegel, après la *Phénoménologie,* n'aura rien de nouveau à dire, — bien que la totalité du contenu qu'elle déploie et le sens du mouvement grâce auquel elle l'engendre exigent impérieusement la retraduction de ce qui est acquis dans un « Système » plus adéquat à l'expression du Tout comme Tout : « L'originalité de la *Phénoménologie,* parmi tous les ouvrages philosophiques, est de ne livrer ainsi son " idée " que comme simple et double à la fois, laissant tout à dire sous une forme nouvelle dans " la Science ", sans pourtant rien laisser qui n'ait déjà été dit, mais à un lecteur en qui n'était pas encore suscité le pouvoir de le saisir dans sa radicale unité [36]. »

Au terme, le lecteur qui a expérimenté à son véritable niveau « ce chemin du doute », ou plus exactement du « désespoir [37] », qui a perdu ses fausses certitudes immédiates, devenant capable de saisir le sens unitaire de l'œuvre, voit s'ouvrir devant lui ce « royaume natal de la vérité » dès longtemps pressenti [38]. Ce royaume — et c'est là la dernière étape qu'il nous faut franchir pour faire pleinement « retour au sens » — c'est, ainsi que le diront les derniers paragraphes du livre, le royaume de la *liberté* ; liberté qui consiste dans la possibilité effective, pour l'Esprit, de faire retour à la phénoménalité de l'existence quoti-

---

35. *Ph. G.,* 47/16 (I 49/31). Cf. un texte assez proche de celui-ci, au terme de la section « Esprit » : ci-dessus, pp. 142-143.
36. J. Gauvin, *Le Sens et son phénomène,* Hegel-Studien, III, p. 270.
37. *Ph. G.,* 67/16 (I 69/17).
38. *Ph. G.,* 134/6 (I 146/6).

dienne, — mieux, de la poser, dans sa contingence même, à partir de lui-même.

III. L'EXTÉRIORISATION DE L'ESPRIT : POSITION NOUVELLE DE LA PHÉNOMÉNALITÉ

« La Science contient en elle-même cette nécessité de s'extérioriser de la forme du pur concept, et le passage du concept dans la *conscience*[39]. » En effet, sous peine de n'être qu'un pur intérieur évanescent, le Savoir doit traduire dans l'effectivité ce qu'il est devenu (car une profondeur inexprimable serait une profondeur vide) ; et il ne le peut qu'en laissant ce Savoir se déployer dans l'extériorité de la conscience, — parce que ce n'est qu'en ne craignant point de se risquer lui-même dans l'extériorité objective que le concept manifeste être vraiment totalité, ayant assumé tout le sens et le poids de cette objectivité. Comment cela s'exprime-t-il ? En ce que l'Esprit accompli comme Esprit rejoint, dans sa simplicité acquise, et sous une forme désormais consciente et pleinement objective, l'égalité véritable par rapport à soi que traduisait déjà, sous une modalité non développée, l'attitude de la conscience immédiate : « L'Esprit qui se sait soi-même, justement parce qu'il saisit son concept, est l'égalité immédiate avec soi-même, qui, dans sa différence, est la *certitude de l'immédiat*, ou la *Conscience sensible*, — le commencement dont nous sommes partis[40]. » Pour l'Esprit, « saisir son concept », c'est en effet appréhender, *dans* son égalité avec soi-même, la « différence » par rapport à lui-même qui s'est affirmée tout au long de son engendrement, et que la figure initiale, avec son unique certitude différenciée (l'objet et le Je), présente sous sa forme la plus simple et la plus immédiate. En se déterminant ainsi dans une égalité effective avec l'attitude la plus pauvre à laquelle il dut s'arracher pour se cultiver jusqu'à la pleine possession de lui-même, l'Esprit prouve définitivement qu'il n'est pas prisonnier de quelque richesse illusoire : « Cet affranchissement de soi hors de la forme de son Soi est la liberté et la sécurité suprêmes de son savoir de soi[41]. »

Que signifie un tel retour à la certitude sensible ? On pourrait penser qu'il s'agit là de la conclusion du « cercle » qui, seul,

39. *Ph. G.*, 563/1 (II 311/3).
40. *Ph. G.*, 563/3 (II 311/5).
41. *Ph. G.*, 563/8 (II 311/9).

ainsi que le dit la Préface en un texte déjà évoqué, peut exprimer adéquatement le Vrai : celui-ci n'est-il pas « le devenir de soi-même, le cercle qui présuppose et a pour commencement sa fin comme son but, et qui n'est effectif que par l'accomplissement (*Ausführung*) et sa fin[42] » ? En revenant ici à son point de départ, l'Esprit qui se sait soi-même manifeste donc qu'il assume le chemin de son propre engendrement, en commençant de parcourir à nouveau les moments qu'en lui-même il distingue et réunit. Mais au vrai, ce dont il s'agit, ce n'est point d'un nouveau *parcours* à opérer, — car la Philosophie n'est pas cyclique, et ne se répète pas dans une identité parfaite à soi (puisque son mouvement circulaire ne peut être séparé du progrès linéaire qu'elle fait opérer à la pensée et à l'expérience) ; ce qui est souligné, c'est bien plutôt « la liberté et la sécurité suprêmes » que l'Esprit a acquises, et qui lui permettent de ne plus se définir par opposition à l'objet du savoir : l'Esprit se sait *comme Esprit* jusque dans l'attitude de la conscience, — et, comme au terme des trois figures remarquables, mais plus encore qu'alors, cette mention manifeste que le résultat se pose dans sa vérité (comme totalité désormais, et non plus en ses moments successifs) en se reposant en son origine.

Il semble que tout soit dit en ce mouvement : que pourrait-il y avoir en effet au-delà ou en sus de cette « liberté suprême » ? « Pourtant, poursuit Hegel, cette extériorisation est encore imparfaite[43]. » Mais en quoi donc ? Il est exact que l'Esprit prouve *sa* liberté totale à l'égard de lui-même en exposant au jeu de la différence et de l'extériorité la certitude de lui-même qu'il a acquise ; mais cette extériorisation n'est totale que si l'Esprit, dans l'instant où il se livre à l'autre, le considère vraiment comme *autre* ; c'est dire que l'Esprit, finalement, n'engage et ne joue sa propre liberté qu'à la mesure de la liberté qu'il reconnaît au monde auquel il se livre ; or l'extériorisation grâce à laquelle il rejoint la détermination de la conscience sensible « exprime le *rapport* de la certitude de soi-même à l'objet, qui, justement parce qu'il [= l'objet] est dans le rapport, n'a pas gagné sa pleine liberté[44] ». Mais si l'Esprit, négligeant cette liberté de son objet, cherche à s'en tenir à sa propre liberté (qu'il a acquise en gagnant la forme du Soi) et à se fixer sur elle, il manifeste alors qu'il demeure prisonnier d'un Idéalisme abstrait, — lequel est, nous le savons, le pire danger auquel la Philosophie se trouve affrontée en 1807. Au contraire, ces deux libertés doivent être posées tout à la fois, et l'une par l'autre. Mieux, il faut

---

42. *Ph. G.*, 20/16 (I 18/7).
43. *Ph. G.*, 563/11 (II 311/12).
44. *Ph. G.*, 563/11 (II 311/12).

dire que c'est la liberté de l'objet qui est la plus importante, en
ce qu'elle conditionne celle du sujet spirituel ; car c'est l'objet
qui, dans la *Phénoménologie,* fait problème, c'est lui qui s'impose
à la conscience et commande son développement, c'est lui qu'elle
doit com-prendre pour reconnaître en sa structure cela même
qu'elle est pour sa part : auto-mouvement, pouvoir d'accomplissement et de négativité. Autrement dit, cela implique, ainsi que
nous l'avons vu dans la première partie du Savoir absolu, que le
subjectif en vienne à confesser l'objectif comme subjectif *selon
les trois moments qui déterminent cette réalité objective.*
    Cette liberté nouvelle reconnue au monde, c'est donc la pierre
de touche et comme la preuve de la vérité du mouvement accompli. Il y faut un renoncement de l'Esprit à son intériorité pure,
et le « calvaire » qui l'arrache à l'illusion de son Idéalisme
abstrait : « Le savoir ne se connaît pas seulement soi, mais aussi
le négatif de soi-même ou sa limite. Savoir sa limite signifie
savoir se sacrifier [45]. » Ainsi se trouve redécouverte et définitivement fondée, à partir du savoir philosophique, l'existence la
plus immédiate, la plus quotidienne. Paradoxe fécond que ce
retour à la contingence exigé par le déploiement même de
l'intelligence conceptuelle : « Ce sacrifice, poursuit Hegel, est
l'extériorisation dans laquelle l'Esprit présente son devenir-Esprit
(*sein Werden zum Geiste*) dans la forme du *libre événement
contingent,* intuitionnant son pur *Soi* comme le *temps* en dehors
de lui, et pareillement son *être* comme espace [46]. » Espace et
temps, ce sont là les catégories fondamentales de toute effectivité ; ce sont elles déjà qui, sous les modalités de l'ici et du
maintenant, structuraient la toute première expérience de la
conscience (c'est-à-dire la toute première effectivité de l'Esprit) [47] ;
et ce sont elles encore qui, dans l'équation totale du Système,
définiront les éléments dans lesquels l'Esprit s'apparaît comme
extériorité véritable, c'est-à-dire comme liberté [48]. Il ne s'agit
point là, à la manière kantienne, des cadres vides de toute aperception possible, mais de ce qui, essentiel à l'objet en sa détermination de lui-même, le définit dans sa liberté propre. Liberté
qui, il va de soi, ne peut plus se définir par opposition à celle du
Soi, puisqu'elle est constituée par l'extériorisation de ce Soi ; si

45. *Ph. G.,* 563/14 (II 311/15). Affirmation qu'il ne faut point entendre
selon les lois d'une pure logique quantitative : la « limite », ce n'est pas
d'abord ce qui circonscrit une réalité, en s'appliquant à elle de l'extérieur,
mais ce qui, coextensif à cette réalité, la détermine en tout ce qu'elle est
(*Logik,* I 113/22-27). (Sur la différence entre cette limite qualitative et la
limite quantitative, cf. *ibid.,* 178 Anmerkung). La liberté de l'objet, loin de
nier la liberté du Soi, est au contraire ce qui assure son effectivité.
    46. *Ph. G.,* 563/17 (II 311/17).
    47. *Ph. G.,* 81/16 (I 83/24).
    48. *Enc.,* §§ 254 et 257, au début de la Philosophie de la Nature.

le logique, ainsi qu'il a été souligné, n'est autre que le chronologique compris, celui-ci, en retour, se présente, en son extériorité même, comme le mouvement grâce auquel le concept
s'affirme comme concept : c'est pourquoi l'espace et le temps
ne sont autres, pour l'Esprit, que son devenir-Esprit.

Pourtant, il ne faut point ici brûler les étapes, ni parvenir trop
vite à une réconciliation entre le déploiement du concept et l'imprévisible surgissement de la phénoménalité. S'il est vrai que cette
unité se trouve désormais acquise, elle ne l'est que comme une
certitude qui doit s'accomplir elle-même *en vérité,* et passer, pour
cela, par les longs chemins d'une négation effective. Autrement
dit, l'extériorisation de l'Esprit n'est pas un faux-semblant, et il
lui faut réellement se perdre en ce mouvement, sans aucune
assurance ; et s'il surgit à nouveau de ce devenir, dans la plénitude retrouvée de son existence comme sujet, ce ne peut être
qu'au-delà d'une double négation qui l'arrache radicalement à
lui-même, — qu'il s'agisse de son devenir immédiat, inconscient,
lié à l'expansion du mouvement de la vie (espace, Nature), ou de
son devenir conscient, spirituel, et se médiatisant lui-même
(temps, Histoire) : « Ce devenir sien [= l'aspect du devenir de
l'Esprit qui vient d'être évoqué en dernier], *la Nature,* est son
devenir vivant immédiat ; elle, l'Esprit extériorisé, n'est, dans son
être-là, rien d'autre que cette éternelle extériorisation de son
subsister et le mouvement qui rétablit le sujet. Mais l'autre côté
de son devenir, l'*Histoire,* est le devenir qui *sait,* [le devenir] qui
se médiatise — l'Esprit extériorisé dans le temps ; mais cette
extériorisation est aussi bien l'extériorisation d'elle-même ; le
négatif est le négatif de soi-même [49]. »

Double affirmation, par conséquent : celle d'une extériorisa-
toin effective de l'Esprit par rapport à lui-même, et celle du
mouvement de négation qui entraîne cette réalité extérieure, et
qui doit restituer l'Esprit à lui-même ; et cela sous l'une et l'autre des modalités que sont l'existence concrète comme Nature
et comme Histoire. Mais le dernier aspect (celui du *mouvement*
de négation de l'extériorité) fait que le second type d'effectivité,
celui qui s'exprime dans une *Histoire,* se trouve privilégié par
rapport au premier, puisque c'est en lui que se définit le « sens »
spirituel du monde. En effet, si l'on parle en toute rigueur de
termes, il faudrait dire que la Nature n'a pas d' « histoire », et
que le mouvement de son devenir n'est perceptible qu'à travers
sa *réassomption* dans l'élément temporel : c'est pourquoi seul ce
mouvement se trouve ici défini tout au long.

Nous savons en quoi il consiste : en un « mouvement lent et

49. *Ph. G.,* 563/21 (II 311/21).

[une lente] succession d'esprits », c'est-à-dire de figures historiques, — « une galerie d'images dont chacune est dotée de la
richesse totale de l'Esprit [50] ». Ce sont là les étapes de l'affirmation du concept que le second temps du Savoir absolu a exposées
dans leur succession signifiante ; c'est donc du processus de la
Culture qu'il s'agit ici, du mouvement grâce auquel le Soi absolu,
à travers les déterminations des époques historiques et de leur
traduction dans des systèmes de pensée, a pénétré peu à peu
toute la richesse de la substance du monde : lente succession
de figures historiques, qui apparaissent et disparaissent, et dont
la signification ne s'impose, précisément, qu'à l'instant de leur
disparition, lorsque le mouvement qu'elles expriment se trouve
confié à l'intériorité du souvenir [51]. Car nulle expérience ne sombre totalement, et chacune, en sa disparition même, pèse en
vérité sur la détermination *nouvelle* que revêt le monde à chaque
époque de son devenir : « Dans sa concentration en soi [52]
[= l'Esprit] s'est abîmé dans la nuit de sa conscience de soi,
mais son être-là disparu est conservé en elle [= en cette nuit] ;
et cet être-là sursumé, — le précédent, mais nouvellement né
du savoir, — est le nouvel être-là, un nouveau monde et [une
nouvelle] figure spirituelle [53]. » Paradoxe vrai, sur lequel repose
toute la *Phénoménologie* : la disparition d'une figure en son
effectivité historique *est* identiquement sa naissance nouvelle
dans la vérité du savoir ; c'est pourquoi, alors que l'individu doit
consentir sans cesse à la perte de son monde et s'ouvrir à une
expérience toujours neuve, *nous* savons que la vérité éprouvée
est recueillie dans le mouvement de la Culture, et que le savoir
véritable grandit au rythme de ces découvertes apparemment disjointes : « Si donc cet esprit, paraissant partir (*ausgehen*) seulement de soi, recommence sa culture depuis le début, pourtant
en même temps c'est sur un plus haut degré qu'il commence. Le
royaume des esprits qui, de cette manière, s'est cultivé (*gebildet*)
dans l'être-là, constitue une succession dans laquelle un [esprit]
a remplacé l'autre, et chacun a pris de son prédécesseur le
royaume du monde [54]. » Affirmation que reprendra la préface,
et sous une forme très concrète : « Nous voyons, dans la considération des connaissances, que ce qui, dans des époques antérieures, occupait l'esprit mûri des hommes, est rabaissé à des

50. *Ph. G.*, 563/30 (II 311/29).
51. *Ph. G.*, 563/39 (II 312/6).
52. *Insichgehen*. C'est le terme du mouvement grâce auquel le Soi de
l'Esprit, en s'assimilant la substance du monde, l'ordonne en vérité autour
d'un centre signifiant, et, par là, s'affirme lui-même dans son intériorité authentique.
53. *Ph. G.*, 563/39 (II 312/6).
54. *Ph. G.*, 564/10 (II 312/17).

connaissances, exercices et même jeux de l'enfance, et, dans la
progression pédagogique, nous reconnaissons l'histoire de la
culture du monde comme esquissée en ombres chinoises [55]. »
    Une telle « somme » des figures historiques, recueillies et
conservées au plan de leur signification, voilà ce qui, compris
par le philosophe, permet à l'Esprit du monde, en 1807, de
s'affirmer en vérité : car « le but [de cette succession] est la
révélation de la profondeur, et celle-ci est *le concept absolu* [56] ».
Affirmation limpide, et qui seule donne son sens au devenir qui
vient d'être rappelé ; mais il ne faut pas que sa force, s'imposant sous mode encore immédiat, en vienne à absorber le processus de son propre surgissement, en nivelant à trop bon compte
les contradictions qui s'y font jour ; c'est pourquoi Hegel, dans
ces dernières lignes du Savoir absolu, insiste à nouveau sur la
négation qui s'engendre de la positivité du savoir (et qui la
constitue *comme telle*), et sur l'opacité d'une histoire qui plonge
pourtant ses racines dans la clarté du concept : « Cette révélation est par conséquent le sursumer de sa profondeur [= de la
profondeur du concept] ou son *extension,* la négativité de ce Je
étant-en-soi (*dieses insichseienden Ich*), [négativité] qui est son
extériorisation ou substance, — et [cette révélation] est son
temps, [qui consiste en ce] que cette extériorisation s'extériorise
elle-même, et ainsi dans son extension est aussi bien dans sa
profondeur, [dans] le Soi [57]. »
    Truisme qu'une telle affirmation : pour que l'Esprit puisse
rassembler ses moments dispersés, ne faut-il pas en effet que
ceux-ci soient saisis au préalable (comme espace et comme
temps) dans leur succession ou leur opposition mutuelle, — et
pour que la négation se redouble, ne faut-il pas d'abord qu'elle
soit prise au sérieux ? Sans doute. Mais il est si fréquent (et
l'Idéalisme ambiant, en 1807, en est pour Hegel un exemple
particulièrement frappant) de ne pas respecter le monde dans
son organisation propre et dans son poids réel, qu'il faut sans
cesse, au nom même de la rationalité, insister sur la soumission
nécessaire à ce qui apparaît comme irrationnel : « Le *but,* écrit
ici Hegel, le Savoir absolu, ou l'Esprit se sachant comme Esprit,
a comme voie d'accès (*zu seinem Wege*) le souvenir intériorisant
(*Erinnerung*) des esprits, *comme ils sont en eux-mêmes* et
[comme] ils accomplissent l'organisation de leur royaume [58]. »
Autrement dit, loin que le mouvement du concept ne laisse pas

55. *Ph. G.*, 27/10 (I 26/17).
56. *Ph. G.*, 564/16 (II 312/22).
57. *Ph. G.*, 564/18 (II 312/24).
58. *Ph. G.*, 564/23 (II 312/22). Le dernier soulignement n'est pas dans le
texte de Hegel.

subsister l'histoire en son aspect de contingence, c'est lui qui l'exige et la pose à nouveau : « Leur conservation [= la conservation des esprits tels qu'ils sont en eux-mêmes], selon le côté de leur être-là libre se manifestant dans la forme de la contingence, est l'histoire (*Geschichte*), mais selon le côté de leur organisation conçue [elle est] la *Science* du *savoir se manifestant* ; les deux ensemble, l'histoire conçue, forment (*bilden*) le souvenir intériorisant et le calvaire de l'Esprit absolu, l'effectivité, vérité et certitude de son trône, sans lequel il serait la solitude sans vie ; seulement,

> *Hors du calice de ce royaume des esprits*
> *écume pour lui son infinité* [59]. »

La Science, ainsi que nous le savons, n'est rien d'autre que l' « histoire conçue », — puisque le logique *est* le chronologique com-pris. Mais cette saisie conceptuelle du devenir historique, cette révélation du « sens », s'opèrent au travers d'une tension, qui ne peut être dépassée, entre l'opacité de ce qui sur-vient et l'effort d'intelligence que le philosophe déploie à propos de ce donné imprévisible. Le concept de la Philosophie exige donc tout à la fois la suppression du temps et sa justification nouvelle : car il n'y a d'intelligence du devenir que si la linéarité qui le constitue trouve sa négation dans le terme achevé, — mais, à l'inverse, ce terme ne peut être affirmé comme tel que s'il distingue en lui et pose hors de lui les étapes de son engendrement toujours nouveau. Loin de mettre un terme à l'histoire, le Savoir absolu la fonde de la façon la plus rigoureuse, jusqu'en son mystère le plus déconcertant [60].

---

59. *Ph. G.*, 564/24 (II 312/33).
60. On a rappelé ci-dessus la façon dont Marcuse entend le déploiement de l' « historicité » dans la *Phénoménologie*. Les dernières pages de son étude (pp. 347 sq.) donnent l'interprétation de ce concept telle qu'elle se trouve déterminée à la fin du Savoir absolu. Nous savons déjà que, pour lui, la *Phénoménologie* est à la fois historique et non historique, puisque dès ses premiers linéaments la pure successivité est assumée dans l' « unité unifiante » de l'Esprit qui se révèle : c'est cela précisément, poursuit Marcuse, qui apparaît en pleine lumière au terme de l'œuvre. Il devient alors évident, en effet, que l'Esprit absolu, dans son savoir de lui-même, demeure « dépendant » de cette histoire qui l'amena au jour (p. 351) : « histoire de l'Esprit » proprement dite, et « histoire de la Vie » qui se présuppose en elle sous mode inachevé. L'Esprit absolu « doit donc contenir le temps en lui-même » (p. 352), et il l'inclut comme sa propre négativité immanente (pp. 358-359) ; voilà ce qu'exprime la nécessaire *Entäusserung* dont parlent les derniers paragraphes du Savoir absolu : non pas que l'Esprit puisse jamais « livrer à l'historicité » ce qu'il est en soi, mais il lui faut s'abandonner de nouveau à son mouvement s'il veut devenir pour soi ce qu'il est en vérité (p. 353). C'est pourquoi l'Esprit déploie à nouveau l'histoire. Mais parce que ce déploiement ne peut plus l'arracher à ce qu'il est devenu, on peut dire que cette nouvelle histoire se présente comme une succession « immobile » (p. 354). Paradoxe, bien sûr, que cette *Zweideutigkeit der Geschichte* (*ibid.*) ;

Cette résurgence du négatif, Hegel l'évoque ici en termes religieux. « La vie de Dieu et le connaître divin, écrira-t-il pareillement dans la préface, peuvent bien être exprimées comme un jeu de l'amour avec soi-même ; cette idée sombre dans l'édification et même dans la fadeur lorsque manquent en elle le sérieux, la douleur, la patience et le travail du négatif [61]. » C'est pourquoi la mention du « calvaire de l'Esprit absolu » revêt ici une telle force : ce n'est qu'en se livrant à la contingence et au sérieux d'une histoire concrète, laquelle n'est aucunement déterminée d'avance, que l'Esprit se révèle comme le Soi absolu, capable de pénétrer et d'assumer la substance effective du monde ; seuls ce « calvaire » et cette mort sont la preuve de son « infinité » réelle. Mais si la Philosophie emprunte ici un vocabulaire religieux, elle le fait en levant les ambiguïtés dont il demeure affecté en lui-même ; en effet, alors que l'objet de la Religion se trouve surdéterminé par l'Absolu qui se révèle en lui, et demeure par là en dépendance étroite d'une forme représentative qui supprime la liberté de son surgissement imprévisible, il est maintenant essentiel de laisser ce même objet se déployer selon son rythme propre, dans l'extériorité effective de l'existence « naturelle » et « historique [62] ».

Le Système à venir développera cette exigence. C'est du moins ce que l'on est en droit d'attendre, s'il est vrai qu'il doit mettre en œuvre le concept de la Philosophie tel que ces dernières pages du Savoir absolu viennent de le dégager dans sa pureté. Mais en fait, dans le syllogisme total de ce Système, l'extériorisation de la

c'est lui qu'exprime Hegel dans la formule fameuse : *die begriffne Geschichte.* Nul doute que Marcuse, dans le commentaire qu'il donne de cette formule, n'insiste de façon privilégiée sur l'aspect de conceptualisation *déjà opérée* (p. 362) : « Der Geist weiss, dass ihm in der Geschichte nichts geschehen kann, dass er in ihr immer nur bei sich selbst bleibt, — und so *lässt er* sich in der Geschichte geschehen » (p. 354). Mais s'il est vrai que le temps n'est plus extériorité pure (ce qu'il n'a d'ailleurs jamais été) et s'il est désormais, selon une excellente formule du même Marcuse, « die erinnernde und erinnerte Zeit » (p. 362), reste qu'il est ce en quoi l'Esprit se sacrifie *réellement* en se reconnaissant lui-même dans une extériorité *parfaitement libre.* C'est cet aspect tout aussi essentiel, et moins souvent souligné, que l'on a voulu avant tout mettre ici en lumière : il n'est d'ailleurs pas absent de la perspective de Marcuse lui-même (pp. 359-360).

61. *Ph. G.,* ci-dessus, 20/20 (I 18/11).

62. Cf., ci-dessus, p. 192, notes 15 et 16. Dans cette liberté véritable de l'existence *naturelle* et *historique* sont ainsi dépassées respectivement les deux limitations représentatives dont demeurait grevé le contenu absolu présent dans la figure du Christ : d'une part l'aspect selon lequel la surdétermination de son existence singulière par l'Absolu faisait de celle-ci une réalité « transparente », non pleinement libre dans l'espace ; d'autre part l'aspect selon lequel son extériorité temporelle par rapport à la conscience croyante laissait cette dernière à l'abstraction d'une réconciliation non encore opérée. Ou encore : d'une part absence de contingence dans le déroulement de l'existence du Christ, et d'autre part absence de conceptualisation historique de ce qui fut réalisé en lui.

Logique dans la Nature et dans l'Esprit fait-elle pleinement droit
à la contingence dans laquelle le concept (puisqu'il est *histoire*
conçue) n'est qu'un intérieur vide ? L'étude présente est trop
strictement limitée pour permettre de répondre à ces questions ;
mais elle ne peut éviter de les poser. Il n'est pas sûr que le
déploiement de la Science dans ses déterminités pures accom-
plisse vraiment tout ce qu'implique le mouvement de la *Phéno-*
ménologie, et ne laisse pas dans l'ombre une part des richesses
entrevues. Il se peut, par conséquent, que bien des questions
ici soulevées ne trouvent pas pleinement leur réponse dans les
œuvres portérieures, de sorte que, aujourd'hui encore, nous
aurions toujours avantage à revenir par priorité à ce premier
ouvrage où la pensée de Hegel, plus bouillonnante, demeure
encore chargée de toutes ses potentialités : « L'idée de la Phénoménologie, a-t-on écrit excellemment, est une pensée avec
laquelle Hegel, depuis les premières années de Jena jusqu'à la fin
de sa vie, a toujours lutté de nouveau. L'œuvre dans laquelle
Hegel voulait déployer cette pensée, la Phénoménologie, est toujours demeurée problématique quant à sa position et à sa situation dans l'ensemble du Système. Des pensées qui ne pouvaient
pas être élaborées de façon univoque et conséquente, mais autour
desquelles un penseur, sa vie durant, a lutté, ne sont assurément
pas les plus mauvaises pensées [63]. »

---

63. O. Pöggeler, *loc. cit.,* p. 294 (trad., p. 235).

CONCLUSION

« La *Phénoménologie de l'Esprit* doit procéder à la fondation du savoir, en prenant la place des explications psychologiques, ou encore des débats plus abstraits. Elle envisage la *préparation* à la Science d'un point de vue qui fait d'elle une nouvelle, intéressante, et la première science de la philosophie. » Ce texte, extrait de la feuille de présentation d'octobre 1807, et qui a déjà été cité au début de ces pages, manifeste la conscience qu'avait Hegel, son œuvre achevée, de la nouveauté qui était sienne, et de l'importance qu'elle pouvait revêtir au regard d'une réflexion philosophique à la recherche de voies nouvelles, face au monde nouveau qui venait de surgir. Sans doute, la *Phénoménologie* ne représente que le premier état de la pensée de Hegel, étant bien, pour une part, cette « préparation à la Science » qu'évoque le texte ici rappelé ; pourtant, le déploiement de cette « Science » (tel qu'il se trouve opéré dans l'*Encyclopédie*) laisse subsister les questions qu'elle nous pose ; et il est peut-être significatif que Hegel, quelques mois avant sa mort, ait éprouvé le besoin de reprendre cette œuvre et d'en corriger les premières pages, dans le dessein d'en préparer une nouvelle édition.

S'exprimer de la sorte, ce n'est point céder au mirage des commencements enchanteurs. Ce qui fait la valeur de la *Phénoménologie,* ce n'est point le simple fait qu'elle soit la première grande œuvre de Hegel. Sans doute, pour Hegel plus que pour un autre philosophe, on peut dire et on doit dire que le Tout de sa pensée est reconnaissable dès ses premiers linéaments ; mais cette « reconnaissance », précisément, passe par le long chemin de la culture et par le lent devenir de la conscience, la circularité du mouvement de la pensée exige son déploiement linéaire, et ce n'est qu'au terme du parcours qu'on saisit l'identité du principe et du but. On peut donc dire, si l'on veut, que Hegel passa son temps, après 1807, à expliciter ce qu'il avait déjà mis dans la Totalité non développée de l'en-soi, mais il faut ajouter aussitôt que, en un sens très réel, cette explicitation a représenté un *progrès* authentique de cette pensée.

Non, ce n'est pas parce qu'elle est la première œuvre de Hegel

que la *Phénoménologie* s'impose encore à notre attention : c'est
en vertu de sa valeur intrinsèque, et à cause de la richesse singulière de son contenu. Peut-être même faut-il dire, comme Hegel le
confessait lui-même à ses amis (et pas seulement par coquetterie
d'auteur) que cette richesse n'est pas toujours pleinement maî-
trisée : ainsi l'étude présente a-t-elle souligné la non-concordance
de fait entre certaines indications structurelles, fournies par l'auteur comme une sorte de programmation de ce qu'il entend réaliser, et les corrélations effectives des figures et des moments ;
mais ce fait même rehausse encore l'intérêt de l'œuvre, puisqu'il
manifeste qu'en elle jamais un schème abstrait ne prévaut contre
la loi de la réalité : fidèle à la « méthode dialectique », telle
qu'à sa suite nous l'avons définie, Hegel ne se départit jamais
de cette attention prioritaire au fait, soucieux seulement de laisser
venir au jour la rationalité qu'il recèle.

Et c'est cela qui donne une très grande densité à cet ouvrage.
Il n'expose pas seulement le mouvement du savoir en son épure
logique, mais manifeste son rapport à la conscience ; il ne
s'adresse pas d'abord au philosophe, mais à l'homme qui est en
marche vers la Philosophie ; il ne se déploie pas dans le monde
serein de la pure pensée, mais dans l'univers contrasté qui est le
nôtre, cet univers qui précède et prépare l'ultime réconciliation
de l'Esprit avec lui-même. Cela fait que la *Phénoménologie* doit
être comprise simultanément sur tous ces plans divers, à tous ces
niveaux et selon toutes ces harmoniques ; l'entrée dans son intelligence n'est pas la simplification de son dessin autour de quelques axes parfaitement définis, mais la découverte jamais achevée de ses implications, comme aussi des multiples résonances
qu'elle éveille.

Nous venons d'employer un certain nombre de vocables qui
ressortissent au domaine musical. Ils évoquent, en l'élargissant,
ce que nous disions au début de ces pages à propos d'une citation de Diderot que Hegel introduit dans la section « Esprit ».
La confusion sociale qu'engendre l'abstraction de la « pure
culture » y est décrite comme une cacophonie que ne parvient
pas à ordonner le vain effort des gens de bien, forts de leur seule
honnêteté ; et tandis qu'ils s'épuisent ainsi à imposer « la mélo-
die du bien et du vrai », conçue comme « l'égalité des tons »,
c'est-à-dire comme « l'unisson [1] », les autres trouveront « dans
leur franchise même un trait réconciliant, dans leur profondeur
bouleversante le trait irrésistible, qui restitue l'Esprit à soi-
même [2] ». Voilà qui peut donner l'audace de prolonger la mé-

1. *Ph. G.*, 372/36 (II 80/24).
2. *Ph. G.*, 373/11 (II 81/7).

taphore, jusqu'à confesser en elle une expression possible du mouvement général de l'œuvre : la *Phénoménologie* ne se présente-t-elle pas comme une sorte de Symphonie concertante, dans laquelle le soliste, c'est-à-dire l'Esprit qui se révèle, pénètre peu à peu, pour se l'assimiler, la substance sonore grâce à laquelle il va construire et manifester l'harmonie profonde de tout le réel ?

Ce terme d' « harmonie » convient en effet au type de réconciliation qu'opère l'Esprit à toutes les étapes de son développement. Déjà, au plan le plus élémentaire, qui est celui de la proposition en général (ou du jugement identique), le *sens* s'exprime comme l'harmonie des termes que distingue et sépare la *structure* de la phrase, — ainsi que l'affirme ce texte de la préface dans lequel l'image du discours poétique vient prendre le relais de la métaphore musicale : « Ce conflit de la forme d'une phrase en général et de l'unité du concept qui la détruit [= qui détruit cette forme] est semblable à ce qui a lieu dans le rythme entre le mètre et l'accent. Le rythme résulte du balancement (*aus der schwebenden Mitte*) et de l'unification des deux. De même aussi dans la phrase philosophique, l'identité du sujet et du prédicat ne doit pas anéantir leur différence qu'exprime la forme de la phrase, mais leur unité doit résulter comme une harmonie. La forme de la phrase est la manifestation du sens déterminé, ou l'accent, qui différencie son remplissement ; mais le fait que le prédicat exprime la substance et que le sujet même tombe dans l'universel, est l'*unité* dans laquelle cet accent expire [3]. » C'est là le mode d'intelligence proprement conceptuel (ou spéculatif), par opposition à la pensée représentative, qui privilégie l'extériorité relative des termes, lesquels, alors, ne sont plus saisis dans leur unité *originelle*.

Ce qui vaut ainsi à ce plan de logique élémentaire s'applique pareillement à chacune des articulations de l'œuvre, partout où le sens unitaire se laisse saisir au travers d'une structure qu'il anime en révélant l'accord secret des termes qu'elle comporte : harmonie première du sujet et de l'objet dans l'universel conditionné qui opère la transition entre la Certitude sensible et la Perception, harmonie supérieure de l'être et de la pensée, de la conscience et de la conscience de soi, dans les diverses étapes qui aboutiront à la pleine reconnaissance mutuelle des sujets, grâce à la « réconciliation » de l'universel et du particulier. En chacune des totalisations que nous avons distinguées, dans le jeu contrasté de ces structures diverses, se déploie le même mouvement dialectique qui anime déjà les unités les plus fondamen-

3. *Ph. G.*, 51/8 (I 54/9).

tales : à chaque étape nouvelle, la réalité est saisie comme dialogue, comme mouvement, comme déploiement et résurgence
d'une richesse qui est là, donnée dès l'origine à la manière d'une
totalité à expliciter, à parcourir. Chaque expérience nouvelle
opère une relecture de cette totalité, à un autre niveau de profondeur, dans un jeu d'écritures verticales qui éveille les harmoniques oubliées : complexification d'un univers qui s'unifie
en son centre, dans la simplicité toujours plus diversifiée d'une
aperception unique. Ce n'est point là, comme on le dit parfois
du raisonnement dialectique, une « réconciliation des contraires »,
encore moins une fusion de termes antagonistes et étrangers
l'un à l'autre : c'est la confession de l'antériorité du sens, qu'il
s'agit de laisser venir au jour au travers des structures indéfi-
niment nouvelles de l'univers humain.

Ce sont là des questions, ce sont là des problèmes qui sont
encore les nôtres, à nous qui, comme Hegel, plus encore que lui
peut-être, vivons dans « un temps d'enfantement et de transition
à une nouvelle période [4] » : lire notre expérience en communiant
à son sens, dépasser la représentation qui divise et disjoint, nous
enraciner dans un passé com-pris afin d'être plus libres pour
toutes les inventions. La *Phénoménologie* ne nous donnera pas
de réponses toutes faites ; mais elle peut susciter une attitude,
nous habituer à une certaine lucidité, nous engager dans une
attention renouvelée aux événements, aux réalités, aux êtres ; sa
signitification ultime, c'est la *liberté* commune du sujet et de
l'objet, de l'Esprit et de son monde : entrer dans ce mouvement
de libération qu'elle dessine, c'est nous préparer à accueillir
notre monde dans sa très ancienne nouveauté, et à inventer en
lui et pour lui la parole libératrice qu'il attend, — ce « trait
irrésistible qui restitue l'Esprit à soi-même ».

Bien d'autres études seront nécessaires pour parvenir à ce but.
Le présent travail, strictement limité dans son projet et sa réalisation, n'a pu donner que quelques indications élémentaires sur
les structures de cette œuvre, puisqu'il s'en est tenu à l'analyse
des correspondances *explicites* les plus significatives. D'autres
méthodes, mettant en jeu l'étude systématique du vocabulaire et
des modes d'expression, permettront d'aller infiniment plus loin
dans cette voie et de définir ces structures avec plus de finesse [5] :
œuvre immense, qui seule peut permettre d'entrer plus avant
dans la seule intelligence qui, face à cette œuvre comme à toute
autre, nous importe vraiment, — celle du *sens*. Il faudra pour

4. *Ph. G.*, 15/27 (I 12/12).
5. Cf. J. Gauvin, *Le sens et son phénomène, Projet d'un lexique de la
Phénoménologie*, in Hegel-Studien, Bd. 3, pp. 263-275.

cela, ainsi que nous le disions au début de ces pages, un long effort mené en patience et une conspiration de tous dans la recherche commune. Ce que Hegel affirmait au terme de la préface vaut bien davantage encore pour nous : « Parce que, dans un temps où l'universalité de l'Esprit s'est énormément consolidée et où la singularité, comme il se doit, est devenue d'autant plus indifférente, et [où] aussi cette [universalité] tient à toute son ampleur et à toute la richesse cultivée et l'exige, la participation qui dans l'œuvre totale de l'Esprit revient à l'individu ne peut être que minime, à cause de cela cet [individu], comme la nature de la Science l'implique déjà, doit d'autant plus s'oublier, et devenir et faire ce qu'il peut, mais on doit d'autant moins exiger de lui qu'il doit lui-même attendre peu de soi et exiger pour soi [6]. »

6. *Ph. G.*, 58/34 (I 61/37).

APPENDICES

APPENDICE I

LISTE DES PARALLÈLES, RENVOIS ET CITATIONS INTERNES

On trouvera ci-dessous un relevé complet de tous les textes dont l'analyse a servi de base à la présente étude. Ce premier appendice comprend, dans l'ordre de leur apparition à l'intérieur de l'œuvre, les allusions explicites que Hegel fait, au cours de son développement, à d'autres passages, antérieurs ou postérieurs, de cette même œuvre. Il demeure, bien sûr, des cas douteux (mais ils portent alors sur des références d'importance secondaire) : n'ont été retenus que les parallèles qui ont paru suffisamment nets et incontestables ; mais, dans cet ordre, l'intention a été de n'en omettre aucun, même s'il s'agissait d'une simple incise, — procédé de style renvoyant quelques lignes plus haut.

La première référence indique la première ligne du passage dans lequel se trouve énoncé le parallèle. La deuxième désigne, chaque fois qu'il a été possible de les déterminer, le lieu ou les lieux auxquels se termine ce renvoi, — un point d'interrogation marquant éventuellement une hésitation. Chaque fois qu'un de ces parallèles a été cité ou analysé, on trouvera en regard la référence permettant de se reporter aux pages qui en traitent dans la seconde partie de cet ouvrage. Une rapide analyse, qui ne dispense pas d'un retour au texte, permet enfin de situer sommairement le passage en question dans la suite du développement de la *Phénoménologie*. Quant aux numéros d'ordre marginaux, ils n'ont aucune signification en eux-mêmes, et permettront seulement un renvoi commode à tel ou tel de ces parallèles au cours de l'appendice suivant.

PRÉFACE

Tous les renvois qui se trouvent dans cette préface ne sont que de simples incises rappelant la définition antérieure d'un concept ou d'un mouvement de pensée. Comme tels, ils n'intéressent donc pas « l'organisation des expériences », et les corrélations entre les diverses figures de la conscience.

1
30/9	renvoie à	20/5
I 29/31		I 17/20

2
30/38		28/18
I 30/22		I 27/31

18

3
33/19 20/20, 22/31, 26/20
I 33/22 I 18/11, 21/7, 25/19
4
41/26 18/26
I 43/1 I 15/32
5
45/21 20/5
I 47/19 I 17/20
6
46/18 29/12
I 48/18 I 28/28
7
47/28 40/1
I 50/9 I 41/6
8
40/16 39/18, 34/5, 30/7
I 52/7 I 40/18, 34/15, 29/29
9
49/26 Evocation globale
I 52/17 de tout le mouvement antérieur (?)

INTRODUCTION

10
74/6 68/30
I 76/18 I 70/28

Distinction du « pour-nous » et du « pour-la-conscience ».

— La *conscience,* au cours de l'expérience, oublie toujours la positivité du résultat ; elle agit en cela comme en agit le *scepticisme,* selon l'analyse qui en a été faite précédemment. En effet, toute conscience, comme conscience, est oubli du chemin de sa propre certitude : elle est donc sceptique.

CONSCIENCE

CERTITUDE SENSIBLE

11
82/39 80/31 analyse ci-dessus : p. 75
I 85/15 I 83/1

Terme du premier développement (sur le « ceci » comme ici et maintenant), et rappel de la situation initiale. Les déterminations ont été interverties : l'objet, qui était essentiel, est devenu inessentiel, et le savoir, qui était inessentiel, est devenu essentiel.

12
84/18   80/31, 82/39   75
I 87/9   I 83/1, 85/15

Transition du second au troisième développement ; rappel des deux moments antérieurs.

PERCEPTION

13 Les trois paragraphes dont le premier commence en
89/14   Certitude sensible   77
I 93/3   en général

La Perception assume toute la richesse de la Certitude sensible, en l'exprimant selon sa vérité. [En particulier, 91/12 (I 95/16) renvoie à 89/7 (I 92/10).]

14
90/29   68/33   77
I 94/27   I 70/35

Double signification du terme « aufheben » ; renvoie à la double signification du négatif.

15
94/15   L' « être sensible »   78
I 99/1   en général

Au cours de sa première expérience sur la chose universelle, la conscience éprouve en fait sa singularité effective : retour à l'être sensible, au « Meinen », — mais ce retour s'accompagne pour elle d'une réflexion en soi.

16
94/39   La Certitude sensible   78
I 99/22

Différence entre l'appréhension de l'objet dans le cas de la Perception et dans celui de la Certitude sensible.

17
97/35   97/17
I 102/34   I 122/14

Devant la perception contradictoire de la chose, la conscience est tentée de prendre sur elle le côté de l'unité, et de laisser la diversité des « en tant que » à la chose ; mais cela lui est impossible, car, elle vient de l'expérimenter, la chose est une, étant réfléchie en elle-même.

18
98/6   99/15
I 103/8   I 104/22

Anticipation du résultat, qui sera énoncé comme accompli en 99/15 : pour sauver l'unité de la chose, la conscience affirme que les contradictions n'existent qu'entre les choses diverses ; en fait, c'est bien la chose en elle-même qui va se révéler auto-contradictoire.

19 Les deux paragraphes dont le premier commence en
99/36   La Certitude sensible   79
I 105/7

Différences entre les résultats de la Certitude sensible (universalité sensible) et ceux de la Perception (universel inconditionné).

FORCE ET ENTENDEMENT

20
102/28   Certitude sensible   82
I 109/4   et Perception

Rappel du mode de surgissement de l'universel inconditionné, au travers des dialectiques de la Certitude sensible et de la Perception.

21
103/34   Terme de cette dialectique
I 110/22

Anticipation du résultat : il faut que l'objet soit pleinement « façonné » pour que la conscience puisse devenir conscience concevante.

22
106/13   La Perception   83
I 113/29

Réassomption du résultat de la Perception dans l'élément de l'Entendement.

23
106/23   110/14   80
I 113/39   I 118/23

Annonce du résultat : l'universel inconditionné se déterminera comme Intérieur.

24
106/29   105/37, 105/15
I 114/5   I 113/14, 112/17

Rappel de la définition de la « force comme telle », c'est-à-dire de la force « comme refoulée en soi ».

25
109/5   103/37 (2 paragraphes)
I 117/5   I 110/25

La suppression des différences, au plan de la forme et du contenu, qui était déjà vraie pour nous, le devient pour la conscience elle-même.

26
110/14   Le 1er mouvement de
I 118/23   Force et Entendement

Réalisation actuelle de la force (position de son « essence ») au regard de la force précédemment déterminée comme pure pensée, ou comme concept de l'entendement.

27

| 111/1 | 90/21 (3 paragraphes) | 84 |
| I 119/20 | I 94/20 | |

Dans l'Intérieur, les « essences de la Perception » (Universel/un, essentiel/inessentiel), qui ont été précédemment déterminées en elles-mêmes, se trouvent posées dans leur vérité.

28

| 111/10 | Certitude sensible | 84 |
| I 119/28 | et Perception | |

L' « être de la Perception » et l' « objet sensible en général » sont présents ici, — mais avec une signification nouvelle.

29

| 112/15 | La Raison |
| I 121/5 | |

Anticipation négative : nous ne savons pas encore ce qu'est la Raison.

30

| 113/11 | Certitude sensible | 84 |
| I 122/3 | et Perception | |

Dans le supra-sensible, le monde, tel qu'il existe pour la Certitude sensible ou pour la Perception, est posé comme « aufgehoben ».

31

| 113/32 | 107/18 (2 paragraphes) | 82 |
| I 122/26 | I 115/1 | |

Pour l'entendement, le Jeu des forces est la médiation qui introduit à l'Intérieur ; rappel de la façon dont s'est déterminé ce Jeu des forces.

32

| 116/40 | 105/17 |
| I 126/5 | 112/19 |

La loi, sous la forme du simple « être-retourné-en-soi », peut encore être nommée « force », mais selon une acception toute nouvelle.

33

| 120/3 | 108/5 |
| I 130/5 | I 116/1 |

Le mouvement intérieur à l'entendement est semblable à celui qui réglait les rapports entre force sollicitante et force sollicitée.

34

| 120/37 | 108/5 | 82 |
| I 131/4 | I 123/32 | |

Comparaison de la seconde loi (le devenir-inégal de l'égal) avec la première (la pure égalité de l'inégal).

35

| 121/6 | 108/5 | 82 |
| I 131/12 | I 116/1 | |

Parallèle avec le mouvement du Jeu des forces.

36

124/32 (et paragraphes   84
I 135/27 suivants)

Récapitulation de l'ensemble du chapitre. Annonce de « l'essence simple de la Vie », « concept absolu » (125/20, I 136/24), et de la Conscience de soi (126/40, I 138/15 ; 128/14 ; I 140/5). — Au cours de la récapitulation, mise en valeur du moment que constitue le « processus d'explication » (*Erklären*), première description concrète de ce qu'est le mouvement de la conscience de soi (126/40, I 138/15, qui renvoie à 118/35, I 128/11).

CONSCIENCE DE SOI

LA VÉRITÉ DE LA CERTITUDE DE SOI-MÊME

37

133/4 (et paragraphes   85 sq.
I 145/3 suivants)

Rapport de la Conscience de soi à la Conscience (Certitude sensible, Perception, Entendement). Dans sa relation à la conscience, qui est désir, l'objet est devenu Vie.

38

135/28   124/5   89
I 148/6   I 135/1

Les deux moments (la conscience de soi et la Vie) sont pareillement indépendants, puisque, comme il en allait dans la dialectique de l'Infinité, ils proviennent d'une réalité unique, qui s'est scindée en se repoussant elle-même hors d'elle-même.

39

138/38
I 152/11

Annonce de l'expérience à réaliser : il faut que la conscience de soi prenne sur elle toute la richesse du processus parcouru dans la dialectique de la Vie.

Ce qu'effectuent les 2 paragraphes suivants :

— 139/1, I 152/15 reprend 134/6, I 146/6, c'est-à-dire le moment du désir ;
— 139/12, I 152/25 reprend 135/15, I 147/23, c'est-à-dire le moment de la Vie.

40

139/40   89
I 153/20

Récapitulation systématique des trois paragraphes précédents.

41

140/28   L'Esprit   87, 89 et 109
I 154/16

Dans le mouvement de reconnaissance réciproque des consciences de soi, c'est déjà le concept de l'Esprit qui est présent pour nous.

A. — INDÉPENDANCE ET DÉPENDANCE DE LA CONSCIENCE DE SOI ;
DOMINATION ET SERVITUDE

42

141/9   124/5   89 et 90
I 155/8   I 135/1

La reconnaissance » (c'est-à-dire le doublement dans l'unité) est la réalisation dans la conscience de soi de ce qu'était le concept de l'Infinité.

43

142/11   139/1
I 156/20   I 152/15

Le rapport des deux consciences de soi doit être un rapport réciproque ; nous ne sommes plus, en effet, au niveau du désir et de son mouvement unilatéral.

44

142/34   109/14   91
I 157/10   I 117/14

Le rapport entre les deux consciences de soi est le même que celui qui existait entre les deux forces dans le Jeu des forces.

45

145/29   143/19
I 160/32   I 158/5

Terme de la réflexion sur le « combat à mort » ; référence à la situation initiale de la conscience de soi (son unité immédiate avec le Je), pour mesurer la transformation opérée.

46

146/38   135/33, 139/12   91
I 162/18   I 148/12, 152/25

A cause de l'indépendance de l'objet, la dialectique du désir ne pouvait aboutir à la jouissance pleine ; ici, cela est devenu possible, grâce à la médiation qu'opère l'esclave.

B. — LIBERTÉ DE LA CONSCIENCE DE SOI ;
STOÏCISME, SCEPTICISME ET LA CONSCIENCE MALHEUREUSE

47

151/5   89 et 91 sq.
I 167/3
167/3

Récapitulation. En particulier 151/26, I 167/25 : la conscience nouvelle qui vient de surgir pour nous reprend et accomplit le pur mouvement de l'Infinité.

48

152/30   Les premières dialectiques de la
I 169/8   Consc. de soi   92-93

Le domaine d'action de la conscience stoïque est le même que celui de la Vie (cette Vie qui s'est déterminée comme l'objet du désir et du travail). — La conscience stoïque abolit toutes les diversités des figures antérieures : elle est elle-même aussi bien dans le maître que dans l'esclave.

49

154/37   152/30   93
I 171/21   I 169/1

Rapport du Scepticisme au Stoïcisme. C'est le Scepticisme qui réalise vraiment la liberté de la pensée.

50

155/11   Domination et   93
I 172/4   servitude

Parallélisme instauré entre Stoïcisme et domination, Scepticisme et servitude (désir et travail).

51

155/22   L'Infinité   93
I 172/14

Parce que la conscience sceptique possède en soi « la pensée en acte ou l'Infinité », les différences qui se posent en elle la déterminent de façon effective et concrète.

52

155/29 (2 paragraphes)   94
I 171/21

Toutes les figures antérieures s'accomplissent dans celle du Scepticisme : Certitude sensible, Perception, Entendement, Maître et Esclave, Pensée abstraite.

53

158/25   94-95
I 176/11

Reprise conclusive de tout le mouvement Stoïcisme/Scepticisme ; et, au travers, relation aux figures du Maître et de l'Esclave (158/30, I 176/16).

54

158/32 et 159/6   L'Esprit   90, note 55
I 176/18 et 177/2

La conscience de soi doublée est déjà « concept de l'Esprit » ; mais cette unité à venir se pose encore maintenant comme division : conscience malheureuse.

55

162/21
I 181/16

Annonce du développement de la conscience malheureuse dans son rapport aux dialectiques qui précèdent ; elle adoptera successivement les trois attitudes qui correspondent aux trois moments de son être-devenu (conscience pure ; essence singulière — désir, travail ; conscience de son être-pour-soi).

56

162/34   161/9
I 182/1   I 179/26

« Comme nous l'avons indiqué », nous ne savons pas encore ce qu'est l'immuable figuré dans son en-et-pour-soi.

57
163/1   Stoïcisme et   95
I 182/9   Scepticisme

Bien que non encore pleinement accomplie, la conscience, sous sa forme de conscience malheureuse, a dépassé les moments du Stoïcisme et du Scepticisme.

58
170/20   166/39   95
I 191/15   I 187/9

L'abandon de toute volonté particulière permet d'échapper à l'illusion du renoncement purement intérieur qui se cachait encore dans le mouvement de l'action de grâces.

RAISON

CERTITUDE ET VÉRITÉ DE LA RAISON

59
175/4   Conscience mal-   95-96
I 195/3   heureuse   132

Reprise du processus de surgissement de la Raison à partir de la dissociation de la conscience malheureuse. En particulier, 175/24, I 195/22 renvoie à 169/13, I 190/1 : définition du « moyen terme » entre l'être singulier et l'immuable.

60
176/12   Les premières dialecti-   96-97
I 196/16   ques de la Consc. de soi

Comparaison de la nouvelle attitude, celle de l'Idéalisme, avec les attitudes précédentes de la conscience à l'égard du monde : désir, travail. Rappel du processus qui a amené cette transformation.

61
176/23   97
I 196/30

Le concept de l'Idéalisme, en son surgissement immédiat, oublie le chemin de son devenir, le « viser », le percevoir, l'entendement, maître et esclave, scepticisme, conscience malheureuse.

62
181/4   97
I 202/15

En sa première attitude (un idéalisme vide doublé d'un empirisme radical), la raison est aussi contradictoire que la conscience sceptique. Elle se dégrade en « viser », percevoir, entendement.

A. — RAISON OBSERVANTE

63
183/3   Section Conscience   98
I 204/2

La raison immédiate se conduit d'abord selon la loi de la conscience ;

il faut qu'elle dépasse, à sa manière propre, active et consciente, les attitudes du « viser » et du percevoir (cf. en particulier 185/22 (I 207/3) et 186/37 (I 208/15)).

a) *Observation de la nature.*

64

192/6   187/28
I 214/2   I 209/9

Les purs moments conceptuels de la loi ne peuvent être séparés l'un de l'autre, — comme pouvaient l'être les signes distinctifs dans la classification des espèces : v. g. les dents.

65

194/27   192/3
I 217/4   I 213/32

Les premières « lois » sur le rapport entre l'organique et l'inorganique nous ramènent en deçà (au plan du rapport de nécessité) de ce que nous avions atteint déjà dans l'observation de l'inorganique lui-même.

66

199/13   191/32
I 222/25   I 213/22

Le rapport entre intérieur et extérieur n'est pas à comprendre sur le type des relations qui se manifestaient entre les termes des lois précédentes : sous mode d'une dépendance de choses.

67

199/30   195/28
I 223/10   I 218/11

Le rapport entre intérieur et extérieur reprend les déterminations que nous avons déjà rencontrées dans le concept de finalité.

68

205/6   201/23, 210/36
I 229/30   I 225/21, 236/11

Notation qui ressortit au plan de ce développement : rappel et annonce de la division qui structure ce passage (distinction entre « l'extérieur de l'intérieur » et l'extérieur « im Ganzen »).

69

207/30 (4 paragraphes)   Perception   102 sq.
I 232/30

Rapport et différences entre le « légiférer » rencontré ici et celui qui s'était affirmé à l'intérieur de la Perception.

70

209/6   202/39   103
I 234/15   I 227/13

Chercher dans l'effectivité observable des différences qualitatives permanentes, c'est, une nouvelle fois, laisser le qualitatif se dégrader en quantitatif.

71

211/7   194/22
I 236/23   I 216/34

Comme nous l'avons déjà vu, on ne peut tirer aucune « loi », au sens propre du terme, des relations entre l'organique et l'inorganique.

72
211/37   206/36
I 237/16   I 231/33

L'intérieur ici considéré (à savoir dans la « figure organique ») n'est plus l'intérieur tel que nous l'avons envisagé plus haut, c'est-à-dire comme processus déployant ses moments. — Poursuite de cette comparaison dans le paragraphe suivant.

73
219/5
I 246/11

Dans le cas de l'organique entendu comme entité singulière, et dans celui de l'inorganique pris comme totalité développée, la relation intérieur/extérieur ne pouvait s'exprimer dans un rapport numérique ; il en va autrement ici, dans la relation entre l'essence simple du genre et l'individu universel.

74
220/2   215
I 247/13

Equation d'ensemble de toute la Phénoménologie : rapport entre l'Esprit universel et la conscience sensible, par le moyen du « système des figurations de la conscience ».

75
220/27
I 248/8

Résumé de toute la dialectique précédente.

b) *L'observation de la conscience de soi dans sa pureté et dans son rapport à l'effectivité extérieure ; lois logiques et psychologiques.*

76
221/24
I 249/5

Rappel du double échec de la raison en sa quête d'elle-même, au niveau de l'inorganique et à celui de l'organique.

c) *Observation du rapport de la conscience de soi à son effectivité immédiate ; physiognomonie et phrénologie.*

77
228/6   Lois psychologiques
I 257/20

La physiognomonie dans son rapport avec la psychologie.

78
231/31   229/5
I 261/34   I 258/25

Le fait que l'organe corporel soit à la fois un « être » et un « opérer » fait qu'il est expression de l'intérieur d'une manière autre que celle qui était apparue tout d'abord.

79
233/27   223/33
I 264/2   I 252/1

Comme dans la relation précédente, le rapport entre l'intérieur et l'extérieur est ici quelque chose de contingent, qui dépend du libre choix de l'individu.

80

235/4   103
I 265/19

La physiognomonie naturelle « vise » l'être en son immédiateté, — mais ce qu'elle atteint en lui ce n'est pas son être sensible immédiat, c'est son « être-réfléchi en soi dans le sensible hors de lui ».

81

237/38   223/33, 228/6
I 268/20   I 252/1, 257/20

Relations, positives et négatives, entre la phrénologie et la physiognomonie.

82

239/6
I 269/36

Nouvelle précision sur le rapport négatif entre phrénologie et physiognomonie.

83

241/28   240/21
I 272/27   I 271/13

Rappel du premier type d'action du cerveau sur le crâne énoncé au paragraphe précédent ; action extérieure et mécanique.

84

249/21   236/20
I 281/10   I 267/4

Aux outrances de la phrénologie, il n'est qu'une réponse appropriée, celle qui fut déjà évoquée à propos de la physiognomonie : un soufflet.

85

250/26 (2 paragraphes)
I 282/16

Résumé de toute la dialectique de la Raison observante.

86

252/23   178/14   99
I 284/25   I 199/4

Résultat de la Raison observante. Sa première signification est de compléter la dialectique de la conscience de soi, en « remplissant » la Catégorie, encore vide, à laquelle avait abouti la Conscience malheureuse ; ce contenu de la Catégorie, c'est le Jugement infini.

Passage à l'Effectuation de la conscience de soi (c'est-à-dire à la Raison active).

B. — L'EFFECTUATION DE LA CONSCIENCE DE SOI
RATIONNELLE PAR ELLE-MÊME

87

255/7   177/16   104
I 288/6   I 197/31

La conscience rationnelle a désormais perdu l'immédiateté de la certitude qui est sienne d'être toute réalité.

88
255/23   100
I 288/24

Double parallélisme instauré :
— entre les trois temps de la Raison observante et les trois temps de la Conscience.
— entre le développement de la Raison active et les deux temps de la Conscience de soi.

89
256/17 (et paragraphes   110
I 289/23 suivants)   114-116

Surgissement, pour nous, de l'Esprit et du Monde éthique.

a) *Le plaisir et la nécessité.*

90
263/5   139/1   105
I 298/22   I 152/15

La dialectique du plaisir reprend, en l'accomplissant, celle du désir : il ne s'agit plus maintenant de supprimer l'autre en son être-là, mais de surmonter la forme de son altérité.

b) *La loi du cœur, et le délire de la présomption.*

91
267/11   Plaisir et nécessité   105
I 303/27

Renvoi à la dialectique de Plaisir et nécessité : c'est la même opposition qui surgit ici, dans l'élément nouveau.

92
267/26   Plaisir et nécessité   105-106
I 304/10

Opposition de l'attitude de l'être singulier dans la dialectique de la Loi du cœur et dans celle de Plaisir et nécessité : non plus recherche du plaisir singulier, mais volonté de faire triompher le bien de l'humanité.

93
269/40   266/36   106
I 307/1   I 303/16

L'individu, qui s'était trouvé opposé à la loi rigide de l'effectivité, se heurte maintenant à l'opposition des autres hommes, aux « lois » des autres cœurs.

94
270/12   265/5, 266/5   106
I 307/13   I 301/10, 302/17

Dans ce mouvement d'effectuation, la conscience en vient à se perdre elle-même, — non plus dans la nécessité vide et morte, comme il en allait dans Plaisir et nécessité, mais dans la nécessité vivante qu'est l'individualité universelle.

c) *La Vertu et le cours du monde.*

95
274/17
I 312/9

Résumé. Rapport de Vertu et cours du monde à Plaisir et nécessité et à Loi du cœur.

96
277/5   276/33
I 315/12   I 314/34

Comme il en allait déjà dans le cas de la « conscience vertueuse », le bien se détermine d'abord comme une abstraction également du côté du « cours du monde ».

97
279/16   277/28
I 317/34   I 315/34

Echec de la tactique (de l'embuscade : *Hinterhalt*) que la conscience du bien avait prévue pour venir à bout du cours du monde.

C. — L'INDIVIDUALITÉ QUI POUR SOI EST RÉELLE EN ET POUR SOI-MÊME

98
283/4 (2 paragraphes)   101 et 106
I 322/3

La nouvelle figure accomplit les deux figures antérieures (Raison observante, Effectuation) ; celles-ci sont présentes en elle comme les moments de son propre déploiement.

a) *Le Règne animal de l'esprit et la tromperie, ou la Chose même.*

99
292/10
I 332/27

Le résultat de cette dialectique nous ramène à ce qui constituait le point de départ des figures précédentes : l'opposition de l' « être » et l' « opérer ».

100
295/7   Certitude sensible   107
I 335/36   et Perception

Différence entre la chose (*Ding*) de la Certitude sensible ou de la Perception et la Chose (*Sache*) ici atteinte. Mais, pour que celle-ci s'affirme en vérité, il faut que se développe un mouvement qui réassume ceux de la Certitude sensible et de la Perception. — Ce parallèle est développé tout au long des paragraphes suivants.

101
301/4   252/23   107
I 343/2   I 284/25

La Chose même se présente comme un accomplissement de la Catégorie ;

celle-ci n'est plus une simple affirmation formelle, mais elle est riche de tout le contenu assumé.

b) *La Raison législatrice.*

102

302/37   Certitude sensible
I 344/33

Ici, comme dans le cas de la Certitude sensible, il faut prendre immédiatement ce qui se présente sous mode immédiat.

c) *La Raison examinant les lois.*

103

306/8 et 21   305/20   107
I 348/12 et 24   I 347/24

Ici semble se poser pour la conscience ce qui valait précédemment pour nous, c'est-à-dire l'inadéquation entre l'universel et le déterminé.

104

306/16   293/35, 295/25   107
I 348/20   I 334/18, 336/17

Nous retrouvons ici la détermination de la Chose même (293/35), mais avec cette différence : désormais la conscience n'est plus une réalité universelle et inerte par rapport au particulier (295/25), mais elle se rapporte essentiellement à ce particulier, dont elle est la vérité.

105

309/1
I 351/25

Début de la conclusion générale. Rapport entre la Raison législatrice et la Raison examinant les lois.

106

309/19 (2 paragraphes)   296/3
I 352/6   I 377/1

Raison législatrice et Raison examinant les lois peuvent être considérées comme des formes de cette « honnêteté » qui a été évoquée plus haut ; honnêteté qui ne s'occupe plus seulement ici de moments formels, mais s'affaire autour du contenu.

ESPRIT

107

313/3   108, 112-119
II 9/2

Introduction générale. Le surgissement de l'Esprit à travers le déploiement de la Raison ; l'Esprit comme l'âme de tout le développement antérieur, depuis la Certitude sensible. Annonce des étapes de cette nouvelle Section, et de son dépassement dans la Religion et le Savoir absolu.

A. — L'Esprit vrai, l'ordre éthique

a) *Le Monde éthique, la loi humaine et divine, l'homme et la femme.*

108

318/11	Certitude sensible	120 et 171
II 15/14	et Perception	

Surgissant comme conscience, la substance éthique se divise, selon la loi générale de la conscience. Parallélisme avec le passage Certitude sensible/Perception. — Les « propriétés » sont ici les « rapports éthiques » (avec cette différence qu'ici la totalité est présente à chaque moment).

109

318/36	Introd. à l'Effectuation	120-121
II 16/13	de la Consc. de soi ration.	

La Communauté (*Gemeinwesen*) qui surgit ici *nous* était déjà apparue, dans l'Introduction à la Raison pratique en général, comme l'essence absolue.

110

327/26	285/26	121
II 26/25	I 325/4	

La diversité des sexes, c'est-à-dire l'essence éthique universelle posée dans l'individualité, reprend et accomplit ce qui, dans la figure de l'individualité réelle en et pour soi, se manifestait comme « nature originairement déterminée ».

111

328/17	Raison	121-122
II 27/20		

Le contenu du Monde éthique réalise la reconnaissance mutuelle que Conscience et Conscience de soi tentaient vainement d'établir tout au long de la Raison et de ses trois figures.

112

329/40	323/2
II 29/20	II 21/18

Allusion aux rites funéraires, déjà évoqués plus haut, qui transforment en action humaine la nécessité naturelle.

b) *L'action éthique, le savoir humain et divin, la faute et le destin.*

113

331/24	Raison législatrice	123
II 31/7	— examinant les lois	

L'action de la substance éthique, c'est la réalisation du devoir ; mais non plus de ce devoir abstrait qui était en jeu dans les dialectiques de la Raison législatrice et de la Raison examinant les lois.

114

333/8	124
II 33/10	

Nous n'en sommes plus au niveau des dialectiques dans lesquelles s'affirmaient l'indépendance et l'essentialité également partielles de l'objet et de la conscience.

115
335/2   337/40
II 35/20   II 39/1

Annonce du développement à venir, dans lequel sera marquée l'incidence, sur la vie éthique, du « crime » que constitue l'action éthique dans son opposition à l'une des deux lois.

116
341/39   339/5 ?
II 43/5   II 40/10

De même que la famille s'abîmait dans l'esprit du peuple, ainsi les esprits vivants des peuples s'engloutissent dans la communauté universelle.

c) *Etat du droit.*

117
343/1   320/2, 321/23
II 44/10   II 17/29, 19/33

Rappel de ce qu'était le singulier dans la loi divine (sang de la famille, individu mort), pour définir en regard ce qu'il est devenu dans l'Etat du droit.

118
343/11   331/13
II 44/19   II 30/20

Rappel de l'absorption des figures du Monde éthique dans la nécessité simple du destin.

119
343/24   Stoïcisme   126
II 45/6

Parallélisme entre la personne du droit et la conscience de soi du stoïcien. Le Stoïcisme est la « forme abstraite » du principe de l'Etat du droit. La personne du droit est sortie de l'Esprit immédiat de la même manière que le stoïcien a échappé à l'immédiateté de la conscience de soi exprimée dans la dialectique Domination et servitude.

120
344/6   Scepticisme   126-127
II 45/27

De même que le Stoïcisme s'accomplissait dans le Scepticisme, ainsi fait également la prétendue indépendance de la personne du droit.

121
346/26   Conscience malheureuse   128
II 48/33

De même que le Scepticisme passait dans la Conscience malheureuse, ainsi en va-t-il encore maintenant au plan de l'effectivité de l'Esprit : perte de l'essence de soi dans l'aliénation (*Entfremdung*).

B. — L'ESPRIT DEVENU ÉTRANGER A SOI ; LA CULTURE

122
347/4
II 50/3

Rappel de la situation dans la dialectique de la Substance éthique ; en regard, définition de la situation nouvelle.

19

123
349/12   Monde éthique
II 52/24

Les deux Royaumes de l'Esprit devenu étranger à soi retourneront dans le Soi, de même qu'étaient retournés dans le Soi :
— le Monde éthique, à partir de sa division en deux lois ;
— la conscience éthique, à partir de sa division en savoir et non-savoir.

I. — LE MONDE DE L'ESPRIT DEVENU ÉTRANGER À SOI

124
350/19   Section Religion
II 54/8

Le monde de l'au-delà n'est pas encore celui de la Religion, c'est-à-dire celui de la conscience de soi de l'Esprit absolu.

a) *La Culture et son Royaume de l'effectivité.*

125
351/9   Etat du droit   130
II 55/11

L'universalité réelle que permet d'atteindre l'affrontement à ce qui est « étranger » nous arrache à ce qui était l'universalité abstraite du droit.

126
351/19   132
II 55/20

Pas de parallélisme explicite ; mais une reprise systématique du vocabulaire de figures antérieures bien déterminées :
— Culture = Maître et esclave ;
— Substance, être originaire déterminé, but, être-là, moyen = Le Règne animal de l'Esprit (285/17, I 324/22) ;
— Genre = 295/40, I 336/31 ;
— Caractère = 287/9, I 326/30.
Sur tout cet ensemble de relations, cf. 314/5, II 10/7.

127
353/23
II 58/9

Annonce du mouvement et du résultat : aliénation de l'aliénation, surgissement du Tout dans son vrai concept.

128
354/13   318/35, 320/2   130-131
II 59/6   II 16/17, 17/29

La division de cet « esprit » reprend, sous mode à la fois positif et négatif, la division de la substance éthique en communauté (*Gemeinwesen*) et famille.

129
358/19   354/22
II 64/11   II 59/15

Rappel d'un principe de jugement précédemment déterminé, et qui s'applique ici de la manière suivante : l'égal à la conscience est le bon, et l'inégal est le mauvais.

130
359/34   355/33
II 65/35   II 61/8

Parallélisme d'un mouvement : il faut que, une fois encore, surgisse l'unique esprit des déterminations en présence.

131
360/13   279/29, 346/6   131
II 66/18   I 318/10, II 48/13

La conscience noble, dans l'acte du service, accomplit ce que n'avaient pu faire ni la conscience vertueuse ni la personne du droit.

132
362/18   L'Ordre éthique   142, note 107
II 69/7

Opposition de la forme atteinte ici par le langage à celles qui étaient siennes dans l'Ordre éthique : loi, conseil.

133
366/39   358/35
II 74/4   II 64/25

La conscience noble perd la déterminité qui, dans le « jugement », constituait son opposition à la conscience vile : l'une et l'autre disparaissent donc.

134
367/20   364/3, 353/27 ?
II 75/2   II 70/34, 58/13

La richesse, ici, n'est plus l'universel privé du Soi du pouvoir de l'Etat, ni la nature inorganique naïve de l'esprit.

135
367/32   361/36 ?
II 75/2   II 68/17

La richesse, qui est seulement pour-soi, doit s'accomplir comme en-et-pour-soi ; la forme de ce mouvement a déjà été analysée : il reste à considérer son contenu.

136
368/15   342/32   131
II 75/23   II 44/2

La conscience de soi ne peut plus désormais, comme elle le faisait dans l'Etat du droit, se retirer en elle-même hors d'un contenu déclaré « contingent ».

137
368/35
II 76/8

La « réflexion précédente » exprimait déjà la non-réalisation de la conscience selon son concept ; mais ici, ce manque, plus profond encore, est éprouvé par elle-même comme insatisfaction.

138
370/6   362/16, 363/11, 365/29
                                          142, note 107
II 77/22   II 69/5, 70/6, 72/30

Le moment du « langage ». Rappel des divers types de langage déjà rencontrés : celui de la conscience de soi face au pouvoir de l'Etat, celui de l'Esprit comme moyen terme entre les extrêmes, celui de la flatterie.

139
370/35   Culture
II 78/13   Raison observante

Le langage du déchirement est l'accomplissement parfait de l'esprit du Monde de la culture. — Le jugement qu'il profère est à la fois un jugement identique (sujet et prédicat sont le même) et un jugement infini (les deux termes sont incommensurables, cf. 253/4, I 285/12). — Comme à la fin de la Raison observante et bien plus qu'alors, l'extrême de la contradiction est en même temps la préfiguration de la vérité totale étant-là : « Esprit conscient de son concept. »

140
371/8
II 78/27

Résultat. Reprise de tous les moments parcourus : pouvoir, richesse, conscience du bien et du mal, conscience vile et conscience noble.

b) *La foi et la pure pénétration (Einsicht).*

141
376/40   152/30, 276/31, 301/16   132-133
II 85/8   I 169/1, 314/32, 343/16

Nous avons dépassé le plan formel qui est celui de la conscience stoïque, ou de la conscience vertueuse, ou de la Raison légiférant ou examinant les lois.

142
377/14   356/6
II 85/22   II 61/22

Dans le monde de la Culture, nous avons vu la pure pensée surgir comme « mesure » du bien et du mal à l'intérieur du jugement ; mais ici, au niveau de l'aliénation du Tout, elle a acquis un contenu effectif.

143
377/29   158/37, 319/22   133
II 86/3   I 176/23, II 17/8

La « religion » qui apparaît ici a déjà été considérée dans la Conscience malheureuse, puis dans le monde souterrain de l'Ordre éthique.

144
381/10   Culture
II 90/20

Renvoi à la considération du monde de la Culture ; c'est ce monde qui, pour une part, constitue l'effectivité de la conscience croyante.

145
382/6   379/5
II 91/21   II 88/3

Nous avons déjà vu ce qu'est la « pure pénétration » considérée dans son en-et-pour-soi.

146
382/13   Raison   133
II 91/28

La « pénétration » (*Einsicht*) n'est plus seulement, comme la Raison, certitude consciente de soi d'être toute vérité : elle sait qu'elle est cela.

147
382/13   133
II 92/11

Le résultat auquel nous parvenons est celui qui rassemble en lui-même toute la signification de la Culture. Large évocation d'un certain nombre de dialectiques antérieures qui trouvent ici leur accomplissement : Pouvoir de l'Etat/Richesse, Bien/Mal, Règne animal de l'Esprit, Chose même, Jugement infini.

II. — LES LUMIÈRES (*DIE AUFKLÄRUNG*)

148
383/36   373/15
II 93/20   II 81/10

Rappel de la façon dont la conscience paisible s'oppose au tourbillon de la pure Culture.

149
384/20   374/28 (3 paragraphes)
II 94/14   II 82/18

Comme on l'a démontré, seul l'Esprit peut unifier la cacophonie du monde de la Culture.

a) *Le combat des Lumières avec la superstition.*

150
385/9   134, 93
II 95/12

Rappel des divers modes de comportement négatif de la conscience : Scepticisme (154/37, I 171/21), Idéalisme théorique et pratique (175/28, I 196/1 — et l'ensemble des deux parties de la Raison : Raison observante = Raison théorique, Effectuation = Raison pratique). Sur la liaison entre Idéalisme et Scepticisme : 180/29, I 202/1.

151
397/30   Certitude sensible   134-135
II 110/8

Le savoir de la pure Pénétration nous ramène à une forme de certitude sensible et de « visée ». Rapport et différences.

152
398/40   354/22
II 111/25   II 59/15

Parallèle négatif avec la dialectique du Bien et du Mal, ceux-ci étant entendus comme les concepts de l'opposition qui s'est fait jour à l'intérieur de la « figure précédente » : ici, le type d'opposition n'est plus le même, se déployant entre des abstractions plus pures.

b) *La vérité des Lumières.*

153
408/20
II 123/7

La division qui opposait les Lumières à la foi resurgit maintenant à l'intérieur des Lumières elles-mêmes.

154
411/20   407/19
II 126/22   II 121/30

Rappel de la définition de la pure « pénétration » : elle est le pur concept, qui se divise en lui-même en des termes non distincts.

155
412/30   135
II 128/1

Récapitulation. Considération de l'objet atteint ici, dans son rapport à « l'ensemble de cette sphère ». L'utile rassemble en lui-même les vérités partielles des deux mondes qu'il unit : celui de la Culture, celui de la Foi.

III. — LA LIBERTÉ ABSOLUE ET LA TERREUR

156
414/9   412/4
II 130/7   II 127/10

Insuffisance de l'utile : il se présente encore sous mode objectif, comme prédicat, et non pas comme sujet. Ce que nous avions déjà trouvé plus haut sous cette forme : le pour-soi apparaît encore comme abstrait *en face* des autres moments.

157
419/38   415/16
II 137/11   II 131/22

Dans l'expérience concrète qu'elle fait d'elle-même par le moyen de la terreur qu'elle éprouve, la conscience de soi absolument libre se révèle autre que ce que son concept laissait attendre.

158
420/29   Monde éthique et Monde   135-136
II 138/6   de la Culture

Nous aboutissons à une compénétration totale de la substance et de la conscience de soi. Mais ce n'est point là un retour à l'immédiateté du Monde éthique ; l'opposition est ici infiniment plus radicale, puisqu'elle est un affrontement entre le monde comme volonté universelle et la conscience de soi comme Soi simple.

Tout au long des dialectiques de la Culture, la conscience de soi revenait toujours en elle-même, hors de son aliénation, nantie de quelque positivité :

— honneur : 360/18, II 66/2 ;
— richesse : 367/5, II 74/9 ;

— langage : 370/6, II 77/22 ;
— ciel comme au-delà : 377/26, II 86/1 ;
— utilité : 410/32, II 125/32.

Ici, au contraire, son lot est le négatif pur.

Cette négation radicale de son effectivité est l'œuvre de la volonté universelle, avec laquelle la conscience de soi doit bien reconnaître son égalité ; elle ne lui survient donc pas de l'extérieur, d'un principe « étranger », ainsi qu'il en allait :

— dans l'engloutissement du Monde éthique : 345/40, II 48/8 ;
— et dans la spoliation dont était victime la conscience déchirée : 369/5, II 76/18.

159
422/33   376/17
II 141/2   II 84/16

L'Esprit, comme liberté absolue, sort de son effectivité auto-contradictoire pour aborder une terre nouvelle, — de même que le Royaume de l'effectivité passe dans celui de la Foi et de la Pénétration.

C. — L'ESPRIT CERTAIN DE SOI-MÊME. LA MORALITÉ

160
423/4   136-137
II 142/3

Relecture du chemin parcouru, envisagé comme l'affirmation progressive de l'Esprit grâce à la réalisation du Soi : ineffectivité évanouissante du mort dans le Monde éthique, personne abstraite de l'Etat du droit, volonté universelle du Monde de la Culture, réassumée dans le Soi absolu.

Puisque l'objet *vrai* est désormais la *Certitude* même, c'est que nous avons dépassé les oppositions partielles qui sont caractéristiques de la conscience (Monde éthique) et de la conscience de soi (Culture).

161
423/24
II 142/21

L'Esprit certain de soi-même accomplit tout à la fois l'immédiateté du Monde éthique et la médiation de la Culture.

a) *La vision morale du monde.*

162
432/37   425/25
II 154/13   II 145/11

Rappel du point de départ de cette dialectique, c'est-à-dire de l'affirmation selon laquelle il existe une conscience morale ; ce point de départ se trouve détruit dans la nouvelle évidence : il n'y a pas de conscience morale effective parfaite.

b) *La Duplicité.*

163
438/36   428/8
II 161/32   II 148/17

Rappel d'un postulat nécessaire à l'action morale, à savoir l'harmonie de fait entre la sensibilité et la moralité. Ici, cette harmonie postulée se trouve hypocritement « déplacée », repoussée dans l'au-delà.

164

439/23   428/18
II 162/16   II 148/26

Puisque l'harmonie entre sensibilité et moralité est repoussée dans l'audelà, il semble en résulter une exigence de progrès indéfinie ; mais cette exigence, ainsi qu'on l'a déjà dit, est contradictoire, puisque c'est un mouvement qui tend à sa propre suppression.

165

442/40   Perception   137-138
II 166/20

Parallèle entre la pluralité des devoirs qui échoient à la conscience morale et la pluralité des propriétés de la chose dans la dialectique de la Perception. (Dans le même sens, au paragraphe précédent, mention du « aussi » : 442/30, II 166/10, qui renvoie à 91/27, I 95/30.)

c) *La « bonne conscience », la belle âme, le mal et son pardon.*

166

445/33   343/18, 414/35   141 sq.
II 170/2   II 44/25, 131/2

Confrontation du Soi de la Bonne conscience avec le Soi de la persone et le Soi de la liberté absolue. Parallèle à la fois positif et négatif.

167

447/20   ?   142-143
II 171/28

De même que la « certitude sensible » est immédiatement convertie dans l'en-soi de l'Esprit, ainsi tout contenu peut recevoir immédiatement sa forme à partir de la certitude de la « bonne conscience ».

168

448/21
II 173/7

La « bonne conscience » renonce à toutes les duplicités caractéristiques de la vision morale du monde.

169

449/10
II 174/1

Alors que la conscience morale ne se comprenait que comme essence (ou en-soi), la bonne conscience comprend son pour-soi (ou son Soi).

170

449/29   430/38
II 174/19   II 151/30

Ici, le devoir n'est plus, comme il le devenait au cours de la dialectique de la conscience morale, le pur universel passant en face du Soi.

171

451/9   283/1   138-139
II 176/9   I 322/1

Parallèle négatif avec la dialectique de la « Chose même ». Les dialecıques postérieures (Monde éthique, Culture, Moralité) ont permis de dépasser le formalisme dont le résultat demeurait encore affecté dans cette sphère.

172
453/10   138, note 89
II 178/30

Tout ce qui, « dans les figures précédentes », était bien ou mal, loi ou droit, se présentait comme l'autre de la certitude immédiate de soi. Mais la Bonne conscience a atteint l'unité de la certitude et de la vérité.

173
453/24   307/8   139, note 92
II 179/6   I 349/22

Nous avons déjà vu, dans la dialectique de la Raison examinant les lois, que le pur devoir est totalement indifférent à l'égard du contenu.

174
458/30   362/16, 370/6..   142, note 107
II 184/29   II 69/5, 77/22..

Rappel du mode de surgissement du langage aux étapes antérieures de cette Section Esprit : la loi comme langage du Monde éthique (avec le commandement et la plainte) ; le langage du déchirement de la Culture ; alors que la conscience morale n'avait aucun langage.

175
462/25   Conscience malheureuse   140
II 189/4

Le résultat atteint ici (celui de la Belle âme) reprend celui de la Conscience malheureuse ; mais le mouvement, qui n'avait alors valeur que d'un en-soi, est devenu maintenant conscient.

176
463/21   449/26
II 190/6   II 174/17

Rappel de la détermination de l'objectivité de la conscience morale, selon laquelle elle est conscience universelle.

177
466/19   465/37
II 193/21   II 192/36

Comme on vient de le noter, la conscience universelle, dans l'acte même de son jugement, se pose à côté de la conscience mauvaise, et sur le même plan qu'elle.

178
469/18   355/12
II 196/25   II 60/17

L'autre de lui-même, dans lequel le Soi se contemple maintenant, n'est plus simplement la chose privée d'essence que nous avons rencontrée dans la dialectique de la Richesse.

RELIGION

179
473/3 (12 paragraphes)   148-161
II 203/2

Introduction à la Religion.
Rappel des divers modes de réalisation de l'esprit religieux aux étages antérieurs de la dialectique. Equation d'ensemble donnant les relations entre l'Esprit dans son en-soi et l'Esprit dans son pour-soi. Annonce du développement à venir.

A. — RELIGION NATURELLE

a) *L'essence lumineuse.*

180
483/27   161-164
II 215/1

Cette première figure réassume, au niveau de l'Esprit comme totalité, le mouvement qui s'était déployé dans la Certitude sensible (Conscience immédiate) et dans la figure du Maître (Conscience de soi immédiate).

b) *La plante et l'animal.*

181
485/3   164-165
II 216/15

L'immédiateté de l'essence s'élève jusqu'à la consistance du Soi, et sa simplicité se diffracte dans la multiplicité du pour-soi : cette nouvelle figure de la Religion est celle de la Perception spirituelle.

c) *L'artisan.*

182
486/21   165
II 218/15

Ce que l'Esprit impose d'abord à l'être dans lequel il s'exprime, c'est la forme abstraite de l'entendement.

B. — LA RELIGION DE L'ART

183
490/10   166-168
II 223/9

L' « esprit effectif » auquel correspond la religion de l'art est l' « esprit éthique » (Monde éthique, Grèce). — Suit un parallèle négatif avec la situation des dialectiques de l'Essence lumineuse et de la Plante et l'animal.

184
490/29   169
II 224/1

Rappel de l'insuffisance de cet « esprit éthique », ainsi que du mouvement de son assomption dans le Soi libre ; ce passage à la simplicité du Soi à partir de la pluralité des lois et des devoirs étant parallèle au passage de la multiplicité des propriétés de la chose perçue à l'unité de la conscience de soi (cf. 491/18, 224/22 et tout le passage de la sittliche Substanz au Soi du Gewissen. Plus lointainement, dialectique de la Perception).

185
492/4   486/16, 525/24   170
II 225/18   II 218/10, 263/4

Le retour du Soi en lui-même hors de sa substance est la condition du surgissement de l'art absolu : moment intermédiaire entre le rapport factitif, tout extérieur, que l'artisan entretient à la chose, et d'autre part l'apparition du Soi absolu comme objet (le Christ).

a) *L'œuvre d'art abstraite.*

186
493/20   486/21, 487/23   173
II 227/13   218/15, 219/25

Sculpture et architecture. La forme, ici, n'est plus, comme naguère, le simple cristal de l'entendement, ni un mélange des formes de la nature et de la pensée.

187
493/33   488/38, 488/7   173
II 227/24   II 220/32, 220/12

La lumière de la conscience illumine maintenant la figure du dieu, lequel était jusqu'alors purement intérieur, — et la figure humaine se sépare alors de la figure animale.

188
498/25   496/1
II 233/7   II 230/11

Il faut que l'intériorité du langage exprimée dans l'hymne rejoigne l'extériorité de la statue.

189
499/3   496/1
II 233/24   II 230/11

Le concept de culte était déjà présent en soi dans la figure de l'hymne.

b) *L'œuvre d'art vivante.*

190
503/3   495/24
II 238/3   II 229/28

Le Soi n'est plus ici l'individualité de l'artiste tendue vers une impossible reconnaissance de soi dans l'être-là objectif.

191

503/8   484/2   164 et 173-174
II 238/7   II 215/13

L'essence lumineuse abstraite de la Religion naturelle acquiert ici une effectivité singulière.

192

504/37   494/28
II 240/1   II 228/27

La pure ivresse doit se dépasser dans une œuvre d'art calme qui réassume la totalité du mouvement spirituel, de même que la statue exprimait, dans son calme être-devenu, l'enthousiasme de l'artiste.

193

505/2   528/8
II 240/7   II 266/8

Nous ne sommes pas encore au niveau de la manifestation vraie de l'Esprit (ce qui sera l'Incarnation), mais à celui du culte de l'homme par l'homme.

194

505/30   173, note 86
II 240/34

Une fois de plus, c'est le langage qui manifeste l'unité vraie du Soi et de l'essence. Mais ce n'est plus
    — le langage de l'oracle : 496/29, II 231/9 ;
    — le langage de l'hymne : 496/1, II 230/11 ;
    — le langage du délire bacchique : 504/15, II 239/16.
C'est un langage clair et universel.

c) *L'œuvre d'art spirituelle.*

195

506/19   486/24   173
II 241/25   II 217/18

De même que les « esprits d'un peuple », devenus conscients de leur essence dans un animal particulier, s'étaient d'abord opposés les uns aux autres avant de se réunir, ainsi les « beaux esprits particuliers d'un peuple » vont-ils se réunir maintenant dans un seul Panthéon, sous l'égide du langage.

196

507/24   499/23   173, note 86
II 243/8   II 234/9

L'œuvre d'art qui surgit ici n'est plus l'opération effective du culte : elle est l'expression représentée de l'unité entre l'être-là extérieur et l'être-là conscient de soi, le langage sous sa forme la plus universellement « compréhensive », c'est-à-dire l'épopée.

197

508/6   498/33 (et paragraphes
II 224/1   II 233/14   suivants)

L'unité du divin et de l'humain, qui dans le culte n'était actualisée qu'en-soi, se présente ici à la conscience elle-même.

198
512/28   510/40
II 249/3   II 247/6

Les deux forces antagonistes du drame, que le chœur met en valeur, s'expriment, comme on l'a déjà mentionné, dans l'effectivité immédiate de l'être-là véritable, c'est-à-dire dans les acteurs.

199
512/33 (2 paragraphes)   171
II 249/7

Large parallèle entre le mouvement présent et celui de la « Substance éthique ». Rappel de l'opposition qui s'était fait jour alors, au plan du contenu (droit divin/droit humain, droit souterrain/droit supérieur, famille/Etat, caractère féminin/caractère masculin) et à celui de la forme (savoir/non-savoir). C'est maintenant que ces incarnations concrètes de l'Esprit atteignent à la conscience d'elles-mêmes.

200
518/18   175-176
II 255/1

La substance divine qui va surgir dans l'être-là réunit en elle la signification de l'essence naturelle et de l'essence éthique. Autrement dit, la conscience de soi effective réassume tout le contenu déployé à ces deux niveaux :
— essence naturelle :
   la demeure : 486/37, II 219/3,
   l'ornement : 487/23, II 219/25,
   l'offrande consommée : 501/4, II 235/30,
   le mystère du pain et du vin : 504/26, II 239/28 ;
— essence éthique :
   peuple comme Etat : 318/30, II 16/7,
   et comme famille : 319/30, II 17/17.

201
520/14
II 256/36

Reprise de toute la Religion de l'art. Le Soi singulier absolu auquel on parvient ici n'est plus quelque chose de séparé de la « conscience en général », comme l'étaient encore la statue, la belle corporéité, l'épos, les puissances (dieux) et les personnages (acteurs) de la tragédie.

De même, l'unité atteinte ici est au-delà de ce qu'était l'unité inconsciente du culte.

C. — LA RELIGION MANIFESTÉE

202
521/3   174-175
II 258/2

Interprétation du mouvement qui a déployé les figures de la Religion naturelle et de la Religion de l'art : posé d'abord comme substance, l'Esprit s'est révélé être sujet.

203
521/23   176
II 258/20

La reconnaissance de ce que « le Soi est l'essence absolue » appartient à l'Esprit non religieux, à l'Esprit effectif : elle s'est présupposée en lui. (La « figure » de l'Esprit effectif visée en 521/25, II 259/1 désigne le Soi abstraitement absolu de l'Etat du droit.)

204
522/22   Etat du droit   171, 177
II 259/25

Parallèle entre la Religion de l'art et l'Etat du droit : celui-ci est l' « esprit éthique » de celle-là.

205
522/32   506/19   177
II 260/1   II 241/25

Les « esprits » se rassemblent ici dans l'universalité abstraite du Panthéon, qui n'est plus simplement la pluralité du Panthéon de la période épique, — pluralité qui était de l'ordre de la représentation.

206
523/3   Etat du droit   177-178
II 260/10

Suivant à nouveau le mouvement qui fut celui de l'Etat du droit, nous retrouvons le passage par le Stoïcisme et le Scepticisme, jusqu'à la détermination de la conscience malheureuse : 343/26, II 45/8 ; 344/9, II 46/2 ; 346/28, II 48/35).

207
523/14   Comédie   178, 180
II 260/19

Cette « conscience malheureuse » de l'Esprit absolu est le complément de la « conscience heureuse » que nous avons vue s'affirmer dans la Comédie.

208
523/24   178-179
II 261/4

Dans l'Etat du droit, le Monde éthique et sa religion se sont perdus ; la conscience de la comédie a tout dissous ; rien ne vaut plus de ce qui jusqu'alors avait valeur : personne, lois, oracles, statue, hymne, pain et vin, fêtes, épopée, tragédie, — fruits disparus avec le monde qui les portait.

209
524/36   179
II 262/13

L'Esprit naît sous nos yeux. Toutes les productions de l'art qu'il recueille et présente expriment le chemin des extériorisations de l'essence absolue. Celle-ci se présente en effet :
 — comme chose : 493/11, II 227/4,
 — comme langage : 496/1, II 230/11,
 — comme unité immédiate avec la conscience de soi universelle, puis comme unité médiate avec cette même conscience dans le culte : 498/33, II 233/14,
 — comme belle corporéité : 504/34, II 239/35,
 — comme représentation d'un monde d'essences absolues : 507/8, II 242/24 (4 paragraphes),
 — comme pure certitude de soi-même : 520/4, II 256/26.
A ces figures religieuses, il faut ajouter toute l'effectivité du Monde

du droit, l'opposition destructrice qu'il engendre, le Stoïcisme, le Scepticisme : tout cela exprime la présupposition et l'attente de la naissance de l'Esprit absolu. — La douleur de la conscience malheureuse pénètre toutes ces « figurations » : elle est celle de l'enfantement du concept.

210

525/24   522/11   180
II 263/4   II 259/15

Le concept qui naît ici rassemble dans sa totalité les deux mouvements complémentaires définis plus haut :
— substance → conscience de soi ;
— conscience de soi ↗ choséité.

211

526/10 (2 paragraphes)   524/36   181
II 263/26   II 262/13

Jusqu'à présent, dans la considération des religions antérieures au Christianisme, nous avons assisté à l'effort de la conscience de soi pour saisir toute réalité comme le Soi. Voilà qui demeure inadéquat, tant que l'absolu, de son côté, n'a pas déployé sa propre extériorisation. Or *nous* savons déjà qu'il doit en être ainsi. « Comment cela est arrivé s'est déjà montré plus haut » (527/18, II 265/7, qui renvoie à 524/36, II 262/13).

212

527/27   Les deux premiers temps   181
II 265/16   de la Religion

L'Incarnation. Dieu est reconnu présent dans l'être-là : c'est l'exacte antithèse de la Conscience malheureuse. Le Soi de l'Esprit n'est plus une réalité « pensée ou représentée » (Religion naturelle), ni une simple réalité « produite » (Religion de l'art).

213

531/10   Section Conscience   181-182
II 269/31

Il faut que la figure singulière de l'absolu (le Christ) s'égale à l'universel qu'elle exprime. Ce mouvement doit se déployer selon une médiation, tout ainsi que l'objet de la conscience sensible a dû passer par la chose de la Perception avant d'atteindre à l'universel de l'Entendement. (Prendre le texte depuis 527/20, II 265/9. — En particulier 529/29, II 267/35.)

214

532/6   Savoir absolu
II 271/3

Le résultat actuel est encore insuffisant. Si la totalité du contenu est effectivement présente, il faudra, pour que l'Esprit surgisse véritablement comme concept, surmonter la forme rémanente de la représentation.

215

533/31
II 272/28

Le contenu présent, nous l'avons déjà rencontré :
— pour une part dans la conscience malheureuse : 160/14, I 178/16,
— et pour l'autre dans la conscience croyante : 380/10, II 89/11.

216
535/31   532/6
II 275/5   II 271/3

Comme on l'a noté à propos d'un « autre côté », le dépassement de la situation est fruit d'une pression interne du concept déjà présent.

217
544/10   542/22
II 285/9   II 283/7

Le résultat atteint ici s'était déjà posé en soi ou pour nous.

218
544/14   537/37
II 285/13   II 277/14

Nous avons vu que, dans la conscience représentative, l' « intériorisation » de la conscience de soi naturelle était le mal.

219
545/10   542/22
II 286/9   II 283/7

Nous saisissons maintenant de façon plus précise ce que nous disions en affirmant que le Christ mort ressuscite dans la communauté.

220
546/34   543/41
II 288/5   II 284/29

L'Esprit se sait désormais comme Esprit. Son contenu, « comme nous l'avons vu », n'est autre que lui-même.

221
547/3   471/24   188-189
II 288/12   II 198/31

Ce concept de l'Esprit était déjà présent pour nous dans la figure du Mal et de son pardon.

222
548/18   525/40
II 289/34   II 263/18

La conscience religieuse, revenue en elle-même, se sait substance universelle ; mais qu'elle ouvre les yeux : la réconciliation n'est pas encore effective, et demeure encore un au-delà ; il faut qu'elle en vienne à la produire elle-même totalement. — Parallèle avec la naissance du Christ.

SAVOIR ABSOLU

223
549/3 (toute cette ultime section)   185-263
II 293/3

Equation totale de l'œuvre.
Dépassement de la forme de la représentation.

Récapitulation des figures-clés.

L'unification des deux réconciliations déjà opérées (dans la forme de l'en-soi et dans celle du pour-soi).

Rapport entre le déploiement du concept et le mouvement de la réalité historique.

Rapport entre la phénoménologie de l'Esprit et sa libre affirmation de lui-même à l'intérieur du Système. Position nouvelle de la phénoménalité.

20

APPENDICE II

CLASSIFICATION DES PARALLÈLES

Les pages qui suivent présentent une classification des parallèles et citations internes dont l'Appendice I a fourni une nomenclature et une analyse rapide. Cette classification se réfère à la typologie présentée dans la première partie de cette étude (pp. 56 à 63), et procède en suivant les catégories exposées alors.

Etant donné la complexité de plusieurs de ces parallèles, dont beaucoup ne sont pas réductibles à une catégorie nettement définie, la classification présente demeure très largement aléatoire. De plus, certains passages, selon qu'on les prend sous tel ou tel aspect, semblent relever à la fois de plusieurs des catégories en jeu : en ce cas, et lorsque le texte visé était suffisamment important, on le retrouvera effectivement sous plusieurs rubriques ; pour que ces doublets ressortent immédiatement, les chiffres se trouvent alors en italiques.

Telle quelle, cette classification donnera au moins un ordre de grandeur approximatif permettant de juger de l'importance relative des divers types de parallèles, — le plus grand nombre relevant, comme on le verra sans peine, de ces « faux parallèles » qui intéressent avant tout la linéarité du discours.

I. — LES FAUX PARALLÈLES

= linéarité du discours

1. A l'intérieur d'une continuité dans le développement.

1, 2, 3, 4, 5, 6, 7, 8, 9, 14, 17, 24, 32, 40, 53, 56, 71, 75, 83, 84, 85, 93, 96, 97, 99, *102*, 112, 116, 129, 133, 134, 140, 144, 145, *147*, 148, 149, 154, 156, 157, 163, 164, 168, 176, 177, 198, 216, 218.

2. A l'occasion d'une réflexion sur le développement.

10, 11, 12, *13*, *15*, 16, 18, 19, *20*, 21, 22, 23, 25, 26, 27, 28, 29, 30, 34, *36*, 39, 41, *42*, 43, 45, 46, *47*, 48, 49, *51*, 52, 54, 55, 57, 58, *59*, 60, *61*, *62*, *63*, 64, 65, 66, 67, 68, *69*, 70, 72, 73, 76, 77, 78, 79, 80, 81, 82, 86, 87, 90, 91, 92, 94, 95, *100*, 101, 103, 104, 105, 106, 109, 110, 111, 113, 114, 115, 117, 118, 122, 124, 125, 126, 127, 128, 131, 132, 136, 137, 138, *139*, 142, *143*, 146, *147*, *150*, 151, 152, 153, *155*, 158, *159*, *161*, 162, 165, *166*, *167*, 169, 170, *171*, 172, *173*, 174, *175*, 178,

185, 186, 187, 188, 189, 190, 191, *192*, 193, 194, *195*, 196, 197, *199*, *200*, *201*, 202, 205, 207, 208, 209, 210, 211, 212, *213*, 214, 215, 217, 219, 220, 221, 222.

II. — LES PARALLÉLISMES DE STRUCTURES

$=$ circularité statique

1. *Textes courts.*

13, *20*, *36*, 37, *47*, *50*, *59*, *61*, 74, 98, 141, *150*, *155*, 160, *161*, *200*, *201*.

2. *Les grands textes architecturaux.*

88, 89, 107, *143* (à rattacher à 179), 179, *223*.

III. — LES PARALLÉLISMES DE MOUVEMENTS

$=$ circularité dynamique

1. *Les « jauges » intérieures.*

15, *31*, *34*, *35*, 38, *42*, *44*, *47*, *51*, *62*, *69*, 114, *139*, *171*, *173*, *175*, *223*.

2. *Les contrepoints.*

50, *53*, *166*, 183, *184*, *199*, 203, 204.

3. *La parenté de niveau de deux mouvements.*

31, *34*, *35*, *44*, *63*, *88*, *100*, *102*, 108, 120, 121, 123, 130, 135, *159*, *167*, 180, 181, 182, *184*, *192*, *195*, 206, *213*, *223*.

NOTE SUR LE VOCABULAIRE DE HEGEL
ET SUR LA TRADUCTION DE QUELQUES TERMES

Inutile de souligner les difficultés extrêmes d'une traduction de la *Phénoménologie* ; il est fort peu des concepts dont elle use qui aient en français leur correspondant direct et immédiat. Cela tient en partie à ce que Hegel joue, avec une maîtrise achevée (qui n'est pas exempte parfois d'un peu de recherche ou de préciosité subtile) des ressources que présente la « langue naturelle » qu'il utilise. Il est sensible aux harmoniques d'un mot, fussent-elles purement consonantiques (*mein* et *meinen*), et il n'hésite pas à rapprocher de la sorte, au plan de leur signification philosophique, des termes que l'usage courant n'a jamais rassemblés ; ce sont là des nuances extrêmement importantes pour décider de la portée exacte d'un concept ; mais une traduction, ordinairement, ne peut les rendre sensibles.

L'une des caractéristiques de la langue de Hegel, c'est sa relative pauvreté, et surtout, peut-être, son caractère concret. — Si le vocabulaire de la *Phénoménologie* couvre le champ total du savoir (descriptif, scientifique, symbolique, social, culturel, religieux...), les quelques 175 000 mots que comporte l'œuvre correspondent à l'emploi d'environ 1 500 concepts seulement. — Par ailleurs, le caractère très concret de ce vocabulaire frappe dès l'abord. Kant et Fichte furent peut-être les derniers des grands philosophes « scolastiques » : leur réflexion se déroule encore dans le cadre des conventions de l'Ecole, et le vocabulaire dont ils usent est un vocabulaire technique et largement traditionnel (comme le sont aussi les problèmes qu'ils traitent et l'angle sous lequel ils les abordent). Hegel, au contraire (et c'est en cela qu'il est le premier des philosophes « modernes ») part de l'expérience la plus immédiate qui soit, et, pour la décrire et l'analyser, emprunte ordinairement des concepts au langage quotidien le plus ordinaire, celui qu'utilise l'homme de la rue.

Mais cette apparence est trompeuse. Et ceci pour deux raisons. Tout d'abord, on a évoqué ci-dessus l'espèce de distorsion ou d'éclatement que Hegel fait subir aux termes dont il use, pour leur donner d'exprimer un « sens » qui n'a rien d'immédiat (et qui parfois même est purement de rencontre). Mais, de plus, ces termes simples (certitude, réalité, vérité, opinion, langage...) deviennent les éléments d'un discours complexe au sein duquel ils acquièrent une signification *nouvelle,* dont la précision technique ne cesse de croître au fur et à mesure que se déroulent et s'enchaînent des expériences de la conscience toujours plus différenciées.

Théoriquement, la solution semble simple : il suffit de donner à chaque terme l'équivalent le plus précis qui soit au niveau de sa signification immédiate, et de laisser au discours, ainsi qu'il en va dans le texte original, le soin de dégager les harmoniques complexes du concept élaboré. En fait, bien souvent cela n'est pas possible, dans la mesure où l'à-peu-près initial ne permet pas un traitement identique du terme dans les deux langues, et risque, par conséquent, de le mener, ici et là, vers d'autres rives et vers des sens différents. Il est donc essentiel, avant de décider de la traduction la plus adéquate, d'examiner, à travers l'ensemble de l'œuvre, *tous* les types de récurrence du terme en question[1]. Le plus souvent, une traduction très proche, très immédiate (qui semble théoriquement souhaitable) se révèle alors impossible à réaliser, — et l'on se trouve contraint d'user d'équivalences purement conventionnelles, voire même, dans les cas les plus délicats, de créer en français une lexie nouvelle dont le seul rôle est de renvoyer au concept allemand compris et éprouvé en lui-même dans la totalité de ses significations contrastées. — Il fallait aussi tenir grand compte des conventions déjà admises dans les milieux hégéliens de langue française ; en voulant imposer quelque traduction nouvelle (et peut-être meilleure) à propos de tel ou tel concept, on risquait de faire surgir une difficulté supplémentaire dans l'approche d'un texte qui en comporte déjà tant.

La liste donnée ci-dessous ne veut pas être une table de correspondances exhaustive. Si bon nombre de termes fondamentaux n'y figurent pas, c'est que leur traduction ne soulevait pas de difficulté spéciale ; elle est alors, le plus souvent, celle qui fut établie dans l'édition française de J. Hyppolite (cf. l'index, à la fin du second tome). On a surtout retenu ici ce qui touche à la part de conventions que l'on demande au lecteur d'adopter.

ALLGEMEIN, BESONDER, EINZELN : *Universel, Particulier, Singulier.*

AUFHEBEN, AUFHEBUNG : signification à la fois positive et négative : *conserver* au niveau de la vérité en *supprimant* ce qui demeure encore inachevé. Aucun terme français ne peut rendre ce sens complexe ; J. Wahl a proposé récemment une traduction purement conventionnelle (*sur-primer, sur-pression*) présentant des avantages certains par rapport aux tentatives précédentes (cf. *Archives de Philosophie*, juillet-septembre 1965, pp. 331-332). Mais la meilleure transposition pourrait être celle introduite par Yvon Gauthier dans son article « Logique hégélienne et Formalisation », *Dialogue, Revue canadienne de Philosophie*, septembre 1967, p. 152, note 5) : « Nous proposons la traduction " sursumer " et " sursomption " pour " Aufheben " et " Aufhebung ". La dérivation étymologique s'appuie sur le modèle " assumer-assomption ". La sémantique du mot correspond à l'antonyme de " subsomption " que l'on trouve chez Kant. La sursomption définit donc une opération contraire à celle de la subsomption, qui consiste à poser la partie dans ou sous la totalité ; la sursomption, " l'Aufhebung ", désigne le procès de la totalisation de la partie. Voir là-dessus la *Logique d'Iena*. » — C'est cette traduction que l'on a adoptée ici.

AUSFÜHRUNG : *Accomplissement (Actualisation).* REALISIERUNG : *Réalisation.* VERWIRKLICHUNG : *Effectuation.*

AUSSPRECHEN : *Prononcer.*

BEGRIFF : *Concept.* BEGREIFEN : *Saisir conceptuellement.*

BESONDER : cf. ALLGEMEIN.

BESTIMMUNG : *Détermination.* BESTIMMTHEIT : *Déterminité* (pour éviter « déterminabilité », avec son suffixe indiquant la possibilité).

BILDUNG : *Culture (Formation).*

DARSTELLUNG : *Présentation.* VORSTELLUNG : *Représentation.*

---

1. Et pas seulement sous la forme de la racine simple : *Wirklich*, mais aussi *Wirklichkeit, Verwirklichen, Verwirklichung...*

EINSICHT : *Pénétration* (sens noétique, qui respecte pourtant l'image originale).

EINZELN : cf. ALLGEMEIN.

ENTÄUSSERUNG : *Extériorisation.* ENTFREMDUNG : *Aliénation.*

ENTFALTUNG : *Déploiement.* ENTWICKELUNG : *Développement.*

ENTFREMDUNG : cf. ENTÄUSSERUNG.

ENTWICKELUNG : cf. ENTFALTUNG.

ERINNERUNG : *Souvenir intériorisant (Intérioration).*

ERSCHEINUNG : *Manifestation.*

GEMEINWESEN : *Communauté.*

GEWISSEN : *Bonne conscience* (conscience morale = moralisches Bewusstsein).

ICH : *Je* (qui est principe subjectif, et non pas « moi », objectivité).

KUNSTRELIGION : *Religion de l'art.* OFFENBARE RELIGION : *Religion manifestée* (pour éviter le concept techniquement plus précis de « religion révélée », — « Geoffenbarte Religion » ; la vraie traduction serait « religion manifeste », mais elle n'est pas possible dans tous les cas).

LICHTWESEN : *Essence lumineuse* (« Etre lumineux » semble impossible, à cause de l'identité avec la « substance de l'aurore »).

MEINEN : *Viser* (usage conventionnel admis depuis la traduction de J. Hyppolite).

OFFENBARE RELIGION : cf. KUNSTRELIGION.

REALITÄT, REALISIERUNG : *Réalité, Réalisation,* cf. AUSFÜHRUNG.

VORSTELLUNG : cf. DARSTELLUNG.

WIRKLICH, WIRKLICHKEIT, VERWIRKLICHUNG : *Effectif, Effectivité, Effectuation* (traduction qui a le désavantage de rendre par un terme d'allure un peu savante un mot qui appartient en allemand au langage le plus courant ; mais elle est très communément adoptée depuis les travaux de J. Hyppolite).

BIBLIOGRAPHIE

Les indications qui suivent sont strictement limitées par le sujet de la présente étude. Elles ne concernent que des ouvrages qui traitent directement de la *Phénoménologie*, exception faite pour quelques-uns qui touchent soit à des questions générales de méthode, soit au problème des relations entre Logique et Histoire. Les bibliographies relativement complètes de Hegel ne manquent pas, et peuvent être consultées dans la plupart des grands commentaires. Les *Hegel-Studien* donnent une analyse de tout ce qui est publié sur Hegel depuis quelques années, — et ajoutent parfois des rétrospectives bibliographiques fort précieuses. En ce qui concerne la *Phénoménologie*, on peut se repporter avec profit à la « Liste des ouvrages utilisés » publiée en appendice de l'ouvrage de J. Hyppolite : *Genèse et structure de la Phénoménologie de l'Esprit de Hegel* (pp. 584-590).

I. — TEXTES UTILISÉS POUR LES OUVRAGES DE HEGEL CITÉS DANS CE VOLUME

Phänomenologie des Geistes, édition Johannes Hoffmeister, Hamburg, 1952.

Phénoménologie de l'Esprit, traduction française de J. Hyppolite, 2 volumes, Paris, 1939-1941.

Wissenschaft der Logik, édition Lasson, 2 volumes, Leipzig, 1951.

Enzyclopädie der philosophischen Wissenschaften, édition Hoffmeister, Leipzig, 1949.

II. — ETUDES SUR HEGEL

ANDLER (Ch.), « Le fondement du savoir dans la " Phénoménologie de l'Esprit " de Hegel », in *Revue de Métaphysique et de Morale,* 38, 1931, pp. 317-340.

BAILLIE (J.-B.), *Die Bedeutung der Phänomenologie des Geistes,* Verhandlungen des zweiten Hegelkongresses in Berlin, Tübingen, 1932, pp. 40-51.

BAUCHERT (W.), *Begriff und Gestalt bei Hegel,* Kiel, 1940.

DÜRR (A.), *Zum Problem der Hegelschen Dialektik und ihrer Formen,* Berlin, 1938.

DRESCHER (W.), *Die dialektische Bewegung des Geistes in Hegels Phänomenologie,* Speyer a. Rh,, 1937.

FISCHER (H.), *Hegels Methode in ihrer ideengeschichtlichen Notwendigkeit*, München, 1928.

FLÖTER (H. H. F.), *Die Begründung der Geschichtlichkeit der Geschichte in der Philosophie des deutschen Idealismus (von Herder bis Hegel)*, Halle, 1936.

FULDA (H. F.), *Das Problem einer Einleitung in Hegels Wissenschaft der Logik*, Frankfurt a. M., 1965.

GADAMER (H.-G.), « Hegel und die antike Dialektik », in *Hegel-Studien I*, pp. 173-200.

GAUVIN (J.), « Entfremdung et Entäusserung dans la Phénoménologie de l'Esprit de Hegel », in *Archives de Philosophie*, octobre-décembre 1962, pp. 555-571.

— « Plaisir et nécessité I », in *Archives de Philosophie*, octobre-décembre 1965, pp. 483-509.

— « Plaisir et nécessité II », in *Archives de Philosophie*, avril-juin 1966, pp. 237-267.

— « Le sens et son phénomène », in *Hegel-Studien*, III, pp. 263-275.

HAERING (Th.), « Entstehungsgeschichte der Phänomenologie des Geistes », *Verhandlungen des dritten Hegelkongresses in Rom*, Tübingen, 1934, pp. 118-138.

— *Hegel, sein Wollen und sein Werk*, 2 volumes, Leipzig 1929-1938.

HEIDEGGER (M.), *Hegels Begriff der Erfahrung*, in Holzwege, Frankfurt a. M., 1952, pp. 105-192.

HEIMANN (B.), *System und Methode in Hegels Philosophie*, Leipzig 1927.

HESSING (J.), « Die Geschichte als der frei für sich werdende Geist », *Verhandlungen des dritten Hegelkongresses in Rom*, Tübingen, 1934, pp. 139-152.

HOFFMEISTER (G. W. F.), *Hegel. Phänomenologie des Geistes : Einleitung des Herausgebers*, pp. V-XLII, Hamburg, 1952.

HYPPOLITE (J.), *Genèse et structure de la Phénoménologie de l'Esprit de Hegel*, Paris, 1946.

KOJÈVE (A.), *Introduction à la lecture de Hegel. Leçons sur la Phénoménologie de l'Esprit*, Paris, 1947.

MARCUSE (H.), *Hegels Ontologie als Grundlegung einer Theorie der Geschichtlichkeit*, Frankfurt a. M., 1932.

MARSCH (W.-D.), *Gegenwart Christi in der Gesellschaft*, pp. 176-203.

NIEL (H.), *De la médiation dans la Philosophie de Hegel*, Paris, 1945.

NINK (C.), *Kommentar zu den Grundlegenden Abschnitten von Hegels Phänomenologie des Geistes*, Regensburg, 1948.

PÖGGELER (O.), « Zur Deutung der Phänomenologie des Geistes », in *Hegel-Studien*, I, pp. 255-294. Traduction française : « Qu'est-ce que la " Phénoménologie de l'Esprit " ? », in *Archives de Philosophie*, avril-juin 1966, pp. 189-236.

PURPUS (W.), *Die Dialektik der sinnlichen Gewissheit bei Hegel*, Nürnberg, 1905.

— *Zur Dialektik des Bewusstseins nach Hegel*, Berlin, 1908.

ROHRMOSER (G.), *Subjektivität und Verdinglichung*, pp. 101-115.

WAHL (J.), *Le Malheur de la conscience dans la philosophie de Hegel*, Paris, 1929.

TABLE DES MATIÈRES

A C H E V É
D'IMPRIMER

S U R   L E S
PRESSES D'AUBIN
LIGUGÉ (VIENNE)
LE 10 DÉC.
1968

D. L., 4e trim. 1968. — Editeur, n° 1188. — Imprimeur, 4898.
Imprimé en France.